D0807428

06/2500

Über 40 Jahre
Heyne Science Fiction
& Fantasy
2500 Bände
Das Gesamt-Programm

SCIENCE FICTION

Herausgegeben
von Wolfgang Jeschke

Von **James B. Johnson** erschien in der Reihe
HEYNE SCIENCE FICTION & FANTASY:

Treckmeister · 06/5916
Habu · 06/6309

James b. Johnson

habu

Roman

Aus dem Amerikanischen von
NORBERT STÖBE

Deutsche Erstausgabe

WILHELM HEYNE VERLAG
MÜNCHEN

HEYNE SCIENCE FICTION & FANTASY
Band 06/6309

Titel der amerikanischen Originalausgabe
HABU
Deutsche Übersetzung von Norbert Stöbe
Das Umschlagbild malte Arndt Drechsler

Umwelthinweis:
Dieses Buch wurde auf chlor- und
säurefreiem Papier gedruckt

Redaktion: Wolfgang Jeschke
Copyright © 1989 by James B. Johnson
Erstausgabe 1989 by DAW Books, New York
Mit freundlicher Genehmigung des Autors
und Thomas Schlück, Literarische Agentur, Garbsen
(# 10 552)
Copyright © 1999 der deutschen Ausgabe und der Übersetzung
by Wilhelm Heyne Verlag GmbH & Co. KG, München
http://www.heyne.de
Printed in Germany Juli 1999
Umschlaggestaltung: Nele Schütz Design, München
Technische Betreuung: M. Spinola
Satz: Schaber Datentechnik, Wels
Druck und Bindung: Elsnerdruck, Berlin

ISBN 3-453-15650-1

Inhalt

Für Rich Johnson –
stets entgegenkommend
und hilfsbereit.

I

Reubin Flood

REUBIN SASS BESORGT IN DER SHUTTLE-U-BAHN. Es mußte eine Erklärung geben. Was war mit Alex geschehen?

Er hatte Glück gehabt, es bis Snister geschafft zu haben. Dieser Raumkreuzer war für Monate die letzte Linienmaschine, die diesen Planeten anflog.

Andere Passagiere standen oder saßen und warteten auf die Ankunft in der Zentralabfertigung. Reubin vermutete, daß man auf Snister deshalb ein Shuttle einsetzte, um Ankunft und Abflug von Menschen und Fracht besser kontrollieren zu können.

Als seine Frau nicht planmäßig auf Webster's eingetroffen war, hatte er seine Geschäfte in der Sektorenhauptstadt sausenlassen und ein Raumschiff nach Snister bestiegen. Alexandra sollte sich ihm anschließen, dann wollten sie sich der Behandlung zur Lebensverlängerung unterziehen und zur Grenze aufbrechen, ihr bisheriges Leben beenden und gemeinsam ein neues Leben beginnen.

Wollten, dachte er.

Die U-Bahn ruckte und hielt an. Das gegenüberliegende Ende öffnete sich, und Menschen strömten in der für Zivilisten typischen Unordnung hinaus.

Als sich das Raumschiff Snister näherte, hatte er Alexandra über Funk zu erreichen versucht. Ohne Erfolg. Im zentralen Melderegister von Snister gab es keine Eintragung über sie. Alexandras Tochter war ihm eingefallen: Tique Sovereign. Ja, Tequilla Sovereign war aufgeführt. »Stellen Sie mich bitte durch.« Keine Antwort. »Ich werde eine Nachricht hinterlassen.« Reubin nannte seinen Namen und die Nachricht. »Komme um 15 Uhr Ortszeit an. Wo ist Alex?«

Die Abfertigungsbeamten an der Zollkontrolle waren erstaunlicherweise tüchtig.

Anschließend ging er die Bahnhofshalle entlang und gelangte in den Wartesaal. Szenen, die er schon hundertmal beobachtet hatte. Wiedervereinte Familien. Geschäftsleute, die sich einen Weg durch das Gewühl bahnten.

Ohne große Hoffnung musterte er die Menschenmenge. Von Alex nichts zu sehen – Moment ... nein, sie war es nicht. An der gegenüberliegenden Wand lehnte im Schatten eine Frau und starrte aus einem Kuppelfenster aufs Landefeld hinaus.

Tique. Alex hatte ihm einmal ein Holo ihrer Tochter gezeigt. »Sprich es aus wie Teak«, hatte sie gesagt. Eines der Dinge, die Reubin am Institut für Lebensverlängerung und dessen diktatorischer Politik mochte, war, daß jeder von vornherein gezwungen wurde, Föderationsenglisch zu sprechen.

Tique hatte sich umgedreht, um die Neuankömmlinge zu mustern, und hatte ihn anscheinend gleich entdeckt.

Sie war eine Frau mit lockigem, kastanienbraunem Haar, nicht minder attraktiv als ihre Mutter, jedoch auf eine andere, konventionellere Art. Ihre Augen waren lebhaft und intelligent. Sie trug einen dieser Röcke, die wie ein halber Overall aussahen und mit denen Reubin nichts anfangen konnte. Zweifellos ganz auf der Höhe der Zeit. Sie schüttelte den Kopf und kam auf ihn zu.

Er forschte in ihrem Gesicht nach irgendeinem Hinweis. Worte und Begrüßungen wallten um ihn auf, während er auf Alexandras Tochter zustrebte. Sein Unterbewußtsein schickte Warnsignale an sein anderes Ich.

Er blieb stehen.

Sie blieb stehen. »Sie sind wohl Reubin Flood?« Ihre Worte klangen kühl.

»Das bin ich. Wo ist Alex?« Irgend etwas war vollkommen falsch.

»Sie haben meine Nachricht auf Webster's nicht erhalten?«

»Nein. Als sie nicht eintraf, hab ich mich hierher auf den Weg gemacht. Wir waren im Zwischenraum.«

»Machen wir, daß wir aus dem Gewühl herauskommen«, sagte Tique, als sie ein Mann anrempelte, erst sie und dann zweimal Reubin ansah und eine Entschuldigung murmelte.

Ein namenloses Grauen erfaßte Reubin, ausgehend von seinen Eingeweiden und sich in ihm ausbreitend wie ein pulsierendes Gift. Das Tier in ihm erreichte eine höhere Bewußtseinsebene. Er folgte ihr, um Selbstbeherrschung bemüht.

Tique blieb an der Aussichtskuppel stehen, blickte hinaus und drehte sich zu Reubin um. »Mein Name ist Tique...«

»Ich weiß. Sie mußten es sein, wenn Ihre Mutter keine Tätowierung vergessen hat. Wo ist sie?« Seine Stimme klang rauh, fordernd.

»Ich ... sie ist tot. Mutter ist gestorben.«

Er hatte es gewußt. Er konnte den Geruch des Todes von weitem riechen. Nicht schon wieder. Nicht jetzt. »Wie?« Das Wort stand quälend zwischen ihnen. Ein vertrautes, mörderisches Zittern setzte in ihm ein.

»An einem Herzanfall.« Ihr Gesicht war ausdruckslos. Machte sie ihn für den Tod ihrer Mutter verantwortlich? Wie war das möglich?

Reubin war es jedoch egal. Es war Jahrhunderte her, daß er für eine Frau das gleiche wie für Alexandra Sovereign empfunden hatte. Warum fiel es ihm so schwer, das Wort ›Liebe‹ zu gebrauchen? Sie hatten sich unter merkwürdigen Umständen kennengelernt und eine Freundschaft geschmiedet, die sich bald in eine Romanze verwandelte. Ein angenehmes Gefühl von Wohlsein und Gemeinsamkeit. Eine lang verschüttete Wut kochte über und wurde stärker und stärker. Er brauchte einen Moment, um das inzwischen vertraute Gefühl unter Kontrolle zu bringen. *Kannst du mir meinen Kummer nicht lassen?* fragte er. Die verborgene Präsenz antwortete nicht.

Der Schock breitete sich noch immer in ihm aus, lähmte ihn. Benommen blickte Reubin auf das um ihn herum wogende Leben. Ein Kind zerrte eine Zerlumpte-Ann-Puppe über den Boden. Leute wirbelten allein oder in Gruppen herum, einige sich glücklich unterhaltend, andere in Eile, begierig darauf, nach Hause und von hier fortzukommen.

Nicht schon wieder, dachte er. Ein bitterer Geschmack stieg in seiner Kehle auf. In seinem Geist geriet etwas Elementares ins Rutschen. Seine erste Reaktion war nicht der Schmerz, der Kummer, von dem er verstandesmäßig wußte, daß er später über ihn herfallen würde. Statt dessen stieg Zorn in ihm auf, wie hochkommende Galle. Sie drohte, ihn zu überwältigen; die innere Schlange erkannte den Auslöser und nährte sich von der Wut und dem inneren Chaos, welches die Wut bewirkte. Reubin kämpfte um Selbstbeherrschung, während er die Frau Tique dabei beobachtete, wie sie die über sein Gesicht laufenden Emotionen katalogisierte.

Sie wich zurück.

Das Zittern gelangte zu einem Höhepunkt. *Laß mich raus*, drängte die Schlange, bereits dicht an der Oberfläche.

– *Nein. Nicht jetzt.* Reubins Emotionen wurden durch die Erkenntnis, daß Alex tot war, ins Chaos gestürzt, und er hatte die Kontrolle verloren.

Seine Fassung wiedererlangend, wandte er sich zu

Tique um. »Niemand stirbt an einem Herzanfall. Nicht mehr.« Er war sich bewußt, daß sich seine Stimme in Eis verwandelt hatte. Alex war tot.

»Doch, das tun sie«, erwiderte Tique. »Nicht oft, aber es kommt vor. Zumal bei Leuten, die seit mehr als achtzig Standardjahren nicht mehr behandelt worden sind. Und besonders bei Leuten, die nur wenige LV-Behandlungen bekommen haben.«

Er schüttelte den Kopf. Er wollte es einfach nicht glauben.

»Schauen Sie«, Tiques Tonfall war vorwurfsvoll, »Sie haben mich dazu gebracht, den Tod meiner eigenen Mutter zu *verteidigen*! Ich will das nicht. Tun Sie mir das nicht an.«

Reubin bemerkte, wie kritisch es um Tique bestellt war. Er bekam sich noch besser unter Kontrolle. »Machen wir, dasch wir hier wegkommen.«

Sie legte den Kopf schief wegen seines Zischlauts, dann drehte sie sich um und ging los.

Sie gingen durch die Bahnhofshalle. An der Gepäckausgabe tippte er seinen Paxcode ein, und sein einziger Koffer erschien in der Mündung der Rutsche.

Ihr Rücken war vor Abscheu versteift. Wenigstens hatte sie etwas Zeit gehabt, sich mit dem Verlust abzufinden.

Tique führte ihn mit mechanischen Bewegungen aus dem Bahnhof hinaus. Reubin wußte, daß dies ihr erstes Leben war, folglich war anzunehmen, daß der Tod ihrer Mutter wohl Tiques erste Erfahrung mit dem Tod darstellte. Nicht, daß heutzutage viele Menschen gestorben wären. Außer auf Karg und ein paar anderen Orten, an denen er gewesen war.

Die Atmosphäre von Snister war feucht. Wolken wirbelten. Er hatte den Eindruck, es werde bald regnen, und fragte sich müßig, wie der Regen auf Snister wohl sein würde. Alles, um nicht mehr an Alex zu denken;

alles, um seinen Geist zu beschäftigen, damit der andere Teil seines Ichs seinen Schmerz nicht dazu benutzen konnte, die Kontrolle an sich zu reißen und das Chaos anzurichten, das es so verzweifelt herbeisehnte. Reubin war ein starker Mann, doch die Schlange machte ihm Angst. Wahlloses Reagieren war unzivilisiert, nicht richtig.

Tique steckte eine Karte in einen Schlitz, und bald darauf traf ein Lift mit ihrem Wagen ein. Sie bogen auf die Straße ein.

Sie fuhren zu den Vororten von Cuyas, Snisters Hauptstadt. Reubin schwieg, obwohl seine Gedanken rasten. Er hatte einen Einfall. »Können wir ihr Grab besuchen?«

Sie blickte ihn durchdringend an. Sie schüttelte den Kopf. »Mutter wurde eingeäschert.«

»Oh.« Er versuchte, sich die Daten in Erinnerung zu rufen, die das Bordband über Snister ausgespuckt hatte. Er erinnerte sich daran, daß die Bevölkerung für einen Planeten dieser Größe unbedeutend war. Mit anderen Worten, man würde nicht an Begräbnisplatz sparen. »War es ihr Wunsch?« Er stellte die Frage nicht so sehr deshalb, weil er die Antwort wissen wollte, sondern um mehr über seine Frau herauszufinden. Er wußte so wenig von ihr.

Tique zuckte die Achseln und lenkte den Wagen unter ein großes pyramidenförmiges Gebäude. »Ich weiß es nicht. Der Regierungspathologe hat es angeordnet.«

»Warum.« Keine Frage, sondern eine Feststellung.

»Wohl wegen der Seltenheit von Todesfällen. Für den Fall, daß es ein Bioorganismus war, wollte man nicht das Risiko eingehen, daß sich die Infektion ausbreitet.«

Typische Beamtenwichtigtuerei, dachte Reubin. Man hätte sie in einen Sicherheitsbehälter legen können – einen Sicherheitssarg, verbesserte er sich. Andererseits hatte man vielleicht einige Gewebeproben aufgehoben. Die Beamten am Raumhafen hatten einen kompetenten Eindruck gemacht, darum bestand kein Grund zu der Annahme, dies träfe nicht ebenfalls auf die übrigen zu.

Als sie in Tiques Apartment angelangt waren, führte sie ihn in ein Schlafzimmer. »Es tut mir leid. Ich habe sämtliche Sachen von Mutter abgestoßen, ihre Wohnung verkauft und so weiter.«

»Ach?«

»Die Regierung hielt es für das Beste.«

»Ach?«

Tique sah wütend aus. »Hören Sie, verdammt noch mal. Sie war eine hohe Ministerin in der Regierung. Sie hatten ihre Gründe.«

»Ach?«

Tique stützte ihre Hände in die Hüften. »Natürlich. Das Geld. Sie können das verdammte Geld haben. Ich werde es Ihnen zusammen mit einem Kontoauszug geben. *Falls* Sie nachweisen können, daß Sie sie geheiratet haben.«

Reubin stellte seinen Koffer ab. Er sah ihr in die Augen. »Behalten Sie das Geld. Ich brauche es nicht, ich will es nicht.«

»Warum sind Sie dann …«

Ich will Alex, dachte er. »Haben Sie etwas Alkoholisches da?«

»Ja, sicher.« Tique war über seine Schroffheit offensichtlich verärgert.

Er folgte ihr ins Wohnzimmer. Sie zeigte auf eine Bar. »Bedienen Sie sich. Ich komme gleich wieder.« Sie ging durch eine Tür auf der anderen Seite des Zimmers hinaus.

Reubin sah sich um. Tiques Apartment war nichts Besonderes. Sie war nicht stinkreich, aber sicherlich wohlhabend. Die Einrichtung war freundlich und bequem, und die Klimaanlage reduzierte Snisters Feuchtigkeit auf die Hälfte. Es gab eine Menge Beige im Raum. Der Geruch frischer Schnittblumen. Aussicht von etwa vier Stockwerken unterhalb der Pyramidenspitze aus.

Aus einer Eingebung heraus überprüfte Reubin die Steuerkonsole und ließ den aktuellen Speicherinhalt anzeigen.

Eine Seitenwand verdunkelte sich, und da war Alexandra Sovereign. Er stellte die Lautstärke höher, jedoch nicht so laut, daß Tique herbeigerufen würde.

Alex. Sie trug ihren silberfarbenen Lieblingsoverall. Große Silberohrringe, die wie Sporenrädchen aussahen, baumelten an ihren Ohrläppchen.

»Hallo, Silbermädchen«, flüsterte Reubin.

Er drückte das Startfeld.

Alex lachte, und bestimmt nicht nur zum Schein. »Das kannst du mir glauben, Tique. Du hättest ihn so sehen sollen, wie ich ihn zum erstenmal gesehen habe. Der halbe Planet in Flammen, und er raste vor mir in einem entführten Leichter über den Himmel, o Mann.« Alex nippte an einem Drink. »Genug Feuerkraft hinter ihm her, um den Energiebedarf der Stadt hundert Jahre lang zu decken. Ich genieße diplomatische Immunität, darum machte ich mir keine ernsthaften Sorgen. Aber er erreichte das Raumschiff vor mir und ging von Bord und betrat den Hangar, und der Leichter wartete kaum, er schoß irgendwohin davon, während sein hinterer Fuß noch mitten in der Luft war.«

Tique mußte geantwortet haben, doch das war gelöscht worden, oder das Abtastgerät war ausschließlich auf Alex eingestellt.

»Ich stellte meinen Gleiter auf der Schwebebühne ab, und das Schiff startete gerade, und dieser Mannschaftsoffizier verneigte sich und geleitete mich durch einen Gang, und ich konnte an nichts anderes denken als an diesen Mann. Tique! Du wirst es nicht glauben. Er war halbseitig verbrannt aus irgendeinem Kampf hervorgegangen. An der anderen Körperseite getrocknetes Blut. Waffen, mein Gott! Auf dem Rücken, an den Hüften, aus seinen Stiefeln ragend. Ein doppelter Patronengurt lief im Zickzack über seinen Oberkörper, wie bei einem altertümlichen Banditen, der alles mögliche mit sich herumtrug.

Das erste Mal, daß ich Reubin Flood sah, Tique. Grimmig und erschöpft – jedoch vorsichtig und wachsam. Sein Anblick war wie ein Schlag genau in die Augen oder in den Unterleib. Er folgte mir über den Gang, und ich spürte seinen bohrenden Blick …«

Reubin fror den Bildschirm ein, starrte das Bild an der Wand an. In seinem tiefsten Inneren wußte er, daß es nicht vorbei war. Er würde niemals, *niemals* über diese Frau hinwegkommen. Er war wütend auf sich, weil er sich ihr, ihm, ihnen beiden gegenüber so analytisch kühl verhalten hatte. Mußte sich die Geschichte wiederholen? Er hoffte, nicht. Doch die Wut brannte, gleich unter der Oberfläche. Ein mörderischer Drang schwoll in ihm an. Nein, dachte er. Nicht schon wieder.

Ja. Das ist meine Aufgabe.

Diesmal war es leichter, die Schlange im Zaum zu halten; im Raumhafen war es ein regelrechter Kampf gewesen.

Er drückte das Bedienungsfeld ›HOLOPROJEKTION‹, und die erstarrte Alex sprang von der Wand in die Mitte des Zimmers. Das Holo war zu real, beschwor Alexandras Gegenwart auf beinahe obszöne Weise.

»Das ist privat«, sagte Tique von der Tür aus.

Reubin zuckte ertappt zusammen.

Tique starrte ihn an. »Mein Gott, Ihr Gesicht.« Sie schauderte.

Reubin schaltete das Bild ab und wandte sich der Bar zu. »Entschuldigen Sie meine Aufdringlichkeit.« Er entdeckte 150er Sourmash und goß es auf Eis in einem Schwenkglas. Er würde später trauern. Seinen Schmerz erstarren lassen, so wie er eben Alex an der Wand eingefroren hatte. Er hob seinen Blick zu Tique, und sie schüttelte den Kopf.

Die Worte kratzten in ihrer Kehle. »Einen Moment lang habe ich Sie so gesehen, wie sie Sie zum ersten Mal gesehen hat, die Verletzungen, die sie beschrieben hat...«

Reubin faßte sich wieder. »Sie brauchen mich nicht zu bemuttern, um Ihre Verlegenheit zu überspielen. Mir geht es inzwischen wieder gut.«

Sie kam zu ihm herüber. »Das habe ich nicht, Reubin Flood. Es war eine Gelegenheit, vielleicht meine einzige, herauszufinden, wie sie wirklich sind; was Mutter in Ihnen sah. Und ich wollte die Gelegenheit nicht ungenutzt verstreichen lassen.«

»Gewiß. Schauen Sie, Mädchen. Wenn Sie mir helfen, komme ich schon allein klar. Können Sie mir ein oder zwei Bilder ihrer... äh... sterblichen Überreste zeigen? Ich meine, vor der Einäscherung? Und dann verschwinde ich.«

»Sie sind nicht sonderlich vertrauensvoll.«

»Nein.« Nicht, wenn man ohne Rücksprache mit der Familie eine Einäscherung vornahm. »Da es, wie Sie sagten, ein seltener Tod war und der Pathologe die Einäscherung empfahl, hat man ihre Autopsie vielleicht gefilmt.«

»Mein Gott! Sie... Sie würden sich das *ansehen*?«

»Ich würde ihre Leiche ausgraben, wenn ich müßte«, sagte er. Er leerte seinen Drink und schenkte sich einen neuen ein.

Tique betrachtete ihn mit einer Mischung aus Mißtrauen, Abscheu und Entsetzen.

»Ich nehme an, Sie haben von dem medizinischen Gutachten nichts zu sehen bekommen?«

»Ich bin kein Arzt.« Tique ging zur Steuerkonsole, drückte Befehlsfelder und las eine Eintragung, die über den eingebauten Bildschirm scrollte. »Hier.« Sie berührte ein weiteres Tastenfeld und wartete. »Doktor Cromwell, bitte.«

Reubin ging auf sein Zimmer zurück, um zu duschen und sich umzuziehen.

Als er zurückkehrte, schüttelte Tique den Kopf. »Nichts Positives. Doktor Cromwell ist heute nicht da, und sein Büro will ohne seine Einwilligung keine Informationen herausgeben.«

»Obwohl wir die nächsten Angehörigen sind?«

»Nun, sie war Ministerin und zu Verschwiegenheit verpflichtet.« Tique schüttelte den Kopf.

»Dann also morgen als erstes«, sagte Reubin.

Bereits vor einiger Zeit war ihm in den Sinn gekommen, daß die Zentralauskunft einen an die nächsten Verwandten, einen Arzt oder zumindest einen rangniederen Beamten verweisen sollte, wenn man sich nach einer kürzlich verstorbenen Person erkundigte.

Sie zeigte nicht einfach ›Keine Eintragung‹ an.

2

Tequila Sovereign

AM NÄCHSTEN MORGEN WURDE TIQUE lange vor Beginn ihres Arbeitstages vom Klingeln des Commsignals geweckt. An Stelle des Pathologen hatte sie der Premierminister angerufen: Ob sie und Mister Flood dem PM die Ehre erweisen würden?

Tequilla informierte Reubin.

»Warum?« fragte er.

»Ich weiß nicht …«

»Sie wissen etwas.«

Ja, sie wußte, wollte es jedoch nicht zeigen. Sie blickte ihn freimütig an. Sein Gesicht wirkte ausgeruht, aber seine Augen waren dunkel und gefährlich. Sie hob unbehaglich die Schultern. »Es ist ziemlich persönlich.«

Reubin legte den Kopf schief und stellte seine Kaffeetasse auf den Tisch. »Der Tod ist sehr persönlich. Alex und ich waren verheiratet, das ist persönlich. Also, was ist es?«

Der Mann war wie eine unter dem Sattel versteckte Klette beim Reiten: irritierend. »Fels Nodivving hat … hm – wie soll ich mich ausdrücken? – meiner Mutter … äh … auf romantische Weise nachgestellt.«

»Ein Bürokrat hätte sich genauso ausgedrückt. Aber ich verstehe, was Sie meinen.« Er dachte einen Moment lang nach. »Auch noch nachdem Alex als verheiratete Frau hierher nach Snister zurückgekehrt war?«

»Ja. Oder wenigstens schien es mir so.« Ihre Mutter hatte auf eine ähnliche Frage von Tique hin die Augen verdreht. »Vielleicht sogar noch mehr.« Tique erinnerte sich, daß ihre Mutter gesagt hatte: »Es ist schlimmer denn je, Liebes. Fels ist hartnäckig. Ich freue mich darauf, meine Sachen zu verkaufen und mit Reubin wegzugehen, um gemeinsam ein neues Leben zu beginnen.« Tique hatte ihr keine große Beachtung geschenkt. Da dies ihr erstes Leben war, war sie mitten in emotionalen Kämpfen begriffen. Die bevorstehende dauerhafte Trennung von ihrer Mutter versprach schlimmer zu werden als die erzwungene Trennung von ihrem Vater, als er weggegangen war, um sich der Umwandlung zu unterziehen und zur Grenze aufzubrechen. Und ihre Mutter hatte sich merkwürdigerweise ebenfalls gesträubt, die Bindung zwischen ihnen zu kappen. »Du hast mir immer näher gestanden als viele meiner Kinder«, hatte sie zu Tique gesagt. »Du hast deine Familie oder deine Kinder noch nie verlassen müssen; ich sag dir, manchmal ist es schwer, manchmal ist es ein Segen. Aber diesmal schlagen Gewissensbisse auf mich ein wie Wellen an einen Strand.« Alex hatte gelächelt. »Ich hätte Dichterin werden sollen, wie?« Tique fühlte eine Woge von Schmerz.

Ihre Träumereien unterbrechend, antwortete Reubin: »Wie auch immer, wenn dieser Nodivving Ihre Mutter begehrt hat, warum möchte er sich dann mit uns treffen, anstatt uns zu erlauben, mit einem niederen Beamten wie zum Beispiel dem Pathologen zusammenzutreffen?«

Tique schüttelte den Kopf. »Ich weiß nicht. Kann sein, daß der Premierminister den Mann kennenlernen möchte, der die Frau für sich erobert hat, die er wollte.«

»Um mich einzuschätzen?«

»Vielleicht«, sagte Tique, »glaubt er, ich wüßte etwas. Diese Erklärung paßt besser als andere.«

Tique stand von ihrem Frühstück auf. Reubin tat es ihr nach, trug das Geschirr zum Eingabeschlitz des Automaten. »Das ist eine gute Antwort«, sagte sie, »aber sie ergibt keinen Sinn.«

»Bedeutend mehr Sinn als eine Menge andere Dinge.«

»Was?« fragte Tique. Wer, zum Teufel, *ist* dieser Mann? Ein Mann, den sie mehr verabscheut hatte als irgend jemanden sonst. Er hatte ihr die Mutter wegnehmen wollen. Nicht nur Tiques Mutter, sondern auch ihre beste Freundin. Reubin Flood hatte ihre Mutter kaum länger als eine Woche Realzeit gekannt, und er nahm sie ihr weg. Die Wut und der Abscheu, die Tique vor dem Tod ihrer Mutter empfunden hatte, kehrten zurück.

Reubin ging ans Fenster und schaute hinaus. »Vergessen Sie's. Erzählen Sie mir vom Premierminister.«

»Unterwegs. Möchte mich nicht verspäten.« Sie war froh, daß sie die Unterhaltung mit ihm für eine Weile unterbrechen konnte.

Während sie durch die Stadt fuhren, redete Tique, wobei sie sich gelegentlich unterbrach, um Reubin besondere Sehenswürdigkeiten zu zeigen. Alles, um ihren Geist zu beschäftigen und ihre Wut und ihren Abscheu zu verdrängen. »Die Stadt Cuyas ist ziemlich modern. Im Umland sieht es allerdings ganz anders aus.«

»Wir können später Süßholz raspeln«, sagte er. »Erzählen Sie mir von Fels Nodivving.« Reubins Augen ruhten nicht, während sie fuhr. Sie erinnerten sie an ein wildes Tier: ständig auf der Hut.

Ein Regenvorhang traf den Gleiter, und sie schaltete das Gebläse ein, um die vorderen und hinteren Teile der Kabinenkanzel freizuhalten. Sie gestattete es den Straßencomputern, ihre Geschwindigkeit zu kontrollieren. Solange sie sich auf einer Hauptverkehrsstraße befanden, würde die Straße das Steuern für sie erledigen.

»Wie soll ich den Premierminister beschreiben?« sagte Tique. »Es hat alles mit Wirtschaft zu tun. Fels Nodivving ist der leitende Geschäftsführer der Filiale der Wormwood Incorporation auf Snister. Dies ist ein

Gesellschaftsplanet. Als LGF ist er automatisch Premierminister. Er verwaltet den Planeten, wirtschaftlich und politisch.«

»Premierminister«, sagte Reubin, »ist definitionsgemäß gleichbedeutend mit einer Spielart des parlamentarischen Systems. Was wiederum ein mehr oder weniger demokratisches System bedeutet. Richtig?«

»Ach, wir sind einigermaßen frei«, sagte sie, während sie ihr Wetterradar überprüfte. »Die Gesellschaft kümmert sich um das nötige Drumherum. Persönlich sind wir frei. Wir haben bloß nicht viel in Regierungsangelegenheiten zu sagen.«

»Eine Art Widerspruch in sich«, sagte Reubin.

Tique warf ihm einen Blick zu. Sein Gesichtsausdruck war neutral. »Nein. Nicht, wenn Sie sich klarmachen, daß die Gesellschaft die Regierung *ist*.«

»So haben es die Gesellschaftstheoretiker für gewöhnlich erklärt.«

Sein Tonfall drückte keine Erbitterung aus. Tique vermutete – hauptsächlich aufgrund der Andeutungen, die ihre Mutter hatte fallenlassen –, daß er einer dieser Erdgeborenen war, die ›alles gesehen, überall gewesen‹ waren.

Einer der wenigen Überlebenden, welche die Periode der Expansion zu den Sternen vollständig miterlebt hatten, einer derjenigen, die aus der Zeit vor dem Institut für Lebensverlängerung stammten. Was sie an etwas erinnerte: »Es gibt einen ausgezeichneten historischen Präzedenzfall und eine Erklärung dafür, daß die Gesellschaft einen ganzen Planeten beherrscht. Wie steht es mit dem Institut für Lebensverlängerung? Jahrhundertelang war es ein Gebilde, das außerhalb der Rechtsprechung stand. Das ILV besteht föderationsweit, und niemand wagt es, daran zu rühren. Kein Außenstehender hat jedenfalls auch nur den mindesten Einfluß darauf, der Umstände ungeachtet.«

»Sind Sie sicher?« fragte er geheimnisvoll.

»Wie bitte?«

»Nichts.«

Sie hätte das Thema gern weiterverfolgt, doch sie näherten sich der Regierungszentrale. Sie fuhren mit einem Jetlift zu den Räumen des Premierministers hinauf. Als sie Reubin mit Fels bekanntmachte, fand im Raum eine subtile Veränderung statt. Spannung. Es war keine vorbehaltlose Abneigung. Eher etwas wie eine Herausforderung. Fels Nodivving war ein energischer Mann, ein Mann, dem jedermann große Hochachtung und Respekt zollte. Reubin Flood hatte nichts Nachgiebiges an sich. Die Überlegenheit eines anderen akzeptierte er nicht.

Es schien Fels vorübergehend zu erschüttern. In körperlicher Hinsicht war Fels kleiner als Reubin – jedoch breiter in den Schultern und an der Hüfte. Fels war ein oder zwei Leben zuvor ein vollendeter Ringer gewesen. Er hatte dichtes, lockiges schwarzes Haar, das ihm über die Ohren fiel. Er war glattrasiert und mit der Uniform der Wormwood Inc. korrekt gekleidet: ein Overall mit einem kleinen Firmenemblem auf der rechten Brustseite. Der tiefblaue Overall spiegelte sich in seinen Augen wider und machte sie dunkel, aber Tique konnte ihre Farbe nicht bestimmen.

Nun saßen sie, und Tique ließ im Geiste den bisherigen Tagesverlauf Revue passieren, und Reubin Flood studierte die Autopsie. Sie saß auf dem Sofa, das Fels' Schreibtisch und dem Wandschirm schräg gegenüber stand. Reubin ruhte zwanglos auf einem harten Stuhl. Fels saß auf der Kante seines Chefsessels und leitete über seine Schreibtischkonsole das Info auf den Schirm.

Sie sahen sich eine Videoaufzeichnung der Autopsie an. Tique weigerte sich, sie zu betrachten. Sie beobachtete Reubin, während sich das grauenhafte Ding auf dem Bildschirm ausbreitete. Sein Gesicht war steinhart, als bemühte er sich um äußerste Selbstbeherrschung. Dann sahen Reubin und Fels Nodivving die Analyseergebnisse der Autopsie durch. Daten liefen in Kolonnen und akkuraten Absätzen und Unterabsätzen über den Schirm. Reubins Gesicht war angespannt vor Konzentration.

Hätte Tique die beiden Männer nicht aus der Nähe beobachtet, würde sie nie erfahren haben, daß in diesem Moment alles anfing.

»O je«, sagte Reubin. »Zu schnell, das habe ich nicht mitbekommen.«

Fels drückte ein Tastenfeld, und das Bild sprang auf die Wand zurück. Sein Gesicht erstarrte, und seine Augen fixierten Reubin den Bruchteil einer Sekunde lang. Die Feindseligkeit zwischen ihnen wuchs mittlerweile exponentiell, und bestimmt nicht deswegen, weil Reubin den PM nicht mit ›Sir‹ angeredet hatte.

Reubins Schultern strafften sich, entspannten sich wieder. Sein Tonfall klang normal. »Okay. Danke. Machen Sie weiter.«

Tique blickte auf. Etwas, das die Holoaufnahme des Gehirns ihrer Mutter sein mochte, verblaßte gerade.

Der Rest der Audienz bei Fels verlief normal. Als er die gesamte Autopsie durchgesehen hatte, fragte Reubin: »Wurde keine chemische Blutanalyse gemacht? Ich habe andere Gewebeanalysen gesehen, aber kein Blut.«

Fels drehte sich auf seinem Sessel herum und tippte auf seine Konsole. »Ah, ja. Ein Zusatz zu den übrigen Ergebnissen. Ich dachte, es wäre die Mühe nicht wert, es zu zeigen.«

»Zeigen Sie es mir.« Reubins Tonfall war befehlend.

»Selbstverständlich.«

Die Feindschaft zwischen ihnen erreichte einen Höhepunkt.

Daten füllten die Wand, und Reubin studierte sie. Dann schwenkte er eine Hand. »Bin durch.«

Fels löschte die Bilder. »Sind Sie zufrieden, Mr. Flood?«

»Ja.« Reubin erhob sich, obwohl Fels noch nicht hatte erkennen lassen, daß das Gespräch beendet war.

Fels betrachtete ihn. »Für einen Ehemann ist es ziemlich ungewöhnlich, eine Autopsie so genau zu studieren.« Fels klang gereizt. War es ein Rest von Eifersucht? Oder etwas anderes?

Reubin starrte auf ihn hinunter. »Es ist ziemlich ungewöhnlich, daß der leitende Geschäftsführer einer Gesellschaft und eines Planeten dem Ehemann die Resultate dieser Autopsie vorführt.«

Fels erhob sich. »Vielleicht wollte ich mir einfach ein Bild von dem Mann machen, der Alexandra Sovereign erobert hat.«

»Vielleicht.«

Tique stand auf. Keiner der beiden Männer war sich ihrer Gegenwart bewußt.

»Werden Sie lange auf Snister bleiben?« fragte Fels.

Reubin zuckte die Achseln. »Es könnte sein, daß ich mir den Planeten gern ansehen würde. Den Touristen spielen.«

»Es könnte ebenfalls sein«, erklärte Fels mit Nachdruck, »daß die Erinnerungen auf Snister für Sie überwältigend wären und Sie baldmöglichst abreisen möchten.«

»Das ist wohl nicht auszuschließen.«

»Tatsächlich schlage ich es vor«, sagte Fels.

»Hab's gehört.«

Tique konnte die starken Unterströmungen spüren, welche die beiden Männer umgaben. Obwohl ihr jegliche Art von versteckter und subtiler Herausforderung fremd war, konnte sie ein inwendiges Frösteln nicht unterdrücken. Die Feindschaft zwischen ihnen wuchs deutlich erkennbar sprunghaft an.

Auf dem Weg aus der Regierungszentrale heraus war Reubin Flood merkwürdig still. Im Wagen verhielt er sich ebenso und nestelte an seinem Armbandrechner. Tique bekam Zustände.

Dann schwenkte er die Überkopfanzeige von der Fahrer- auf die Beifahrerseite. Er spielte einen Moment lang damit herum.

»Dieses Vorgebirge«, sagte er. »Hat man von dort aus eine gute Aussicht aufs Land?«

Tique nickte. Ihr lagen Fragen auf der Zunge. »Manche nennen es ›Höhe der Liebenden‹. Der richtige Name lautet jedoch ›Aussichtspunkt Nr. 18‹. Reubin, ich...«

»Ich habe die Koordinaten in die ÜKA einprogrammiert, falls Sie sie brauchen sollten.«

»Ich kenne den Weg. Aber...« Sie bemerkte, daß er sie mit eigenartiger Intensität anschaute. Er schüttelte bedächtig den Kopf. Er wollte nicht, daß sie mit ihm sprach, ihm Fragen stellte. Soviel war klar. Aber warum?

»Erzählen Sie mir, womit Sie Ihren Lebensunterhalt verdienen, Tequila.« Reubin sah sie an und lehnte sich zurück. In seinen Augen brodelte Gefahr.

Tique wurde nicht schlau aus seiner Reaktion auf den Tod ihrer Mutter. Es war, als wäre er nicht... menschlich.

Als sie in die Berge oberhalb von Cuyas abbogen, schob ein Wind die Wolken über ihnen beiseite. »Ich bin Aquadynamikerin.«

»Soviel weiß ich bereits. Was tut ein Aquadynamiker?«

Sie hatte ihre Fassung wiedererlangt. »Das, wonach es klingt. Er ist eine Art von Ingenieur und Programmdesigner. Ich lasse Computermodelle zur Wasserdynamik laufen. Bewässerung. Dämme. Da wir manchmal Dämme für die Bewässerung bauen müssen, benutzen wir sie ebenfalls zur Stromerzeugung. Unterwasserpropeller erfordern ebensoviel Konstruktionsaufwand wie beispielsweise in der Aerodynamik nötig ist. Besonders dann, wenn man den Gewinn maximieren und die Kosten minimieren möchte, was der zweite Vorname des Wormwood-Konzerns ist.« Sie dachte an die Feuchtgebiete, in denen das Wurmholz wuchs. »Während des Monsuns, der einen Großteil des Jahres über herrscht, müssen wir die Überschwemmungen regulieren. Das hält mich ganz schön auf Trab.«

Sie zögerte, dann redete sie weiter. »Sämtliche Feuchtgebiete wurden mit Wurmholz bepflanzt, nicht nur dort, wo es natürlich vorkommt und wo es den Erfordernissen des Ökosystems entspricht. Es gibt eine ausgedehnte Ebene, wo die von Menschen angepflanzten Wurmholzbäume bereits geerntet werden.« Sie wedelte ärgerlich mit der Hand. »Die Wormwood Inc. hat inzwischen so gut wie überall Wurmholz angepflanzt.« Sie bemühte sich, ihre Ansichten aus der Unterhaltung herauszuhalten. »Wie auch immer, wegen all dem habe ich soviel Arbeit, wie ich bewältigen kann. Obwohl ich im Moment gerade Urlaub habe, wegen Mutter.«

Während des Fahrens erzählte sie ihm von den verschiedenen Projekten, an denen sie mitgearbeitet hatte. Als das Wurmholz in diesem Föderationssektor an Bedeutung gewann, wurden neue Wurmholzwälder gebraucht. Die Produktion breitete sich von Cuyas und anderen Städten aus. Der überwiegende Teil der Wurmholzproduktion stammte inzwischen aus Konzernpflanzungen auf dieser fernen Flußebene anstatt aus der Ernte der ursprünglichen, natürlich gewachsenen Wurmholzbäume. In den übrigen Gebieten waren die Bäume noch nicht reif. Die Erntekapazitäten wurden jedoch erhöht; Arbeitskräfte wurden eingestellt, Maschinen gebaut, Verarbeitungszentren waren im

Entstehen; alles im Hinblick auf die geplante Ernte in einigen Jahren.

»Der Übergang von der Nutzung der natürlichen Wurmholzbäume zu der künstlich angebauter war der eigentliche Grund dafür, daß Mutter auf anderen Welten Märkte überwacht und Geschäfte angebahnt hat.« Sie erklärte des weiteren, wie die spezielle Kombination von Klima, Feuchtigkeit, Überflutungen, Wurzelernährung und das durch Snisters Atmosphäre gefilterte Licht die besonderen Bedingungen schufen, die dem Wurm das Leben in diesem Baum als Symbiosepartner erlaubten.

Tique war stolz auf ihren Beruf. Soviel sie wußte, war er einzigartig. »Um Aquadynamiker zu werden, muß man in jeder Beziehung ein Computerexperte sein. Ich kann die Zentraleinheit der Gesellschaft zum Steptanzen bringen, wenn ich muß.«

Im Gebirge angelangt, folgte sie der einzigen Straße nach oben; auf der Höhe des K 3, knapp unterhalb des Gipfels, lag der Aussichtspunkt. Sie lenkte den Wagen auf einen Wendeplatz. Es waren keine weiteren Wagen abgestellt. Gelegentlich fuhr jemand hinter ihnen den Berg hinauf oder hinunter.

Tique hatte diese Stelle immer geliebt. Ihre Mutter hatte sie – auf dem Weg zu ihrer Berghütte – oft hierher gebracht, als sie noch ein Kind gewesen war. In letzter Zeit war sie nicht mehr so häufig hierher gekommen, wie sie gerne gewollt hätte. Sie fragte sich, ob Reubin paranormal veranlagt war und sie deshalb gebeten hatte, ihn hierher zu bringen, weil es auch Alexandras Lieblingsort gewesen war.

Es wehte ein heftiger Wind, der selbst in dieser Höhe Regen erwarten ließ. Tique führte ihn zu den Fernrohren in der Schutzkuppel.

Reubin nestelte wieder an seinem Armbandrechner herum.

Tique blickte über die Berge und Täler und die Wurmbaumwälder hinweg. Sie zeigte mit der Hand. »Sehen Sie diesen Gipfel bei etwa neun Uhr, knapp oberhalb des Horizonts?«

Reubin schaltete ein Fernrohr ein und schwenkte es herum.

»Der Flaag Peak«, sagte Tique. »Etwa vier Kilometer westlich davon und etwas tiefer an der Flanke liegt die Hütte, die Mutter mir geschenkt hat. Es war ihr Abschiedsgeschenk. Sie ... also, sie wollte mit Ihnen fortgehen, um ein neues Leben zu beginnen, und ... äh ... also ...« Die Erinnerung überwältigte Tique. Mutter. Tot.

»Ich hab sie«, sagte Reubin, indem er diplomatisch wie festgewurzelt vor dem Fernrohr stehenblieb. »Kann man von hier aus dorthin gelangen?«

Sie nickte, obwohl er sie nicht ansah. »Mit dem Gleiter, oder durch eine lange Autofahrt. Sie steht für sich, ein Flecken am Berghang, umgeben von Wald und Felsen und Gebirge und einem See.«

Reubin hob den Blick vom Okular des Fernrohrs. »Sie ist auf Ihren Namen eingetragen?«

»Ja.« Hatte es Reubin auf Mutters Geld abgesehen? Jedesmal, wenn sie meinte, sie habe ihn durchschaut, überraschte er sie.

»Gut. Hören Sie, Tequilla Sovereign. Wir haben ein Problem. Ich erzähle Ihnen davon aus einem einfachen Grund: man würde es mir niemals glauben, daß ich es ihnen *nicht* erzählt habe.«

»Was erzählt?«

»Erstens ist ihr Wagen verwanzt. Haben Sie das gewußt?«

»Nein. Warum ...«

»Er war sauber, als wir zum Regierungszentrum fuhren, also müssen sie die Wanze eingebaut haben, während wir bei Nodivving waren. Es kann sein, daß sie mit dem Autopiloten gekoppelt ist, jedenfalls ist sie da.«

»Das wissen Sie ganz sicher?« Tique setzte sich schwerfällig auf eine Bank. Der Wind wehte Blätter über den Boden, die in der relativen Geborgenheit der Kuppel raschelten.

Reubin berührte seinen Armbandrechner. »Spezialausführung. Eine der Funktionen ist ein Signalsucher. Ihr Wagen registriert eines – wohl für den Fall, daß ihr eingebauter Transponder falsch anzeigt oder vielleicht ausfällt, so daß er nicht sendet. Zweifellos ist ihr Apartment ebenfalls mit Abhörgeräten vollgestopft.« Er stellte den Fuß auf eine Bank und stützte sich auf ein Knie, wobei er sie durchdringend musterte.

»Aber warum?«

»Wegen Ihrer Mutter. Genauer gesagt, wegen der Fragen, die ich heute morgen Nodivving gestellt habe. Die Fragen haben sie aufgeschreckt. Was wiederum bedeutet, daß man sie wahrscheinlich umgebracht hat.«

»Mutter? Ermordet?« Diese Wendung der Ereignisse verwirrte Tique. »Ich begreife das nicht.« Konnte Reubin es wirklich ernst gemeint haben?

»Ich auch nicht, aber das kommt schon noch. Bedenken Sie die Umstände, daß Fels Nodivving uns persönlich die Resultate der Autopsie zeigt.«

»Mutter war Ministerin ...«

»Gewiß. Aber die Wormwood Inc. hat bei dem Tod Ihrer Mutter die Finger im Spiel, soweit ich erkennen kann.«

»Aber warum, Reubin? Ich meine ...«

»Ich weiß es nicht. Noch nicht.«

»Wie können sie so etwas *behaupten*?« Tique fühlte sich eigenartig leer. Dieser Eindringling brachte ihre Gefühle durcheinander. Emotionen, die sie tot geglaubt hatte, erwachten erneut. Ihre Stirn brannte.

»Erinnern Sie sich an die Autopsie. Haben Sie die chemische Blutanalyse gesehen?«

»Ich habe nicht so genau aufgepaßt. Offen gesagt, ich fand es ziemlich ekelhaft, das alles ...«

»Sie haben sie nicht gesehen.« Reubin setzte sich und streckte die Beine aus. Er verschränkte die Finger miteinander, bog die Hände nach innen und ließ seine Knöchel knacken. »Sie fehlte. Bis ich mich danach erkundigt habe, wissen Sie noch?« Er lachte trocken, humorlos. »Sie brauchten lediglich eine zu fälschen, aber sie haben sich nicht genug Zeit gelassen oder Mühe gegeben. Oder, vielleicht ...«

Tique wartete, beobachtete ihn beim Nachdenken. Ohne selbst nachdenken zu wollen. »Vielleicht, was?«

»Vielleicht haben sie sie absichtlich nicht beigefügt, und es sollte mir auffallen. Wenn es mir aufgefallen wäre und ich den Planeten rasch verlassen hätte, dann hätte es bedeutet, daß ich in Alexandras Geheimnis eingeweiht bin – und ihm in Panik hinterherliefe. Aber ich habe sie studiert.«

»Welches Geheimnis?« Tique kam sich mit jedem Moment verlorener vor.

»Das Geheimnis, um dessentwillen man sie umgebracht hat. Das Geheimnis, das sie nicht aus ihr herausgeholt haben, sonst hätten sie nicht die unvollständige Autopsie als Köder ausgelegt.« Reubin atmete tief durch. »Die Luft im Hochgebirge habe ich immer schon gemocht. Sie hat so etwas Ursprüngliches.«

»Noch einmal, Reubin, *welches* Geheimnis?«

»Ich weiß es nicht. – Sie?«

Tique schüttelte den Kopf. »Nicht nur das, sondern ich bin mir nicht einmal sicher, worüber wir, um Himmels willen, im Moment gerade reden.« Ihre Stimme klang noch ärgerlicher als zuvor. Spielte dieser Mann mit ihr?

»Ich ebensowenig.« Reubins Tonfall war energisch,

entschlossen. »Haben Sie die farbigen Querschnitte ihres Gehirns bemerkt?« Er wartete ihre Antwort nicht ab, sondern sprach weiter. »Es war schwer zu erkennen, weil die Autopsie in ihr Gehirn vordrang und der Pathologe den Schaden irrtümlich verursacht haben könnte.«

»Reubin? Sie machen mir Angst. Würden Sie bitte vernünftig mit mir reden?«

Er schaute sie an, rückte näher und schob seinen Arm unter ihren. Sie unterdrückte ihren Schreck. »Im Großhirn gibt es einen kleinen Zipfel, unmittelbar unter der Vorderseite des Corpus Callosum – das große Band von Nervensträngen, die beide Gehirnhälften verbinden. Wie auch immer, in diesem Gehirngewebe befindet sich ein direkter Zugang zur Hirnanhangdrüse und dem Hypothalamus.« Er umarmte sie fester. »Haben Sie Geduld mit mir. Diese Physiologie ist nicht wichtig, aber sie ist zum Verständnis notwendig. Sie haben einen Fehler gemacht. Sie haben uns Farbaufnahmen der Autopsie gezeigt. Es gab dort eine gewisse Verfärbung und einen Gewebeschaden.«

»Und?« Tique entschied, daß sie ihm ihren Arm im Moment nicht entziehen wollte. Noch mehr unklare Gefühle.

»Sie wissen es nicht?«

»Verdammt noch mal, Reubin. Hören Sie auf, mich zu fragen, ob ich etwas weiß. Ich weiß nichts.«

Sein Lächeln war grimmig. »Also gut. Es ist nicht allgemein bekannt: Manche Leuten haben ein Implantat, einen an bestimmten Gehirnstellen, der Hirnanhangdrüse und dem Hypothalamus, befestigten Biochip.«

Tique entzog ihm ihren Arm. »Klar. Sie sollten Professor sein, Sie kennen sich in Physiologie aus. Warum habe ich noch nie etwas von diesem Implantat gehört?«

»Nur das Institut für Lebensverlängerung weiß davon. Und die Betroffenen.«

»Und Sie, Reubin, und Sie. Wenigstens behaupten Sie es.«

Er stand auf und ging auf dem engen Raum hinter den Fernrohren im Innern der Kuppel auf und ab. »Ich weiß es, weil ich selbst eins dieser Implantate habe. Nur die Leute, die an der Gründung des Instituts für Lebensverlängerung oder einem der vorausgehenden Projekte mitgewirkt haben, besitzen eins.«

Sie ließ sich von seinem durchdringenden Blick nicht einschüchtern. »Reden Sie weiter.«

»Der Biochip«, sagte er, »enthält eine Reihe einfacher Programme, die man auslösen kann. Eines dient zur Abwehr von Drogen oder einem Hypnoseverhör. Man löst es aus, und die Geschichte, die man sich zurechtgelegt hat und die von den erfahrensten Experten der Föderation dort plaziert wurde, steht einem zur Verfügung. Man antwortet mit seiner Geschichte, egal welche Drogen eingesetzt werden. Man glaubt sogar selbst daran. Man gesteht seine Rolle bei dem ILV nicht ein. Darum können Drogen oder Hypnose nicht eingesetzt werden.«

Ohne es zu wollen, stellte Tique, von Grauen erfaßt, die logische Frage: »Und körperliche Folter?«

»Die zweite Funktion des Implantats. Selbstmord. Er sagt dem Herzen, daß es nicht mehr schlagen soll. Ich bin mir nicht sicher, ob es sich dabei um einen hormongesteuerten Vorgang oder um einen simplen, an die entsprechende Gehirnstelle gerichteten elektrischen Impuls handelt. Um beides vielleicht. Die Autopsie hätte bei der chemischen Analyse jedoch etwas Ungewöhnliches zeigen müssen. Wenn der Biochip das Gehirn durch freigesetzte Hormone dazu bringt, das Herz anzuhalten, müßte es zu erkennen sein. Die Leute vom Institut für Lebensverlängerung verfügen in der ganzen Föderation über die größte Erfahrung mit Hormonen.«

Tique hörte nicht hin. Die Welt hatte sich auf einmal verändert. »Sie sagten soeben, jemand habe Mutter gefoltert und sie habe Selbstmord begangen?«

Reubin setzte sich wieder hin. »Das nehme ich an. Und bei der Autopsie wurde der Biochip bemerkt, und Ihr Pathologe, Dr. Cromwell, entfernte ihn, weil er dachte, er könnte ein paar Geheimnisse enthalten. Hört die Gehirnaktivität erst einmal auf, steht keine elektrische Energie mehr zur Verfügung, und der Chip ist wertlos. Aber sie war tot, als das Implantat entnommen wurde. Das entspricht meiner Definition von Mord.« Sein Kopf fiel herab, und seine Kiefermuskeln arbeiteten, vermittelten Tique den Eindruck eines inneren Kampfes.

»Warum? Warum, Reubin?«

Er hob den Kopf. Etwas flackerte in seinen Augen auf und war ebenso rasch wieder verschwunden. Unheimlich. »Sie wußte etwas, das sie wissen wollten.«

»In Zusammenhang mit dem ILV, stimmt's?«

»Wahrscheinlich.« Er zögerte. »Diejenigen, die etwas von den Formeln des ILV wußten oder Zugang zu den ursprünglichen Projekten hatten, bekamen den Chip implantiert. Er arbeitet mit Gehirnstrom.«

»Allmählich fange ich an zu begreifen«, sagte sie. Ihre Stimme klang ihr seltsam in den Ohren. »Das größte Geheimnis in der Geschichte der Menschheit. Die Behandlung zur Lebensverlängerung.«

Reubin hob die Schultern. »Schon möglich. Wenn das jemand herausbekäme, könnte er das Monopol des Instituts für Lebensverlängerung brechen und seinen eigenen Preis festlegen. Die Menschen bräuchten die strengen Regeln des ILV und seiner Gründer nicht mehr zu befolgen.«

Tique war immer noch verwirrt. »Ich glaube nicht, daß ich das ganz verstehe. Sie, Reubin Flood, *Sie* kennen das Geheimnis des Instituts?«

Er schüttelte den Kopf. »Nein. Und Ihre Mutter hat es wahrscheinlich auch nicht gekannt. Ich war nur am Rande beteiligt. Ich hatte Anteil an der Entwicklung der Computersysteme für das ILV.«

»Mein Gott. Sie sind *alt*.«

Seine Augen nahmen einen eigenartigen Ausdruck an. »Und Sie sind jung. Keiner von uns beiden sollte in den nächsten Jahrhunderten sterben. Aber Alex ist tot. Auf der anderen Seite könnte sie Selbstmord begangen haben, um sie daran zu hindern, Sie oder mich gegen sie zu benutzen – als Geiseln, im Austausch gegen ihr Wissen. Wie auch immer, sie haben sie umgebracht und mir weggenommen ...« Seine Stimme verlor sich.

Tique wartete eine Weile, bis sich seine Empfindungen beruhigt hatten. Ein weiterer Blick auf ihn mit heruntergelassener Maske. Er hatte sich wirklich etwas aus Mutter gemacht. Tique sprach mit gedämpfter Stimme. »Warum jetzt? Sie hat auf Snister gelebt, seit die Wormwood Inc. den Planeten erschlossen hat. Sie wollte mit Ihnen weggehen ...«

»Sie haben den Nagel auf den Kopf getroffen. Sie wollte weg. Es war ihre letzte Chance.«

»Ich bin sprachlos. Ich weiß nicht, ob ich Ihnen glauben soll oder nicht. Es ergibt keinen Sinn, nicht in diesem Universum, dieser Zeit.«

»Die ältesten Motive der Welt, Tique. Macht und Reichtum. Grenzenlose Macht über alle Menschen. Größerer Reichtum, als Milliarden Menschen sich auch nur vorstellen könnten.«

»Sie sagen immer ›sie‹, Reubin. Wer sind sie?«

»Ich weiß es nicht, aber ich werde es herausfinden. Ins Blaue hinein würde ich sagen, die Leitung der Wormwood Company ist nicht nur am meisten verdächtig, sondern im Moment auch als einzige.«

»Fels Nodivving?«

»Er ist ein ebenso guter Ansatzpunkt wie jeder andere.«

»Mir ist kalt«, sagte sie und fröstelte.

»Nodivving hat mich praktisch ausgewiesen«, sagte Reubin.

»Ich weiß.«

»Ich habe Ihnen meine Vermutungen mitgeteilt, weil ich seit Alex' Tod das einzige Verbindungsglied bin. Sie glauben vielleicht, Alex hätte mir ihr Geheimnis anvertraut, was immer es ist.«

»O je.« Sie begriff allmählich, worauf er hinauswollte.

»Und Sie könnten die nächste sein, aber man hat sie hier auf dem Planeten, ohne daß Sie abreisen wollten. Ich würde Ihnen raten, Ihren normalen Tagesablauf eine Zeitlang beizubehalten und dann eine Gelegenheit wahrzunehmen, um Webster's oder irgendeinen anderen Ort zu besuchen und nicht mehr zurückzukehren.«

Sie hatte sich bisher noch keine Gedanken über ihre persönliche Sicherheit gemacht. In Anbetracht der niederschmetternden Schläge, die sie in den letzten paar Minuten eingesteckt hatte, erschien ihre eigene Sicherheit unbedeutend.

Tique stand auf und ging zur Kuppelwand. Sie schaute auf die Berge und Wälder hinaus. Sie fragte sich, welche Art Mann dieser Reubin Flood war. Sie hatte mehrere verschiedene Reubin Floods gesehen – oder zumindest Manifestationen unterschiedlicher Menschen. Der, den ihre Mutter gesehen hatte, war noch nicht dabei gewesen.

Mutter hatte ihn sich ausgesucht. Das war das eine. Mutter hatte ihr von ihrer ersten Begegnung mit Reubin erzählt, mitten in einer Schlacht. Damals war er der klassische Krieger gewesen. Mutter hatte ihn kurze Zeit nach der Heldentat geheiratet. Ungewöhnlich in dieser Zeit, in der das Leben lange währte und das Heiraten ernstgenommen wurde. Erneut baute sich in ihr Unmut auf. Mutter hatte jedoch im allgemeinen gewußt, was sie tat. Tique fragte sich, ob Fels Nodivvings Nachstellungen Mutter dazu gebracht hatten, Reubin Flood zu heiraten, jetzt, wo die Behandlung zur Lebensverlängerung mit all ihren Konsequenzen bevorgestanden hatte. Alles war möglich.

Die Wolken hingen jetzt tiefer, brodelten unmittelbar vor ihr.

Reubin trat neben sie, und ein angeschwollenes graues Ungetüm von einer Wolke rollte über eine schneebedeckte Bergspitze. Der Gipfel schien die Wolke aufzuschlitzen, sie in Stücke zu reißen. Tique fröstelte erneut.

»Das gilt auch für mich«, sagte Reubin mitfühlend. »Ich werde versuchen, Reißaus zu nehmen. Falls ich Webster's erreiche, werde ich einige Nachforschungen anstellen und hierher zurückkehren; dann werden wir sehen, wie der Hase läuft.«

»Was bedeutet das?«

»Das ist so ein alter Ausdruck von der Erde.«

Sie betrachtete ihn mit schräggelegtem Kopf. »Sie glauben wirklich, Fels und seine Leute werden versuchen, Sie aufzuhalten?«

Er zuckte die Achseln und wischte die beschlagene Innenseite der Kuppel frei. »Es ist alles reine Spekulation. Erinnern Sie sich, ich hatte recht mit der Autopsie, dann ...«

Tique verzog das Gesicht. »Snister verfügt über keine Armee oder Marine, dafür besteht keine Notwendigkeit. Alles ist unter der Schirmherrschaft der Wormwood Inc. vereint. Die Polizeitruppe der Gesellschaft, ›Gendarmerie‹ wird sie genannt, ist ziemlich tüchtig. Die Gendarmerie bewacht auch den Zugang zum Raumhafen.«

»Wir werden's schon noch sehen, meinen Sie nicht?«

»Wenn Ihr Schiff unterwegs ist«, sagte Tique, »schikken Sie mir dann eine Nachricht, daß Sie es geschafft haben? Irgend etwas Unverfängliches.«

»Wenn Sie möchten«, sagte Reubin.

»Danke.« Da machte sie sich Sorgen wegen des Mannes, den sie verabscheute. Jedenfalls hatte er sie die Dinge in einem neuen Licht sehen lassen. Vielleicht wurde sie in die Intrige mit hineingezogen.

»Bedenken Sie, ich könnte bei meiner Rückkehr in Verkleidung kommen. Ich habe mich noch nicht für eine bestimmte entschieden. Auf diese Weise wären die Nachforschungen für mich möglicherweise leichter. Auf der anderen Seite könnte es auch sein, daß ich ich selbst sein und mich als Lockvogel benutzen muß...«

In der Ferne flammte ein Blitz auf. »Als Blitzableiter?« fragte sie.

Er nickte. »Es könnte die einzige Möglichkeit sein, sie auszuräuchern.«

Sie erkannte ein Muster in der niedergeschlagenen Feuchtigkeit auf der Innenseite der Kuppel. »Reubin? Nachdem Mutter von Karg zurückgekommen war und bekanntgegeben hatte, sie habe Sie geheiratet und werde aufbrechen, um irgendwo Pionierarbeit zu leisten, habe ich sie nur ganz selten gesehen. Dann war sie tot.« Es machte Tique verlegen, daß sie soviel erklären mußte, bevor sie die Frage stellte.

»Worum dreht sich's, Tique?« Eine der wenigen Gelegenheiten, bei denen er sie mit ihrem Namen angeredet hatte.

»Würden Sie mir von Mutter erzählen? Und von Ihnen?« Sie waren sich immer nahe gewesen, und Mutters Affäre mit Reubin hatte Tique zur Abwechslung einmal das Gefühl vermittelt, ausgeschlossen zu sein.

»Wir haben uns auf Karg kennengelernt und auf dem Raumschiff geheiratet, mit dem wir geflohen sind.«

»Mehr. Worum ging es bei dem Krieg? Welche Rolle haben Sie gespielt? Wer *sind* Sie?«

»Nein.« Sein Tonfall änderte sich abrupt. Er war entgegenkommend gewesen, doch jetzt...? Das Wort ›nein‹ war reines Eis gewesen. Sie war nahe daran gewesen, einen Zugang zu ihm zu finden, und im letzten Moment hatte er sich wieder in sich selbst zurückgezogen. Zurück in seine Maske. Verdammt noch mal!

Bislang hatte er wenig Schmerz gezeigt. Was für ein Mann war er?

Sie sah, daß er sie mit einer tierhaften Schlauheit, die ihr Unbehagen verursachte, beobachtete. Ohne ihn noch einmal anzusehen, ging sie durch den Regen zu ihrem Wagen.

Es war weit nach Mitternacht, als sie der Gebäudesicherheitsdienst aufweckte.

»Ma'am, es ist wegen Ihres Gastes, Ma'am«, sagte die Stimme aus dem Lautsprecher auf ihrer Bettkonsole.

Tique schüttelte sich den Schlaf aus den Augen. »Was? Was ist mit ihm?«

»Er ist auf dem Dach, Ma'am.«

Sie setzte sich auf. »Was stimmt damit nicht?«

»Er hat die Aussichtskuppel eingefahren.«

»Oh.« Oh! Sie schaltete sich in das Wetterradar des Gebäudes ein, und ihr Bildschirm war voller Störflecken. »Ich werde nach oben gehen und mich darum kümmern.«

»Hab mir gedacht, es wär besser, wenn Sie Bescheid wüßten, Ma'am, obwohl es eigentlich nicht verboten ist...«

»Danke.« Tique unterbrach die Verbindung und zog rasch einen regendichten Overall an. Sie schaltete die Außenansicht ein. Über Cuyas wütete ein Unwetter, Blitze zuckten, und Wind peitschte den Regen seitwärts.

Sie wählte die innenliegende Treppe und gelangte alsbald auf das Dach.

Der Regen hatte sie augenblicklich durchnäßt.

Sie fragte sich, wann die Kuppel das letzte Mal eingefahren worden war. Es hätte Mutter ähnlich gesehen. Ein Blitz erhellte ihre nächste Umgebung.

Wo…? Da.

Reubin saß auf der Dachkante. Seine Beine baumelten hinab und waren nicht zu sehen. Er hob eine Flasche an die Lippen und trank. Ein Blitz schlug in den Verteilerpol hoch über ihnen ein, und es donnerte. Tique zuckte unwillkürlich zusammen und roch Ozon. Reubin bewegte sich nicht.

Sie ging zu ihm, sich des fehlenden Schutzes der Kuppel deutlich bewußt. Sie blieb hinter ihm stehen, aus Furcht vor der Distanz zwischen ihnen und dem Boden weit unten. Obwohl das Gebäude Pyramidenform hatte, war es bei Sturm dennoch gefährlich, hinunterzufallen. Im Moment sah es so aus, als ob der Sturz ziemlich vertikal verlaufen würde.

Reubin Flood drehte sich um und sah sie an. Woher hatte er gewußt, daß sie da war? Wahrscheinlich irgendein animalischer Instinkt. Ein aufleuchtender Blitz erhellte seine Augen.

Und sie waren nicht menschlich.

Während sie hinschaute, von dem fremdartigen Phänomen fasziniert, wurden seine Augen milchig; gleich darauf blickte sie wieder menschliche Intelligenz daraus an.

Eine heftige Wind- und Regenbö drohte ihr das Gleichgewicht zu rauben.

Er hielt sie mit der Hand fest. Es war nicht die Möglichkeit eines Sturzes, was ihr Angst einjagte.

Sie bedeutete ihm, mit ihr zurückzugehen.

Er trank aus der Flasche, dann stand er langsam auf.

Tique wich vor dem Wind zu einem Doppelsitz nahe der Dachmitte zurück. Reubin folgte ihr.

Sie ließ sich auf den Sitz sinken, fand die Steuerung und ließ die Kuppel ausfahren. Sie war erst halb in Position, als Reubin ihr bedeutete, es dabei zu belassen. Zumindest lag die Kuppelhälfte auf der Luvseite und schirmte den heulenden Wind ab.

Reubin stand durchnäßt vor ihr, das Wasser bildete auf seinem Gesicht Streifen, die wie Tränen aussahen. Er atmete schwer, so als wäre er bei einem physischen Kraftakt unterbrochen worden.

Sie überwand ihren inneren Abscheu und bedeutete ihm, neben ihr Platz zu nehmen.

Zunächst zögerte er. Dann zuckte er die Achseln und ließ sich neben ihr niedersinken. Er hielt ihr die Flasche hin.

Sie wollte eigentlich nicht, besann sich jedoch anders und setzte sie an die Lippen. Das starke Sourmash verbrannte ihr die Kehle. Sie unterdrückte ein Husten und reichte sie ihm zurück.

»Was machen Sie hier oben?« fragte sie.

Sein Gesicht verzerrte sich, und er gab keine Antwort. In diesem Moment erkannte sie, daß er verwundbar war. Keine Maske. Ein weiterer Reubin Flood.

Sie saß eine Weile bei ihm, ohne ihn zu drängen.

Schließlich sagte er: »Die Elemente herausfordern.«

»Das Wetter oder das Universum?«

Er schien überrascht. »Beides, nehme ich an.«

Eine Regenbö peitschte gegen die teilweise geschlossene Kuppel und blies über sie hinweg.

Plötzlich begriff sie. »Sie waren hier oben, um zu trauern.« Sie hatte mit erhobener Stimme gesprochen, um das Brüllen des Windes zu übertönen, und sie fürchtete, es könnte vorwurfsvoll geklungen haben.

Er nahm noch einen Schluck und gab ihr keine Antwort.

Das also hatte er getan. Vielleicht war er gar nicht so – furchteinflößend. Oder war der Ausdruck möglicherweise zu beunruhigend? Sie ertappte sich ständig dabei, daß sie ihre Meinung über ihn revidierte.

Blitze flammten über ihren Köpfen.

»Ich mußte irgend etwas tun«, sagte er, ohne seine Stimme zu heben, so daß sie sich anstrengen mußte, um ihn zu verstehen.

Eine eigenartige Katharsis, dachte sie. Ein eigenartiger Mann. »Ich verstehe.«

»Tun Sie das?« fragte er. »Ich habe Kummer. Ich trauere. Das waren in der Vergangenheit meine einzigen Gefährten.« Sie wußte, daß er um Mutter trauerte, ob er es nun zugeben mochte oder nicht. Sie mußte von seinen Lippen ablesen, um zu verstehen, was er als nächstes sagte. »Es ist nicht das erste Mal für ... für mich«, schloß er lahm, und Tique wußte, daß er nahe daran gewesen war, sich ihr anzuvertrauen.

Er trank erneut, und sie desgleichen.

Sie spürte, daß sie endlich doch einen Kontakt zu ihm aufgebaut hatte – einen unsicheren zwar, aber immerhin. Zusätzlich erschwert durch seine Fremdheit. Welche Tragödie hatte er erlebt?

»Etwas in Ihrer Vergangenheit?« fragte sie wie hypnotisiert. »*Das* ist Ihnen schon einmal passiert?«

Er starrte schweigend in den Sturm hinaus.

»Möchten Sie mir davon erzählen?« fragte sie sanft, indem sie ihren Fragen eine andere Richtung gab. »Von Mutter? Von Ihnen?«

Er zuckte die Achseln und blickte in den Sturm hinaus.

»Wer sind Sie, und woher kommen Sie?« Sie konnte es wenigstens versuchen. Sie hatte schon vorher vermutet, daß er einer dieser verschlossenen Erdgeborenen war.

Er trank und schwieg weiter.

»Ich wüßte gern, was mit Mutter war«, sagte Tique unbeholfen. »Ich kenne ihre Version der Geschichte, aber sie war lückenhaft.« Sie fühlte sich, als entblößte sie vor diesem Mann einen Teil ihres Innern. Und begriff sogleich, daß es wahrscheinlich das war, wovor er sich fürchtete. Sie schob ihren rechten Arm unter seinem linken hindurch.

Er saß da, starrte in die Nacht. Tique wartete. Nach einer Weile sagte sie: »Wissen Sie, ich habe Sie von Anfang an verabscheut. Sie wollten mir Mutter wegnehmen. Dann tauchten Sie fordernd hier auf. Ich haßte Sie, weil Sie sich in meinen Verlust hineindrängten. Dann dachte ich über das, was Sie gesagt hatten, nach. Sie meinten, Mutter wollte mit Ihnen weggehen, darum habe Fels Nodivving oder jemand anders sie umgebracht. Sie gaben zu, es sei Ihre Schuld, daß sie jetzt tot ist. Was soll ich davon halten? Sagen Sie es mir, Reubin Flood. Was, zum Teufel, soll ich davon halten?« Die Worte strömten aus ihr heraus. »Und Sie zeigen ihre Trauer oder ihr Bedauern nicht einmal, weder Schmerz noch Kummer, noch nicht einmal Gewissensbisse darüber, daß angeblich Sie das alles ausgelöst haben.« Bis jetzt, fügte sie im stillen hinzu.

»Ich trauere anders als die meisten Menschen«, sagte er ohne sie anzuschauen. »Weil ich mehr Übung darin hatte. Mehr Anlässe. Aber ich tue es auf meine Art.«

Tique spürte ein Schaudern, eine atavistische Angst vor etwas Unbekanntem, etwas Tödlichem. Sie nahm ihm die Flasche aus der Hand und trank. Er wirkte wieder menschlich. Wieder verwundbar.

Sie reichte ihm die Flasche zurück. Sie hatte zu tief in ihn hineingeblickt, hinter seine Fassade, in seine Vergangenheit.

»Ich glaube, ich kann jetzt über Alexandra sprechen«, sagte er.

3

Reubin

REUBIN ERINNERTE SICH AN ALLES und gleichzeitig an zu wenig.

Er hatte Alexandra Sovereign auf Karg kennengelernt. Genaugenommen während des hastigen Aufbruchs von dem Planeten.

Reubin stemmte sich gegen den Wind. Der Leichter, den er entführt hatte, brach unter dem Feuer auseinander. Er drehte die widerspenstige Maschine herum, so daß sie mit dem verbliebenen Viertel der Verkleidung nach vorne flog. So dienten das Heck des Leichters und seine Fracht als Puffer zwischen ihm und dem gegnerischen Feuer. Der Wind peitschte die Flammen als Schleppe hinter ihm her. Das Schiff erbebte, als eine Rakete irgendwo unter ihm einschlug.

Habu war jetzt völlig wach, beugte sich sozusagen über Reubins Schulter, beobachtete und paßte den rechten Augenblick ab. Die Schlange hatte unmittelbar unter der Oberfläche gelauert, wegen der Kämpfe, die sie soeben überstanden hatten, nicht länger schläfrig. Manchmal hatte Reubin sich auf Habu und seine Fähigkeiten verlassen.

Ich bin bereit.

– Ich weiß. Es könnte sein, daß ich deine Reflexe bald brauche.

Ich bin bereit.

Reubin wollte nicht alles von Habu. Von diesem Wesen wollte er niemals alles. Im Laufe der Jahrhunderte hatten sie sich jedoch miteinander arrangiert. Um des Überlebens willen. Um ihrer beider Überleben willen. Wegen Habu spielte Reubin, am Ende seiner Leben angelangt, mit der Gefahr. Deswegen brauchte er Habu. Ein unentrinnbarer Kreislauf, dem Reubin gerne entkommen wäre. Habu im Vollbesitz seiner Kräfte erschreckte ihn. Doch Reubin respektierte Habus Talente und Fähigkeiten und machte, wenn nötig, von ihnen Gebrauch.

Tief in seinem Innern machte Reubin sich Sorgen. Denn der Drang, mit der Gefahr zu spielen, war auf die Endphasen seiner Leben beschränkt gewesen. Wie auch immer, in diesem Leben und einem Teil des vorhergehenden hatte er sich von gefährlichen Situationen angezogen gefühlt.

Er richtete seine Aufmerksamkeit gewaltsam wieder auf den fliegenden Leichter.

Reubins Hände flogen über die Kontrollen, um das klaffende Loch im Boden des Schiffs zu kompensieren. Die Aerodynamik des Leichters, die nie sonderlich gut gewesen war, war so gut wie dahin.

Reubins sechster Sinn sagte ihm, daß man seine Entfernung festgestellt hatte und daß weitere Raketen darauf programmiert wurden, der ersten zu folgen.

Er drückte den Schalter ›PALETTENFREIGABE‹ durch alle zwanzig Positionen, schlang seine Beine um den Pilotensessel, testete seinen Halt und drehte den Leichter um neunzig Grad. Zwanzig Paletten voller leninistischen Nachschubs fielen in den Himmel von Karg hinaus, zusammen mit den brennenden Truppenhandbüchern eine hübsche Feuerschleppe, die auf die Oberfläche hinunter stürzte.

Eine Serie von Explosionen sagte Reubin, daß er den richtigen Moment abgepaßt hatte, da der Nachschub Energiestrahlen und Raketen abfing.

Reubin ließ sich in freiem Fall zwei Kilometer absacken, ehe er den Leichter wieder in die Horizontale und auf Kurs brachte. Vielleicht würden die herabfallenden Trümmer seinen Abstieg verbergen.

In der Ferne wurden die Lichter des Raumhafens sichtbar.

Würde er es schaffen?

Wegen des Falls der IP würden die restlichen Außenwelter auf IP-Territorium längst abgereist sein. Und der Rest von Karg war, soweit Reubin es beurteilen konnte, in der überbordenden Raserei des Krieges begriffen, in einem solchen Maße, daß nicht einmal Karg es aushalten konnte.

Diesmal war er leichtsinnig gewesen. Bei seinen endlosen Versuchen, zu verschwinden und in einem anderen Leben wieder aufzutauchen, hatte er die falsche Situation gewählt. Das Problem ist, dachte er, daß ein solches Chaos für meine Zwecke geradezu maßgeschneidert ist. Von seinem eigenen Drang, sich in Gefahr zu begeben, zumal am Ende seiner Leben, ganz zu schweigen. Und Karg hatte mehr als genug Chaos und Gefahr geboten, um seinen Wünschen gerecht zu werden.

Es war beinahe an der Zeit, sein Leben erneut zu ändern. Um seine Spur weiter zu verwischen, war er nach Karg gereist und hatte als Söldner angeheuert. Er hatte vorgehabt, einige Zeit in dem mörderischen Krieg zu verbringen und mit einer neuen Identität wieder daraus aufzutauchen. Auf diese Weise würde er, wenn er sich auf irgendeiner willkürlich ausgewählten Welt an das Institut für Lebensverlängerung wandte, eine weitere, bereits ausgesonderte Person sein. Die ILV-Computer würden es niemals herausbekommen – obwohl sie im Laufe der Jahrhunderte sicherlich irgendwann Menschen, Daten und Codes vergleichen und einige interessante Entdeckungen machen würden.

Die Menschen auf Karg mochten einander einfach nicht. Mehrere Arten von religiösen Fundamentalisten:

Nachfahren von Christen, Moslemabkömmlinge, Leninisten und sogar ein paar von den Intellektuellen Philosophen. Jeder kämpfte gegen jeden.

Reubin Flood musterte bei der IP-Armee unter dem Namen Teale an. Diesmal hatte er sich verschätzt.

Er schaffte es bis zum Kommandanten der Bewachertruppen der Totenstadt, wobei er hauptsächlich deshalb zum Comajor befördert wurde, weil die Leninisten die höheren Ränge des IP-Offizierskorps liquidiert hatten.

Die Totenstadt trug ihren Namen zu recht. Sie war ein Friedhof gigantischen Ausmaßes, der vor allem die Hingabe dokumentierte, mit der die Bewohner von Karg sich ihrem Haß und dem daraus resultierenden Krieg widmeten. Die Totenstadt lag im Mittelpunkt des IP-Gebiets. Wohlhabende Intellektuelle Philosophen (Reubin fand, daß ein Großteil ihrer Nomenklatur und Terminologie widersprüchlich war) beerdigten sich gegenseitig in der Totenstadt. Regelmäßig besuchten sie die Gräber der Verblichenen. Um dies stilgerecht tun zu können, hatten sie über den Gräbern Hütten, Schreine, Häuschen errichtet, die sie alle nur benutzten, wenn sie dort auf Besuch waren.

Aufgrund seiner Vergangenheit empfand Reubin eine innere Verwandtschaft mit der Totenstadt.

Im Laufe der Jahre war um die Totenstadt herum eine lebende Stadt der Armen und Entrechteten entstanden. Es stellte eine Verschwendung von Wohnraum dar, die regelrechten Häuser auf den Gräbern die meiste Zeit des Jahres über leerstehen zu lassen. Unausweichlich nistete sich eine Subkultur darin ein und gedieh.

Reubin Flood und seine Einheit sollten die Gräber der dahingeschiedenen IPs bewachen, nicht den lebenden Kleinbauernstand, der parasitär über der Totenstadt lebte.

Indem sie die Früchte eines zwanzig Jahre zurückliegenden und besonders ertragreichen Geburtszyklus ernteten, überwältigten die Leninisten die jämmerliche IP-Truppe und überschwemmten das Land mit jungen Männern, die dazu ausgebildet waren, den Feind gnadenlos zu töten.

Reubin Flood paßte in ihr Feindbild.

Reubin rettete nur der Fall der IP. Sämtliche von anderen Welten stammende Besucher des Planeten wurden von den siegreichen Leninisten als Unterstützer der IPs betrachtet. Darum starteten sämtliche Raumschiffe im Hafen wie die sprichwörtlichen Ratten.

Zwei umprogrammierte Drohnen mit Nachtsichtaugen flogen an den Leichter heran und verharrten über ihm.

Reubin drückte den mit ›NOTABWURF LADUNG‹ gekennzeichneten Knopf. Sprengladungen durchtrennten Bolzen und Befestigungsgurte. Komprimierte Luft feuerte die restlichen dreißig Paletten Fracht senkrecht in die Luft. Reubin legte den Leichter erneut auf die Seite und steuerte aus dem Bereich der herabfallenden Ladung hinaus.

Er sah keine Drohnen mehr.

Aus den Anzeigen ging hervor, daß er sich dem Raumhafen näherte.

›IDENTIFIZIEREN‹ flammte auf dem Bildschirm auf. Er tippte seinen Code als Sektorenkommandant ein, und der Bildschirm wurde leer.

Ein besorgtes Gesicht erschien auf dem Schirm. »Comajor Teale? Nennen Sie Ihr Ziel.«

»Wer sind Sie?« wollte Reubin wissen.

»Die Flugkontrolle ...«

»Stellen Sie mich zu Ihrem Sektorenkommandanten durch, diese Maschine funktioniert nicht mehr«, fauchte Reubin. Zeit, sich selbst zu der Party einzuladen, sagte er sich.

Augen zwinkerten. »Die Einheit ist nach Westen verlegt worden...«

»Wer ist der ranghöchste anwesende Offizier?« Reubin verlieh seiner Stimme einen harten Klang. Er griff nach dem Leistungsregler, um sich zu vergewissern, daß er auf ›Maximum‹ stand.

»Das bin ich. Colonel Burak... Sir.«

»Bestätigen Sie meinen Code, Burak.«

»Das erledigt der Computer.«

Reubin holte tief Luft. »Ich beanspruche das Kommando für mich. Ich werde an der Towerbasis landen und in Kürze bei Ihnen sein.«

»Sir, ich erinnere Sie daran, daß die Flugkontrolle nicht dem Kriegsministerium und darum nicht Ihrem Kommando unterstellt ist, es sei denn, es liegt eine Sondervollmacht vor.«

»Wir werden das klären, wenn ich da bin«, teilte Reubin dem IP-Colonel mit. Sein Gesicht hatte das kränkliche Weiß der IPs, und Reubin wußte instinktiv, daß Colonel Burak ihn als Außenwelter erkannt hatte. Es würde schwer sein, ihn zu überreden, ihm das Kommando zu übergeben. »Kann ich sicher landen? Ich möchte nicht, daß mir beim Anflug ein startendes Raumschiff in die Quere kommt.«

»Der Linienkreuzer *Al Italia* ist startklar.«

Ein Kreuzer? Reubin konnte sich nicht vorstellen, daß jemand Karg lediglich zu Urlaubszwecken besuchte, obwohl er sich daran erinnerte, daß die Totenstadt eine Touristenattraktion gewesen war. Und die Stadt des Mülls ebenso, erinnerte er sich.

»Also schön«, sagte Reubin, indem er fieberhaft nachdachte. Er mußte an Bord dieses Raumschiffs gelangen. »Ich kann seine Startlichter noch nicht erkennen. Ich glaube, ich kann in Deckung sein, bevor er abhebt.«

»Es ist Ihre Feuerbestattung«, sagte Burak.

»Ihr Mundwerk, Colonel, übersteigt Ihren Rang«, fauchte Reubin. »Sie sollten besser schon mal Ihre Evakuierungsprogramme aufrufen und auswendig lernen.« Laß den Colonel im Ungewissen. Er konnte an Reubins Verwandlungen der letzten Minuten Anstoß nehmen. Das, was er vorhatte, fiel nach Militärgesetzen unter die Kategorie Desertion. Er schaltete den Monitor ab.

Keinerlei Bodenverkehr unter ihm. Die Lichter des Raumhafens lagen ausgebreitet vor ihm. Ein einziger Raumkreuzer stand verloren auf einer der zentralen Startrampen. Warnlampen begannen den Fünf-Minuten-Countdown.

Reubin schaltete die Funkverbindung ein. »Burak. Halten Sie dieses Schiff solange auf, bis ich gelandet bin.«

Burak erschien auf dem Schirm und grinste niederträchtig. »Tut mir leid, *Sir*. Der Captain des Schiffes hat es eilig. Ich kann nichts machen.«

Genau das, was Reubin gewollt hatte. »Geben Sie mir diesen Kerl.«

Burak unterbrach die Verbindung und rief den Raumkreuzer *Al Italia* an.

»Unidentifizierter Leichter, räumen Sie den Luftraum«, sagte die Stimme, und das Bild erschien unvermittelt auf dem Schirm. Das Gesicht war weiblich und wütend.

»Raumkreuzer, brechen Sie den Start ab«, sagte Reubin.

»Hah.«

»Sind Sie der Captain?«

»So ist es, Leichter. In etwa drei Minuten werden Sie gebraten werden wie der ganze übrige Rest dieses armseligen Planeten.«

Reubin löste die Schutzhülle des Munitionsgürtels, der im Zickzack über seine Brust lief. »Mein Empfehlungsschreiben, Madam.« Er beugte sich näher an das Objektiv und stellte die Beleuchtung kurzzeitig heller.

»Oh. Captain Kent steht zu Ihren Diensten, Sir. Sie sind sich natürlich darüber im klaren, daß ich Sie, falls die Edelsteine nicht echt sind, im Zwischenraum die Hülle schrubben lassen werde – von außen.«

»Sie sind echt.«

Die Frau nickte. »So sehen sie auch aus. Passage einhunderttausend föderale Rechnungseinheiten und eintausend Rechnungseinheiten Bonus für jedes Besatzungsmitglied.«

Unverschämt. »In Ordnung.«

Ihre Augen verengten sich und blickten zur Seite. »Ihnen scheint ein Krieg zu folgen. Unsere östliche Eingangsluke wird zwei Minuten geöffnet sein, nicht länger.« Die Funkverbindung wurde unterbrochen.

Ihm blieben noch fünfzehn Sekunden, als er sich an die östliche Luke heranschlängelte. Er stellte die Steuerung des Leichters so ein, daß er mit zwei Sekunden Verzögerung nach Norden fliegen würde. Er kletterte auf die Stabilisierungsplattform hinaus und in die Eingangsluke hinein, während sein Leichter davonraste.

Habu zog sich in die Dunkelheit zurück.

Ein Besatzungsmitglied stand wartend da. Reubin folgte ihm erschöpft durch die Schleuse in einen Korridor hinein. Die Außentür schloß sich nicht. Was hatte das zu bedeuten?

Reubin wandte sich zurück, um den Offizier zu fragen, und ein Einpersonengleiter sank auf die Plattform nieder, die er soeben freigemacht hatte. Eine Frau mit silbernem Haar stieg aus. Sie drehte sich um und stieß den Gleiter mit dem Fuß weg.

Der Offizier verneigte sich rasch und geleitete sie hinein. Die Außentür schnappte zu.

Als die beiden an Reubin vorbeikamen und sich die

Schleuse hinter ihnen schloß, dachte Reubin, Captain Kent habe ihn aufs Kreuz gelegt; sie hatte sowieso noch auf einen weiteren Passagier gewartet.

Wortlos folgte Reubin dem Paar. Der Offizier führte sie in eine Wohnkabine. »Benutzen Sie bitte die Polstersitze, für den Fall übermäßiger Beschleunigung.« Er verschwand.

Die Frau blickte Reubin an. »Übermäßige Beschleunigung?«

»Vielleicht hat er eine Regierungsausbildung«, sagte Reubin.

»Start«, sagte eine Stimme von oben. Ein leiser Summton wurde dreimal wiederholt.

Reubin betrachtete die Frau. Sie war mit einem silbernen Overall bekleidet, und ihr Silberhaar war lang und windzerzaust. Sie starrte ihn an.

Er wußte, was sie sah. Einen erschöpften Mann, der ein Strahlengewehr auf dem Rücken trug, einen Laser an der Hüfte, eine Projektilwaffe in einem Schulterhalfter, von den Griffen mehrerer anderer Waffen und Messer, die aus seiner Kleidung und seiner Ausrüstung hervorragten, ganz zu schweigen. Die Munitionsgürtel, die sich über seiner Brust und seinem Rücken kreuzten, waren voller Batterien, Sprengstoffe und Patronen, die nicht in oder auf seine Kampfweste gepaßt hatten. Die Edelsteine waren wieder versteckt.

Die Augen der Frau blitzten, während ihre Zähne ein verkniffenes Grinsen zeigten. »Sie sind wohl nicht zum Rasieren gekommen?« Sie schlug ihre bemerkenswert wohlgeformten Beine übereinander.

»Hallo, Silbermädchen«, sagte Reubin gegen seinen Willen. Er wollte sich nicht mit der Frau bekanntmachen, konnte jedoch nichts dagegen tun. »Sie reisen ohne Gepäck?«

»Die Weltraummütze kommt gleich zusammen mit meinem Koffer.«

Das Schiff ruckte nach oben. »Wir könnten uns meine Zahnbürste teilen«, sagte Reubin.

Sie tastete seinen Körper erneut mit den Augen ab. »Nein, danke. Sie würde sich bestimmt als tödlich erweisen.« Sie drehte sich um, ging zu einem Sessel und ließ sich dankbar darauf niedersinken. Reubin konnte ihren Seufzer der Erschöpfung nicht überhören.

»Ich auch«, sagte er und ließ sich auf dem Sofa daneben nieder. »Mein Name ist Reubin Flood.« Was nicht stimmte. Er war unter dem Namen Erdenhaer nach Karg gekommen und hatte als Teale angemustert. Reubin Flood war die Identität, die er für den Fall hatte annehmen wollen, daß er sein Leben änderte. Es wurde allmählich Zeit für ihn. Der Druck in seinem Kopf nahm zu.

»Ich bin Alexandra Sovereign.« Sie betrachtete ihn prüfend. »Man hat mich aus einer anderen Richtung eingewiesen; aber ich habe die Feuerschleppe hinter ihnen beobachtet. Reubin Flood, Sie haben wirklich Glück gehabt.«

»Das habe ich immer noch, Silbermädchen.« Habu würde das nicht gefallen.

Sie lächelte anerkennend.

Die Beschleunigung nahm zu. Das schiffseigene Feld würde sich bald mit einem Standard-Ge einschalten.

»Sie stammen von Snister?« fragte er.

Sie nickte und schaufelte noch mehr Spinat auf ihren Teller.

»Niemand stammt von Snister.«

»Ich schon.«

Es war Stunden später, und sie leisteten sich bei einem Mitternachtsmahl Gesellschaft. Der Speisesaal war leer. Reubin war erheblich ärmer, sein Vorrat an Edelsteinen hatte abgenommen.

Alexandra Sovereign musterte die Servierplatte. »Ich frage mich, ob das echte oder falsche Leber ist?«

»Die Zwiebeln sind echt. Wenn Sie die Antwort nicht hören wollen, dürfen Sie nicht fragen.«

»Was haben Sie mit Ihren ganzen Waffen gemacht?« fragte Alexandra.

»Captain Kent hat ein paar versteckte Paragraphen, Gesetze, Bestimmungen zitiert und sie mir abgenommen.«

Alexandra betrachtete ihn. »Sie sehen nicht aus wie ein Mann, der sich einer Autorität unterwirft.«

»Gesetz ist Gesetz«, sagte er und war froh, daß man ihn nicht durchleuchtet oder sondiert hatte. Ganz zu schweigen von den Waffen, die er in dem Raum versteckt hatte, in dem sie sich beim Start aufgehalten hatten.

Alexandras silberner Overall war gereinigt worden und glitzerte in der gedämpften Beleuchtung. Reubin trug Freizeithosen und eine Jacke aus Bordbeständen.

Später nahmen sie im Salon einen Drink zu sich. Obwohl sie nicht auf Bordzeit eingestellt waren, spürte Reubin, daß sich sein Körper und seine innere Uhr allmählich auf die Veränderung einstellten.

»Damit wir uns richtig verstehen«, sagte er zu Alexandra, »Sie sind ein Sarghändler von Snister.«

»Container«, verbesserte sie automatisch. »Und ich bin keine Geschäftsfrau, obwohl es bei meinem Aufenthalt auf Karg im wesentlichen darum ging. Mein Titel lautet Ministerin für Wurmholz, hauptsächlich zuständig für den Export von Snister. Der Tod ist auf Karg Teil des Way of Life. Ich hatte die Absicht, die Vorzüge der Beisetzung in Containern aus Wurmholz anzupreisen.«

»Das macht für die Leichen einen Unterschied aus?«

»Für die Verblichenen«, verbesserte sie. »Ja. Wurmholz ist in diesem Sektor der Föderation sehr begehrt. Es hält länger als anderes Holz. Es ist qualitativ höherwertig.« Sie nippte an ihrem Drink, und Reubin fragte sich, ob der Schnaps synthetisch war.

»Und die Würmer?« half er nach.

»Das Holz wird zu einem bestimmten Zeitpunkt des Wachstumsprozesses geerntet. Die Würmer sind die natürlichen Symbionten. Die Wurmaktivitäten während des Baumwachstums stellen sicher, daß das Holz nach der Ernte haltbarer ist. Sie fressen sich ganz, ganz langsam durch das Holz – ihr Stoffwechsel hat zwei Gänge: Langsam und Stop. Die… äh… Umwandlung der Blätter hinterläßt einen schwach süßen, angenehmen Geruch, der das Holz so beliebt macht.«

»Ich glaube, ich frage besser nicht nach dem Verhältnis der Würmer zu den Verblichenen.« Innerlich war er jedoch ernst. Mit Symbiose kannte er sich aus. Tag für Tag, Jahr für Jahr, Jahrhundert für Jahrhundert. Würde er niemals erlöst werden?

Sie lächelte und lehnte sich zurück. Eine Weile saßen sie schweigend da.

Und es dauerte eine Weile, bis ihm der Gedanke kam, daß er sich allmählich zu dieser Frau hingezogen fühlte. Etwas, das er seit ein oder zwei Jahrhunderten nicht mehr so tief empfunden hatte. Vielleicht schon länger nicht mehr. Das Gefühl war mehr eine angenehme Sympathie als körperliche Anziehung.

Außer seinem Namen hatte er nichts von sich preisgegeben. Und sie hatte ihn auch nicht gedrängt, über seine Herkunft, seine Vergangenheit zu erzählen. Trotzdem kam es ihm so vor, als hätte er mehr geredet als während des ganzen letzten Jahres.

Die Augen auf ihn gerichtet und kaum merklich lächelnd, fragte sie: »Sie sind es gewohnt zu schweigen, nicht wahr?«

»Wenn ich nichts zu sagen habe, sage ich nichts.«

»Geheimnisvoll«, sagte sie. »Ein Mann, der ans Alleinsein gewöhnt ist.«

»Es wird allmählich Zeit für mich, zum Institut für Lebensverlängerung zu reisen.«

»Oh.« Sie warf ihm einen kurzen Blick zu. »Ich auch. Ist es schon schlimm?«

Er zuckte die Achseln. »Es wird stärker. Man gewöhnt sich dran.«

»Ich weiß.«

Acht Stunden Schlaf, dann standen sie sich im Spritzballsaal gegenüber.

Die Schwerkraft ließ sich von null Ge aufwärts einstellen. Sie trugen dünne Overalls aus einem Papiermaterial. Wenn die Bälle aus gefärbtem Wasser aufschlugen und zerplatzten, änderte das Papier seine Farbe von Weiß zur jeweiligen Farbe des Wasser. Derjenige, der als erster seine Farbe vollkommen geändert hatte, war der Verlierer. Reubin warf blau, und Alex warf rot. Je länger das Spiel währte, desto mehr lösten sich die Overalls auf.

Alexandra eilte zum Ballspender an der Seite ihres Spielfelds zurück. Sie drückte den Startknopf und fing Wasserbälle aus dem Spenderrohr auf.

Reubin war langsam zu seinem Spender zurückgegangen und beobachtete Alex, um hinter ihre Taktik zu kommen.

Sie riß den Arm hoch, und er trat beiseite – sie hatte jedoch einen zweiten Ball rasch hinterhergeworfen, in der Annahme, daß er nach rechts treten würde.

Er hatte sich automatisch nach links gewandt.

Er lächelte herausfordernd und wich ihrem Wurf geschickt aus. Vielleicht würde sie bald müde werden. Er unterschätzte ihre Durchtriebenheit nicht. Ihm kam der Gedanke, daß sie nicht ihre ganze Kraft und Treffsicherheit einsetzte. Was wahrscheinlich bedeutete, daß sie darauf wartete, daß er sich seinem Wasserspender näherte.

Sie blieb stehen, als wäre sie außer Atem.

Er bewegte sich auf den Spender zu und streckte die Hand aus.

Sie warf rasch und genau mehrere Wasserbälle. Er duckte sich, aber von der Rückwand spritzte Wasser ab, und er fühlte sich am Rücken naß.

»Mauerblümchen«, spottete sie.

Er streckte ihr die Zunge heraus.

Er meisterte die Strecke bis zum Spender und sammelte ein halbes Dutzend Wasserbälle ein, wobei er lediglich einen Treffer an der Schulter einsteckte. Das Papier begann auseinanderzufallen.

Eine Glocke ertönte.

»O Mann«, sagte sie und grinste tückisch. Er ging zur Steuerung und tippte eine Null ein.

»O nein. Das ist nicht fair.«

Er schwebte, stieß sich ab und warf verdeckt. Es war ein direkter Treffer an ihrem Oberschenkel. Blaue Flekken erschienen auf dem Vorderteil ihres Anzugs. Das Papier begann abzufallen.

Die Wucht des Wurfs drehte ihn nach oben und zur Seite.

Dann war er damit beschäftigt, sich zu krümmen, mitten in der Luft und in Schwerelosigkeit einem regelrechten Hagel roter Wasserbälle auszuweichen. Als die Schwerkraft verschwunden war, hatte sie die Beine um den Spender geschlungen und bombardierte ihn so schnell sie konnte.

Die ganze linke Seite seines Papieranzugs war verschwunden, und er war in Rot getränkt. Nicht nur das, die Wasserkugeln hingen im schwerelosen Raum, bildeten zusätzliche Hindernisse.

Reubin holte sich ein halbes Dutzend Bälle, so viele, wie er halten konnte, und stieß sich zum Gravitationsregler ab. Er tippte zwei Ge ein, und Alex fiel vom Spenderrohr hinunter.

»Heh! Das ist nicht fair«, sagte sie und rollte über den Boden auf ihn zu, indem sie ihre letzte Salve verschoß.

Er wich seitwärts aus.

»Sie bewegen sich schneller als eine Schlange«, sagte sie, als das Signal ertönte.

Er erstarrte. Er beobachtete sie, konnte jedoch nichts aus ihr herauslesen, als sie zum Gravitationsregler ging. Sie drückte ihn in Position Sieben zurück, und sie spielten weiter. Sie konnte seine Identität unmöglich erraten haben. Hatte sie ihre Worte mit Absicht gewählt, oder waren sie lediglich eine gebräuchliche Metapher?

Reubin entschied, daß ihr Kommentar keine hintersinnige Bedeutung gehabt hatte. Er bewunderte ihren Körper, der nackt und blau aus ihrem Anzug hervorschaute. Er plante seine nächsten Würfe und beschloß, das Spiel so lange wie möglich andauern zu lassen. Keine Schwerelosigkeit und keine zwei Ge mehr.

»Pizza und Bier?« fragte Alex.

»Ich habe den Koch bestochen«, sagte Reubin.

Es war später Nachmittag, und sie hatten es geschafft, ihre Flecken zu entfernen – angeblich war nicht mehr dazu nötig als Wasser und Seife, aber Reubin fand, daß immer etwas zurückblieb. Unter den Fingernägeln. In den Armbeugen und Kniekehlen.

»Verschwender«, sagte sie vorwurfsvoll. »Ich kann meinen Flug selbst bezahlen.«

Er zuckte die Achseln. Sie wollte damit sagen, daß er ein Söldner auf der Flucht war, daß er vor dem Durcheinander auf Karg geflohen war, nur mit den Kleidern, die er am Leibe trug. Und daß sie eine hohe Regierungsbeamtin mit einem entsprechenden Einkommen und Einkünften war, mit denen sie es sich leisten konnte, ihren Flug selbst zu bezahlen.

»Ich lasse mich sowieso umwandeln«, sagte er.

»Haben Sie denn nicht gehört? Sie *können* es mitnehmen.«

»Ich hab's gehört.«

Sie blickte ihn über ihr Bierglas hinweg an. »Sie sind ein Musterbeispiel an Widersprüchlichkeit, Reubin Flood.«

Er trank von seinem Bier.

»Ein wahrhaft geheimnisvoller Mann«, fuhr sie fort.

Er zuckte erneut die Achseln und fühlte sich befangen.

»Wenn Sie sich umwandeln lassen, dann ist die Vergangenheit für Sie nicht mehr länger wichtig, nehme ich an.«

»Sie ist verschwunden«, stimmte er zu. »Nicht mehr der Rede wert.«

»Sicher.«

Er fühlte sich unbehaglich. Er wollte nicht über seine Vergangenheit sprechen. Und die schlafende Mörderschlange tief in seinem Innern herauslassen. Er würde sich der Umwandlung unterziehen, und die Vergangenheit wäre nicht mehr länger wichtig. Auf der anderen Seite war ihr Interesse vielversprechend. Er wußte, daß er ein kalter Mensch war, einer, der für gewöhnlich auf eine Frau erst nach langer Bekanntschaft reagierte. Mit Alex war es anders. Warum jetzt? Jetzt, wo er seine Bindungen gekappt hatte und sich der Umwandlung unterziehen wollte? Konnte er die Umwandlung verschieben? Nein. Wahnsinn und Tod würden die Folge sein.

»Ich war mit Ihnen gleichauf«, sagte Alex mit mehr als nur einem bißchen Schmiß in der Stimme.

»Das waren Sie«, sagte er. »Tatsächlich bin ich in jedem Sektor der Föderation ein gesuchter Mann.«

»Wegen Massenmord ohne Zweifel«, sagte sie. Ehe er antworten konnte, redete sie weiter. »Ich habe Sie an Bord kommen sehen. Sie können töten und haben es wahrscheinlich schon oft getan. Ich glaube jedoch nicht, daß Sie es tun würden, wenn es für Ihr Überleben nicht absolut notwendig wäre. Oder vielleicht aus irgendeinem höheren Beweggrund heraus.«

»Erzählen Sie mir von Ihrer Tochter«, sagte er. Er schalt sich einen wichtigtuerischen Narren. Die peinliche Bemerkung darüber, gesucht zu sein, war amateurhaft. Und er hatte sich seit langem mit den Toten abgefunden, und obwohl manche es für Massenmord hielten, er tat es nicht.

»Hier. Ich habe einen Holochip in meinem Armbandrechner.« Sie drückte winzige Tasten auf ihrem Rechner, und neben dem Bierkrug erschien ein Hologramm. »Tique«, sagte Alex. Das Hologramm zeigte eine Frau mit kastanienbraunem Haar. Sie hatte den sinnlichen Körper ihrer Mutter. Der winzige Kopf schwenkte nach rechts, und ein Auge zwinkerte. Dann begann das Hologramm von neuem. Nach dem nächsten Zwinkern stellte Alex es ab. »Die Kurzform von Tequilla. Tequilla Sovereign.«

»Sie ist wirklich attraktiv. Sie schlägt ihrer Mutter nach«, sagte Reubin.

»Nun, danke, Reubin.«

»Ihr Vater?«

»Ihr Vater unterzog sich vor zwanzig Jahren der Umwandlung, also liegt der erste Lebensabschnitt gerade hinter ihr.« Alexandras Gesichtszüge wurden weicher. »Achtzig Jahre ist es her, aber ich erinnere mich immer noch an ihre babyhafte Weichheit. Ich hatte bis dahin noch nie eine Tochter zur Welt gebracht – nur Söhne, darum war die Erfahrung einzigartig. Wir sind uns im Laufe der Jahre sehr nahe gekommen.«

»Sie haben sich nicht mit ihm zusammen umwandeln lassen?«

Sie blickte Reubin prüfend an. Er wußte offenbar, daß sie sich nicht der Umwandlung unterzogen hatte, denn sonst wäre sie nicht hier gewesen. »Es war beinahe aus zwischen uns. Es war das beste, sich zu trennen.« Sie zögerte, und Reubin bemerkte, daß sie einen inneren Kampf ausfocht. »Meine Tochter und ich wollten uns nicht trennen. Und damals war meine Arbeit neu und wichtig für mich.« Wurde die Umwandlung ohne den Ehepartner vollzogen, bedeutete sie automatisch die Scheidung.

»Ich wette, Sie haben den Namen Tequilla ausgesucht.« Reubin lächelte.

»Entweder der, oder ich hätte mich tätowieren lassen.«

»Oh«, sagte er und dachte an die letzten Fetzen blauen Papiers, die zuvor an ihrem Körper geklebt hatten. »Es wäre eine Schande gewesen, eine solche natürliche Schönheit zu verhüllen.«

Ihr Blick entsprach seiner Kühnheit. »Sie verstehen es, mit Worten umzugehen.«

Wieder fühlte er sich unbehaglich. Passagiere betraten den Speisesaal, blickten neidisch auf die Pizza und das Bier.

Er schaute ihr in die Augen und sah es. »Nun, Silbermädchen, ich fühle mich nicht mehr verlegen. Ich danke Ihnen, Madam.« Sie wußte, was sie tat.

»Kein Ursache.«

Seine Hand griff an ihren Kopf, schlängelte sich durch seidiges Silberhaar und rieb einen blauen Fleck hinter ihrem Ohrläppchen ab.

Sie saßen im Aussichtsraum. Da die Blase, die das Schiff einschloß, im Zwischenraum undurchsichtig war, war nichts zu sehen. Deshalb war der Salon leer.

Alex schwieg und blickte in die Dunkelheit hinaus. Reubin wußte die Tatsache zu schätzen, daß sie keine Konversation brauchte; das gemeinsame Schweigen war Ausdruck seiner momentanen Gefühle.

Er fragte sich, was an Alexandra anders war. Etwas Undefinierbares zog ihn zu ihr hin; nicht speziell das angenehme Schweigen, nicht ihr Zueinanderpassen, nicht ihr gutes Aussehen. Irgend etwas.

Sei vorsichtig.

Das war es. Auf seiner elementaren Ebene spürte Habu etwas, vielleicht etwas Instinktives, das für die Schlange eine Bedrohung darstellte. War Habu eifersüchtig? Nein. Habu hatte stets nur elementare Emotionen gezeigt, und diese betrafen hauptsächlich seinen Überlebensmechanismus. Dennoch spürte Reubin Habus Mißfallen. Diese Tatsache schärfte Reubins Aufmerksamkeit für Alex' Anderssein.

Man kennt die Antwort erst dann, wenn man gefragt hat, sagte er sich. »Alex?«

Sie wandte sich ihm zu, mit einem abwesenden Ausdruck in den Augen.

Aus Angst, ungehobelt und aufdringlich zu erscheinen, suchte er nach Worten. »Hm. Schauen Sie. Sie haben etwas Außergewöhnliches an sich. Ich spüre es. Was ist mit Ihnen los?« Er fühlte sich verlegen wie ein Junge bei seinem ersten Rendezvous.

Sie lehnte sich zurück, hob ein Knie an und setzte ihren Fuß auf das Sitzpolster. Sie verschränkte die Arme um ihre Knie. Ihr Gesicht war von silbernem Haar umrahmt. »Ich auch. Ich komme mir vor wie ein Monster bei einer Zirkusvorführung ...«

Reubin wußte sofort Bescheid. »Sind Sie wirklich eine?«

Sie wurden ›Erdgeborene‹ oder ›Altirdische‹ genannt. Es waren so wenige übriggeblieben, daß sie diese Tatsache nicht hinausposaunten. Erdgeborene wurden allgemein für ziemlich cliquenhaft gehalten – was sie nicht waren, da sie selten zusammentrafen. Und wenn sie es taten, achteten sie darauf, kein Ärgernis zu erregen. Reubin erinnerte sich voller Bitterkeit an die Pogrome auf Tsuruga. Er riß sich von der Vergangenheit los und konzentrierte sich auf die Gegenwart.

»Ja, ich bin eine.« Sie nickte enthusiastisch. »Ich hätte es früher merken müssen, Reubin, aber Ihre Söldner-verkleidung hat mich getäuscht. Man braucht Sie bloß anzusehen und weiß sofort, daß Sie anders sind, weit vom Durchschnitt entfernt.«

Erneut schwiegen sie.

Reubin dachte über das, was sie gesagt hatte, nach. Er wußte, daß er anders war. Manchmal konnte er sich nicht daran hindern, auf etwas, das Habu gesagt oder getan hatte, körperlich zu reagieren. Eine weitere Maske: ein Erdgeborener zu sein, half Habu zu verstecken.

Die meisten Erdgeborenen waren inzwischen tot. Sie hatten den Tod der Fortsetzung des Lebens durch die Umwandlung und dem Institut für Lebensverlänge-rung und seiner Behandlung vorgezogen. Die Jahr-hunderte verschlissen sie. Sie begingen Selbstmord. Die meisten verloren einfach das Interesse am Leben. Reu-bin jedoch nicht. Nicht mit Habu und dessen Überle-benswillen tief in seinem Innern. Reubin wußte nicht, ob er ohne Habus inneren Drang, ihn von Handlungen wie dem Selbstmord abzuhalten, heute noch am Leben wäre. Er wußte jedoch mit Sicherheit, daß er ohne Habus Überlebensinstinkt und dessen mörderischen Charakter seit langem tot wäre, im Kampf gefallen oder von denen gefangengenommen, die Habus Tod .wollten – es gab sowohl Individuen wie auch Regie-rungen, die Habus Tod wollten.

Eine Erdgeborene zu sein, machte Alex Sovereign umso mehr zu etwas Besonderem. Um so lange durchgehalten zu haben, mußte sie irgendeinen besonderen Antrieb besitzen, eine Stärke, die sie über den Durchschnittsmenschen erhob. Vielleicht war sie wie Reubin, jemand, der die lebensverlängernden Behandlungen gut vertrug.

»Wie lange?« stellte sie die rituelle Frage.

Reubin lächelte und weigerte sich, die traditionelle Antwort zu geben. »Verdammt nah an der Ewigkeit.« Anstatt zu sagen: »Ich weiß es wirklich nicht. Ich bin so oft durch den Zwischenraum gereist, ich habe das Nachrechnen vor langer Zeit aufgegeben. Meine grobe Schätzung würde bei zwölfhundert Standardjahren liegen. Aber es könnten auch zweitausend sein. Wie auch immer, ich habe mich der Umwandlung zwölfmal unterzogen.«

Sie nickte, wobei ihr Kinn gegen ihr Knie stieß. »Ich werde nie begreifen, wie es funktioniert. Ich habe mich bestimmt länger als Sie auf Planeten aufgehalten, bei deren Besiedlung oder Entwicklung ich mitgeholfen habe. Ich hatte Glück auf den Welten, zu denen sie mich geschickt haben. Im allgemeinen bin ich über die vom Institut für Lebensverlängerung vorgeschriebene Zeit hinaus geblieben.« Sie zögerte. »Wie jetzt auf Snister. Fünfundachtzig Jahre. Meine Zeitlinien sind gerader, leichter zu berechnen. Zehn Umwandlungen.«

Die natürliche Zuneigung, die er zu ihr verspürte, nahm rasch zu.

»Wieviele Jahre ist es her, daß Sie einen von uns getroffen haben?« fragte sie.

»Zu lange. Vor der letzten Umwandlung.«

Sie stieß einen Pfiff aus. »Es werden weniger, nicht wahr?«

»Ja.« Ein Erdgeborener zu sein, war wie die Mitgliedschaft in einem exklusiven Club. Definitionsgemäß war dieser Club über die ganze Föderation verteilt und drang weiter zu den Grenzen vor, während sich diese nach allen Seiten ausdehnte. »Woher stammen Sie?«

»Aus einem Teil der Nordamerikanischen Föderation«, sagte sie. »Kanada.«

»Das kenne ich.« Obwohl er geboren worden war, lange bevor es eine Nordamerikanische Föderation gegeben hatte. »Ich bin aus Virginia.« Er erinnerte sich noch an neblige Morgen und an vielfarbige Blätter und Berge und frische, saubere Luft.

Reubin fühlte sich verjüngt. Darum war es nicht schwer, einen unglücklichen und mißbilligenden Habu weiter zurückzudrängen. Habu zu kontrollieren, fiel ihm leichter als erwartet; durch diesen Erfolg fühlte er sich Alex umso näher.

Gleich ihm verhielt sie sich jedoch reserviert. Sie kamen sich näher, sprachen jedoch nicht über die Vergangenheit.

Vielleicht wünschte sich Reubin ihre Gesellschaft zu sehr. Vielleicht lag es an seiner allzu regen Vorstellungskraft. Vielleicht war es der erschreckende Gedanke beim Verlassen des Salons. Er erkannte, daß Alex eine gewisse Ähnlichkeit mit seiner ermordeten Frau aufwies. Sie war auch von der Erde gewesen und war auf Tsuruga gestorben. Ihre hohe Stirn, eine Drehung der Schulter, ihr lebhaftes Lächeln.

Die Erkenntnis war so intensiv, die Vorstellung so lebensecht, daß Habu auf den Plan gerufen wurde.

Habu schoß angriffsbereit an die Oberfläche, bereit zu töten.

Er brachte Reubin körperlich zum Stehen, als er gerade auf den Korridor trat.

Alex ging ein paar Meter weiter, bis sie bemerkte, daß er nicht neben ihr war. Sie drehte sich um. Sie sah sein Gesicht. »Reubin? Was ist los?« Sie kam zu ihm zurück.

Habu trübte sein Bewußtsein.

– *Verdammt noch mal, laß mich in Ruhe!* Reubin atmete tief durch.

Habu spähte umher, nach Kontrolle bestrebt, Ausschau haltend nach dem Feind, einem Feind, irgendeinem Feind. Reubin fühlte Adrenalin durch seinen Körper jagen. Er würde später für jede Bewegung bezahlen, die er jetzt machte. Sein Körper konnte sich superschnell bewegen, schneller noch, als es dem menschlichen Körper zuträglich war. Der Umgang mit einer solchen Geschwindigkeit und Extrakraft war schwierig, es sei denn, daß Habu die totale Kontrolle übernommen hatte. Sein menschliches Ich konnte damit umgehen, jedoch behutsam, indem er sich übertrieben langsam bewegte. Er ließ sich erstarren, als Alex an seine Seite trat.

Wo ist der Feind?

– *Es gibt keinen. Geh zurück. Misch dich nicht ein.*

Nein.

– *Wir befinden uns auf einem Raumschiff. Im Zwischenraum. Du kennst das. Unternimm nichts, du würdest uns alle umbringen.* Reubin kämpfte um die Kontrolle über sich. Er ließ einen Biofeedbackvorgang ablaufen, um das Adrenalin loszuwerden. Die Konzentration half ihm, Habu zurückzudrängen. Er gewann den Kampf. Habu zog sich zurück, indem er weiterhin sein Mißfallen über die Frau ausstrahlte.

»Reubin? Sagen Sie's mir. Was ist los? Geht es Ihnen nicht gut?« Alex blickte ihm besorgt in die Augen.

Sie berührte seinen Arm, und er mußte sich zurückhalten, um nicht von ihr wegzuspringen und sie beide zu verletzen. Noch einen Augenblick, dachte er, bloß noch einen Augenblick.

Sie beobachtete den Kampf in seinem Innern und verzog mitfühlend das Gesicht. »Es geht vorbei.« Ihr Tonfall war aufmunternd.

Sie hatte seine Symptome falsch interpretiert. Sie glaubte, er mache die unfaßbare geistige Tortur durch, die auftrat, wenn man sich zu lange keiner Umwandlung unterzogen hatte. Wenn man für die Umwandlung überfällig war, baute sich der Druck immer weiter auf und zerfetzte einem mit quälendem Schmerz das Gehirn. Dies war der Grund, weshalb manche Selbstmord begingen.

»Isch bin – okay«, brachte er heraus.

»Ich werde einen Arzt um ein Schmerzmittel bitten«, sagte sie und trat zu einem Sprechgerät an der Wand.

»Nein, bitte. Isch bin in einer Minute wieder okay.« Er bewegte sich langsam, um einen Teil der aufgestauten Energie abzubauen.

Ironischerweise wurde ihm bewußt, daß der Druck in seinem Geist tatsächlich zunahm und die Tatsache unterstrich, daß er für die Umwandlung überfällig war. Aber es war nicht schlimm. Noch nicht.

Als er sich erholt hatte, begab er sich zum Erholungsdeck und benutzte zwei Stunden lang die Tretmühle. Er stellte das Gerät auf maximalen Widerstand und einen Fünfundvierzig-Grad-Winkel ein. Es entsprach einer Bergauffahrt mit doppeltem Körpergewicht.

Während er fuhr, saß Alex da und beobachtete ihn.

Gelegentlich kamen Leute herüber und sahen zu, wunderten sich über die nahezu unmögliche körperliche Leistung. Reubin beachtete sie nicht. Je länger er fuhr, desto mehr Energie verbrannte. Schweiß rann von seinem Körper, und mit jedem Tropfen befreite er sich ein Stückchen mehr von Habu. Er befreite sich von adrenalininduzierter Energie und gleichzeitig von Habu.

Alex wurde es müde, ihm zuzusehen, und mühte sich an Gewichtsgeräten ab, während er zum Ende kam.

»Ich brauche ein Bier«, sagte er, als er fertig war.

»Sie müssen Ihren Flüssigkeitsverlust ersetzen«, sagte sie.

»Meinetwegen machen wir ein Proteinbier daraus und lassen den Alkohol weg.« Wenngleich emotional und körperlich erschöpft, fühlte er sich wieder wie er selbst.

»Ich habe etwas über die therapeutische Wirkung außergewöhnlicher körperlicher Anstrengung gelesen«, sagte Alex, »aber das ging über meinen Verstand. Hat es wirklich geholfen, Sie vom Druck zu befreien?«

»Hat esch«, sagte er.

Die Romanze nahm ihren Lauf.

Als Erdgeborene kamen Reubin und Alex einander rasch näher. Reubin überhörte den Proviantmeister, der sie beide ›ausgesprochen geheimnistuerisch‹ nannte.

Reubin fand, daß Alex Sovereign etwas vor ihm verbarg. Oder irgend etwas ausklammern wollte. Soviel sie auch über die Vergangenheit sprach, sie bezog sich stets auf ihr gegenwärtiges Leben. Nichts über ihre vorherigen Leben und schon gar nichts über das vor ihrer letzten Umwandlung und den anderen Umwandlungen zuvor. Die Gebote der Höflichkeit und des Anstands verboten es, sich allzu hartnäckig nach früheren Leben zu erkundigen.

Da waren auch Kleinigkeiten. Alex war hochintelligent. Reubin entdeckte eine Spur Unzufriedenheit mit ihrer Arbeit; er hatte den Eindruck, sie habe in letzter Zeit einige Probleme damit gehabt. Er maß diesen Gedanken allerdings keine große Bedeutung bei, da sie Ministerin einer Regierung war und es in jeder Bürokratie interne Streitigkeiten, politischen Druck, Cliquen und Vetternwirtschaft gab. Reubin meinte immer, Regierungen sollten als Geschäftsbetriebe unter den Bedingungen des freien Marktes geführt werden.

Auf der anderen Seite mochte und respektierte er sie. Ihre Vorzüge glichen seinen, ihr Urteilsvermögen war tadellos. Reubin respektierte ihre Privatsphäre. Schließlich verbarg *er* etwas und wünschte nicht, daß sie in seine Vergangenheit hineinspähte – und sie hatte es auch nicht getan.

Angesichts dessen bedauerte Reubin – ausnahmsweise –, daß er sein Leben erneut veränderte. Ein weiterer Riesenschritt weg von seiner Vergangenheit. Obwohl es Wege gab, das Institut für Lebensverlängerung zu foppen, wenn sie einen der Umwandlung unterzogen, sorgten sie dafür, daß man zu einem neuen oder zu besiedelnden Planeten geschickt wurde. Dies war ihr ureigenes Privileg und einer der Gründe, weshalb sich Regierungen selten in die Angelegenheiten des ILV einzumischen versuchten.

Aber ganz gleich, was er tat oder wohin er ging, er konnte Habu niemals, niemals loswerden.

Reubin wußte keine Antworten auf diese Fragen. Er hatte den Flug nach Webster's, der Sektorenhauptstadt, gebucht, wohin der Kreuzer unterwegs war. Es gab Angelegenheiten (hauptsächlich finanzielle Transaktionen), um die er sich vor der Umwandlung kümmern mußte. Alex würde nach Snister weiterfliegen.

Die Leidenschaftlichkeit ihrer Affäre überraschte Reubin. Er war so glücklich wie seit Jahrhunderten nicht mehr. Alex Sovereign paßte nicht nur sexuell zu ihm, sie hatten auch die gleiche intellektuelle Wellenlänge, was ihm ebenso wohltat wie Angst machte.

Angst machte deshalb, weil er sie nicht verlieren wollte. Und es war an der Zeit, daß er sich der Umwandlung unterzog.

Er schmiedete fieberhaft Pläne, wie er das ILV erneut überlisten konnte, als Alex ihn überraschte, wie er bisher noch nie überrascht worden war.

Eines Schiffstages schwebten sie bei Schwerelosigkeit in seiner Kabine und schossen Gummibänder auf eine Lesedisk, die in der Mitte des Raums schwebte.

»Und es heißt, die Alten waren die besten Schriftsteller«, sagte Alex.

Reubins nächster Schuß traf, und die Diskette taumelte seitwärts. »*Der letzte Mohikaner*. Schade, daß das nicht eine Generation früher erschienen ist.«

»Gib nicht den Mohikanern die Schuld, Rube...«

»Reubin.«

»...es liegt am Autor.« Alex schwebte umher und sammelte Gummibänder ein.

»Wie in aller Welt konnte ein solcher Mist soviele Jahrhunderte überdauern und als anerkannte Literatur gelten?« Reubin kratzte sich am Kopf. »Ein aufgeblasener Plot, eine unlogische Handlung, Hauptcharaktere mit dem Verstand von Dinosauriern. Und ich begreife immer noch nicht diese Sache mit dem Nebel und den Leichen und dem See und...«

Alex kam zu ihm, umklammerte sein Knie, um sich mitten in der Luft zu stabilisieren. Die Folge davon war, daß sie beide mit einer langsamen Drehung begannen. »Das Ganze hat eine übergeordnete Bedeutung. Betrachte Hawkeye als einen Messias oder eine legendäre mythische Person wie beispielsweise Audie Murphy, Captain Danjou, Habu.«

Er zuckte zusammen und stöhnte.

Habu mythologisch? Nicht, solange er in eben diesem Raum leibhaftig anwesend war. Es war immer beunruhigend, wenn jemand in seiner Gegenwart von ihm sprach.

Ihre nächsten Worte brachten ihn jedoch wieder auf andere Gedanken. »Reubin?«

Er wickelte ein Gummiband um seine Daumenbasis und ließ das Ende auf die Spitze seines Zeigefingers schnappen. »Hm?«

»Wenn ich mich mir dir zusammen umwandeln lasse, würdest du mich heiraten, und könnten wir gemeinsam zur Grenze hinausgehen und besiedeln und erforschen und glücklich zusammenleben bis ans Ende unserer Tage?«

Als er ihr einen Moment lang in die Augen geschaut hatte, sagte er: »Das würdest du tun?«

»Auf der Stelle.«

»Ohne Fragen gestellt zu haben?« sagte er mit brennendem Gesicht.

»Ich weiß bereits, was ich zu wissen brauche«, sagte sie zufrieden.

»Und deine Tochter? Tique?«

»Sie kümmert sich nun schon sechzig lange Jahre lang um sich selbst. Es ist die Beziehung zu ihr, die mir fehlen würde.« Sie zögerte. »Es gibt im Moment Spannungen zwischen uns. Sie hält mich für einen Gesellschaftsmogul, der das Land ausplündert. Ich glaube, sie ist ein Ökofreak. Aber trotzdem ...«

Er stieß den Atem aus, als er bemerkte, daß er ihn angehalten hatte. Er griff nach ihr und stabilisierte sie mit einem Griff an die Decke. »Ich habe seit zwei- oder dreihundert Jahren nicht mehr so empfunden.« Je mehr Umwandlungen man mitmachte, desto plötzlicher traf man Entscheidungen. In dem Maße, wie man sich daran gewöhnte, ausgefallene Dinge zu tun. Reubin hoffte, daß diese Romanze nicht das Ergebnis zuvieler Umwandlungen war. Er wollte, daß sie wirklich war.

»Ich auch nicht. Willst du meine Frage beantworten?«

»Ich liebe dich, Silbermädchen.« Seine Worte überraschten selbst ihn.

»Ich dich auch, du geheimnisvoller Mann. Ich möchte ein oder zwei Leben mit dir verbringen.«

»Ich vermute, es wird ein Abenteuer werden«, sagte er.

In dem großen Salon mit hundert wohlhabenden Touristen aus der Sektorenhauptstadt als Zuschauer, wurden Reubin Flood und Alexandra Sovereign getraut.

Captain Kent, in voller Uniform, sagte: »Wollen Sie, Reubin Flood, diese Frau in diesem Leben und, falls nötig, über ein oder zwei Umwandlungen hinaus zu Ihrer rechtmäßig angetrauten Ehefrau nehmen?«

»Ja, ich will«, sagte Reubin.

Captain Kent wandte sich Alex zu. »Sie brauchen dies nicht zu tun, meine Liebe.«

»Ich möchte es.«

»Wollen Sie, Alexandra Felicity Partmandahl Sovereign diesen Mann aus freien Stücken in diesem Leben und über ein oder zwei Umwandlungen hinaus, falls Sie nicht geschieden werden, zum rechtmäßigen Gatten nehmen?«

»Ich will.«

»Kraft meiner durch die Föderation und deren Gesetze verliehenen Autorität erkläre ich Sie nun zu Mann und Frau. Steward? Champagner, bitte.«

Habu beobachtete unglücklich die Zeremonie. Reubin vermochte ihn in den Winterschlaf zurückzudrängen.

Alex sollte nach Snister zurückkehren, ihre Angelegenheiten regeln, ihrer Tochter auf Wiedersehen sagen und sich auf Webster's zu Reubin gesellen, wo sie gemeinsam das ILV aufsuchen würden.

Reubin mußte sich auf Webster's um seine eigenen Angelegenheiten kümmern. Wenngleich er die letzten zwanzig Jahre über im wesentlichen ein Nomadenleben geführt hatte, gab es doch noch einige Dinge, die er tun mußte: Bankkonten auflösen, für den Notfall falsche Identitäten vorbereiten und sich illegalen Zugang zu den ILV-Computern verschaffen. Letzteres diente dazu, Programme zu benutzen, die er heimlich installiert hatte, als er dabei geholfen hatte, das System aufzubauen. Er konnte seine neuen falschen Identitäten und deren Lebensgeschichten in die ILV-Datenbank einfügen und seine Spur somit wirksam verwischen. Einige Jahrhunderte lang hatte ihn sein Habu-Instinkt gewarnt, wenn sich die Föderationsbehörden an ihn heranarbeiteten. Er wußte nicht, ob der berüchtigte Habu für die Föderation ein ausreichender Grund wäre, das ILV dazu zu bewegen, legal oder illegal dabei zu helfen, ihn ausfindig zu machen; falls ja, würde dies sein vorbeugender Eingriff in die ILV-Datenbank verhindern, und seine Spur würde in einer Sackgasse enden. Ein weiterer Grund dafür, im ILV-System herumzuschnüffeln, war, daß er sein anschließendes Ziel im voraus festlegen konnte – falls er dies wollte.

Obwohl die LV-Behandlung überall durchgeführt werden konnte, fand sie in Sektorenhauptstädten statt, um den vorgeschriebenen Einbahntransport zu den verschiedenen Grenzregionen durchzuführen. Gelegentlich hielt das ILV für diejenigen, die sich die Ausgaben für die Reise durch die Föderation zu den Sektorenhaupstädten nicht leisten konnten, umherstreifende Schiffe bereit, die unregelmäßig Planeten in der ganzen Galaxis ansteuerten. Oder eine lokale oder planetarische Regierung forderte gegen Bezahlung eines der Schiffe an. Dies wurde manchmal getan, um die Bevölkerung zu reduzieren.

Zwei ganz unterschiedliche Dinge trugen dazu bei, daß die Menschen viele Jahrhunderte lang lebten.

Der erste und für Reubin am einfachsten zu begreifende Grund war, daß die Menschen wegen der Raumfahrt, dem Hin- und Herreisen in den erforschten Regionen der Galaxis, unterschiedlich alterten. Außerdem trugen Medizin und Altersverhütung (AV) zu einem langen Leben bei.

Den Hauptbeitrag zur Lebensverlängerung hatte jedoch Silas Comfort Swallow geleistet. Silas Swallow erfand den Überlichtantrieb – oder jedenfalls seine Forschungsgruppe. Swallow leitete sie. Als Entdecker des Überlichtantriebs war er auch der erste, der die Galaxis im Umkreis der Erde erforschte. Er verkaufte den ÜLA auch an die meisten Staaten der Erde. Gegen Bargeld und eine prozentuale Beteiligung. Er wurde der reichste Mann in der Geschichte der Menschheit. Jedes außerhalb der Erde tätige Unternehmen zahlte auf sein Konto ein. Er besaß ebenfalls sämtliche erdnahen Planeten, die von Menschen bewohnt werden konnten. Noch mehr Geld.

Er konnte sich die Forschung leisten. Er brütete das Projekt II aus, das angeblich auf dem mythischen Mann basierte, der niemals oder in umgekehrter Richtung alterte, Pembroke Wyndham.

Aufgrund seiner untergeordneten Beraterrolle bei der Gründung des resultierenden Instituts für Lebensverlängerung in Anschluß an die Entwicklung der Formel für die Lebensverlängerung durch das Projekt II, kannte Reubin ein paar mehr Einzelheiten des Projekts II als die meisten seiner Mitbürger.

Hormone steuerten den Körper auf chemischem Wege. Damals gab es nur fünfundvierzig bekannte Hormone. Endokrinologen schafften es, entweder vier neue Hormone oder vier synthetische Hormone im Kreislauf von Pembroke Wyndham zu lokalisieren. Außerdem fanden sie heraus, daß Wyndham keine freien Radikalen aufwies. Freie Radikale, wußte Reubin, waren ein Atom oder eine Gruppe von Atomen als Teil eines Moleküls, die eines oder mehrere ungepaarte Elektronen besaßen. Freie Radikale störten die molekulare Aktivität, auf die der Körper angewiesen war, um richtig funktionieren zu können. Das Beispiel, an das Reubin sich erinnerte, war, daß freie Radikale die DNS schädigten, was die Wahrscheinlichkeit von unkontrollierten Mutationen oder Zellteilungen erhöhte – von Krebs. Sie bewirkten Falten in der Haut. Grauen Star. Behinderten das körpereigene Immunsystem.

Etwas war merkwürdig an Wyndhams Kreislauf. Die Forscher synthetisierten angeblich Hormone aus seiner Hypophyse, seinem Thymus, seinen Keimdrüsen. Reubin fragte sich, ob Wyndham all diese Untersuchungen überlebt hatte.

Wie auch immer, Reubin wußte, daß die Zusammensetzung der Hormone das größte und bedeutendste Geheimnis in der bekannten Geschichte der Menschheit war. Das Geheimnis des langen Lebens lag verschlossen im Institut für Lebensverlängerung.

Während sich soviele Menschen wie möglich der lebensverlängernden Behandlung, der Umwandlung, unterzogen, hatte sich das Leben selbst verändert. Das Alter war nicht mehr länger wichtig. Man war ›jung‹, wurde geboren, wuchs heran, begann ein neues Leben. Die nächste Phase wurde ›Zwischenstadium‹ genannt, ein Ausdruck, wie er nur Wissenschaftlern einfallen konnte, den neuen Realitäten nicht angemessen. So gut wie jeder befand sich im Zwischenstadium. Reubin, Alex, sogar Tique. In dieser Phase waren die Körper reparabel, und Frauen konnten noch Kinder bekommen.

Das dritte und letzte Lebensstadium, wenn jemand soviele Umwandlungen mitgemacht hatte, daß sich irreversible Alterserscheinungen zeigten, wurde ›unbestimmt‹ genannt. Dies passierte unterschiedlich alten Menschen. Der Körper begann hier und da zu versagen, nahm nicht einmal mehr Transplantate oder geklonte Organe an. Frauen konnten keine Kinder mehr bekommen. Schließlich suchten diese Menschen den Freitod, heutzutage ein leichtes Unterfangen.

Die Menschen alterten unterschiedlich. Manche lebten doppelt so lange wie andere. Es hing von den individuellen Genen ab und davon, wie gut die Behandlung anschlug. Reubin glaubte, daß er wahrscheinlich ein extremes Beispiel dafür war. Er wollte nicht darüber nachdenken, wie groß Habus Beitrag zu seinem langen Leben war.

Jedenfalls konnten die Gehirne der meisten Leute ab einem Alter von etwa achtzig bis hundertzwanzig Standardjahren mit dem angehäuften Wissen, der Erfahrung und den Erinnerungen nicht mehr richtig funktionieren. Das ILV behandelte diese Symptome, und die Menschen konnten ihr Leben erneuern. Es war Teil der Abmachung mit dem ILV. Niemand wußte, ob es eine eigenständige Behandlung oder Teil der Hormonbehandlung war. Ein weiteres Geheimnis des ILV. Darum mußte man sich den ILV-Behandlungen unterziehen, wenn man länger leben wollte, als es das Gehirn auszuhalten vermochte.

Die Behandlungen erlaubten es dem Gehirn, sämtliche zusätzlichen Informationen, Erfahrungen, Kenntnisse und Erinnerungen zu speichern. Manche spekulierten, die Behandlungen eröffneten lediglich den Zugang zu den ungenutzten, jedoch vorhandenen Gehirnkapazitäten. Unglücklicherweise verjüngte ihn der Prozess körperlich. Seine gespaltene Persönlichkeit blieb unverändert. Reubin fragte sich oft, ob die Behandlung nicht genug Freiräume öffnete, in die Habu hineinpaßte. Er hielt es für möglich, daß es in dem Falle, daß es sich bei Habu um eine Geisteskrankheit handelte, gut sein könnte, daß die Behandlung diesen Defekt verstärkte.

Silas Swallow war ein Visionär. Auf dieser Tatsache basierte die Charta des ILV. Man mußte seinen gesamten weltlichen Besitz dem ILV schenken (und somit die Position des ILV stärken), und das ILV schickte einen anschließend zur Grenze hinaus, um das Universum der Menschen zu erweitern. Man mußte eine bestimmte Zeit dort bleiben, abhängig von der Situation und den Bedingungen. Nach einer Weile bekam man vom ILV sein Geld in Form von Institutsaktien zurück. Darum würde, wenn das ILV scheiterte, die ganze Föderationsstruktur zusammenbrechen.

Tatsächlich waren die meisten Menschen, die sich der ILV-Behandlung unterzogen, bereit dazu, ein neues Leben zu beginnen. Andernfalls wurden sie wahnsinnig, begingen Selbstmord oder starben.

Silas Swallow hatte das Überleben der Menschheit durch deren Ausdehnung auf neue Welten jedoch gesichert.

Expansion brachte nahezu automatisch einen technischen Fortschritt mit sich und hielt die Menschheit auf dem nötigen technischen Stand, um ihren Griff nach den Sternen auszudehnen. Klingt poetisch, dachte Reubin, dann erinnerte er sich an Karg und fragte sich, ob die Menschheit auf ihrem Weg nicht ein paar Schlappen zuviel erlebt hatte.

Reubin würde sich der Umwandlung unterziehen und wäre dann gut für etwa weitere hundert Jahre. Und er würde sich an seine früheren Leben erinnern können. Alex würde sich mit ihm zusammen umwandeln lassen, und sie würden gemeinsam ein neues Leben beginnen, genau so, wie Silas Swallow es vorausgesehen hatte.

Reubin und Alex. Reubin fragte sich, wohin man sie wohl schicken würde. Es schien alles, was er durchgemacht hatte, wert zu sein.

Reubin und Alexandra zusammen. Er freute sich wirklich darauf.

Webster's Raumhafen war voller Menschen, die an alle möglichen Orte der bekannten Galaxis unterwegs waren.

Als planetarische Ministerin wurde Alex eine Vorzugsbehandlung gewährt. Nach der VIP-Behandlung sollte sie ein Gleiter zu ihrem Schiff bringen.

Reubin und Alex hatten einander schon vorher auf Wiedersehen gesagt. Reubin küßte sie flüchtig auf die Wange. »Bis bald, Silbermädchen.«

»Hohe Berge, tobende See und leerer Raum könnten mich nicht von dir fernhalten, geheimnisvoller Mann.« Ihr Blick suchte ein letztes Mal seinen. »Bis dann.«

Ja, klar.

Das tobende Tier in ihm überschritt wieder die Schwelle zum Bewußtsein. Die Mörderschlange drohte auszubrechen und die Kontrolle zu übernehmen.

4

Tique

SIE GING IN IHREM APARTMENT besorgt auf und ab und versuchte sich zu entscheiden, was sie am Abend anziehen sollte.

Sie hatte Reubin Flood vor zwei Tagen zu dem Shuttle im Raumhafen von Snister gebracht. Die *Lady of Angorra* hatte das Sonnensystem vor sechsunddreißig Stunden verlassen.

Seitdem hatte Reubin sie weder angerufen noch eine Nachricht hinterlassen. War seine Vermutung, daß ihm die Regierung die Ausreise verweigern könnte, zutreffend gewesen? War ihm irgend etwas in die Quere gekommen? Wie konnte sie es herausfinden? Sie dachte daran, Fels Nodivving anzurufen, entschied sich jedoch dagegen.

Bilge, dachte sie, dann überlegte sie es sich anders.

Wer war Reubin Flood überhaupt? Er hatte ihr wenig über seine Begegnung mit Mutter auf Karg und ihre nachfolgende Romanze erzählt. Damit hatte es sich auch schon. Abgesehen von seinen angedeuteten Kämpferqualitäten; er hatte auf Karg als Söldner gedient. Er hatte ihr erzählt, was geschehen war, jedoch nicht, wer er war. Weder von dem angedeuteten Kummer, noch von seiner Andersartigkeit. Sie wußte, daß er ein eigenartiges Implantat hatte – wenigstens hatte er dies gesagt. Früher hatte er einmal etwas mit Computersystemen zu tun gehabt, möglicherweise in der Entstehungszeit des Instituts für Lebensverlängerung. Sie wußte jedoch immer noch nicht, wer er war. Ein Rätsel, sagte sie sich. Sie hatte ihm Fragen zu seiner Person gestellt, doch er hatte die Fragen mit einem Bericht über die Romanze auf dem Raumkreuzer zwischen ihm und Mutter geschickt abgewehrt.

Tique saß vor ihrem Make-up-Tisch. Sie spielte mit einer Mischung herum, um zu sehen, wie sie bei ihr aussehen würde, bevor sie sie auftrug. Sie mochte kein Make-up, aber ein paar Kleckse, an strategischen Stellen aufgetragen, und ein wenig Farbe taten der Konvention genüge.

Bevor sie ihn an der Paßkontrolle verlassen hatte, war sie zu dem Schluß gekommen, daß Reubin paranoid war. Seine versteckten Andeutungen, Vorwürfe und Unterstellungen waren an den Haaren herbeigezogen.

Auf der anderen Seite mochte sie ihn. Etwas, das sie noch nicht genau benennen konnte, zog sie zu ihm hin. Er war sonderbar, ausgesprochen anders, und manchmal wirkte er fast gehetzt.

Am Eingang zur Paßkontrolle hatte es um sie herum von Menschen gewimmelt. Das Shuttle würde voll sein. Tique fühlte sich eigenartig. Sie wußte nicht, wie sie auf Reubin reagieren sollte, darum beschloß sie, ihn die Führung übernehmen zu lassen. Schließlich war er der Mann ihrer Mutter gewesen, wenn auch nur für kurze Zeit. Sie stellte fest, daß sie ihm sein Eindringen in ihr Leben und ihren Schmerz nicht mehr übelnahm. Sie erinnerte sich an die stillschweigende, unbeholfene Übereinkunft, die sie erreicht hatten. Vielleicht wegen ihrer gemeinsamen Erfahrung auf dem Dach.

Reubin beugte sich vor und flüsterte ihr zu: »Denken Sie an das, was ich Ihnen gesagt habe.«

Tique nickte, sich seiner überwältigenden Männlichkeit bewußt. Falls er nach Snister zurückkehrte, würde er als jemand anderer verkleidet sein, mit entsprechenden Reise- und Ausweispapieren. Tique wußte nicht, wie so etwas bewerkstelligt wurde, war sich jedoch sicher, daß Reubin dazu in der Lage war.

Er hielt sich noch eine Extrasekunde lang in ihrer Nähe, und Tique meinte, er werde sie zum Abschied küssen. Er riß sich jedoch los und ergriff ihre Hand. Seine Hand war kräftig und trocken. Er drückte ihr rasch die Hand, schenkte ihr ein sympathisches Lächeln und ging zur Paßkontrolle.

Tique fragte sich, ob sie Reubin Flood jemals wiedersehen würde. War er in Gefahr, wie er vermutet hatte? Sie versuchte ihn zu beobachten, doch in der Paßkontrolle befanden sich zu viele Leute. Als die Passagiere eingecheckt hatten, traten sie durch eine weiter entfernte Tür und gingen durch Korridore davon.

Sie würde auf seinen Anruf vom Raumschiff warten müssen.

Jetzt waren zwei Tage vergangen, und sie wußte nicht, was sie tun sollte.

Sie vollendete ihr Make-up. Der Mann im Zentrum des Sturms schien so weit weg.

Vielleicht könnte sie einige Nachforschungen anstellen. Dieser Abend war vielleicht der richtige Zeitpunkt, um damit anzufangen. Im Moment wartete sie auf Josephine Neff, die Innenministerin.

Tique war sich nicht sicher, was sie von ihrem plötzlichen Status als Berühmtheit halten sollte. Tique kannte Josephine persönlich, von ihrer Bekanntschaft mit Mutter her, sah Josephine Neff jedoch nie in ihren eigenen sozialen Kreisen. Einmal im vergangenen Jahr war Josephine jedoch Schiedsrichter bei einem Wettbewerb im Nebelformen gewesen, bei dem Tique mitgemacht hatte. Ihre Arbeit mit Wasser hatte ihr gelehrt, wie man auch außerhalb des Wassers Hitzegefälle entwickelte und benutzte. Obwohl sie nicht die Siegerin gewesen war, hatte Josephine Neff sie lobend erwähnt.

Sämtliche Freunde von Tique, besonders jene im

Club der Nebelformer von Cuyas, warfen Tique spaßeshalber Schiebung vor, weil ihre Mutter Ministerin für Wurmholz und Josephine Neff Innenministerin war. Doch das war Spaß gewesen: eine lobende Erwähnung bei einem weltweiten Wettbewerb. Außerdem machte Tique noch nicht so lange beim Nebelformen mit wie die meisten anderen. Ihr Nebelformen hatte seinen Ursprung eher in der Mathematik, da sie Computer und Computersimulationen mehr als andere benutzte. Das Nebelformen paßte gut zu ihrer zweiten Leidenschaft: der Natur.

Was ihre Verabredung an diesem Abend umso merkwürdiger erscheinen ließ. Was konnte die Innenministerin mit Tique Sovereign gemeinsam haben? Tique war als Gegnerin der wahllosen Aufforstung des Wurmholzes durch die Gesellschaft bekannt. Sie deformierte die Welt, rottete Tier- und Pflanzenarten zu Dutzenden aus. Sie verwandelte Snister in ein riesiges Gewächshaus; die durchschnittlichen Niederschlagsmengen nahmen bereits zu – und dies zusätzlich zu dem inzwischen beinahe ständig fallenden Regen. Tique war der Überzeugung, daß die Wormwood Inc. wieder dazu übergehen sollte, ausschließlich natürlich gewachsene Wurmholzbäume zu ernten. Die Massenproduktion der seltenen Bäume rechtfertigte nicht die Schäden am Ökosystem.

Sie war sich der seltsamen Diskrepanz zwischen ihren Überzeugungen und ihrem Beruf bewußt. Dies war einer der Streitpunkte mit ihrer Mutter gewesen. Josephine wußte ebenfalls darüber Bescheid.

Vielleicht wollte Josephine ihr wegen des Todes ihrer Mutter verspätet kondolieren? Vielleicht. Als Josephine angerufen und vorgeschlagen hatte, Tique solle sie im Corona treffen, hatte Tique sich zu entschuldigen versucht. Barbarei stand nicht auf ihrem Speisezettel. Josephine hatte jedoch nicht nachgegeben. Und die zweitmächtigste Person der Regierung und damit der Gesellschaft wies man nicht so leicht ab.

Tique bemerkte, daß es fast Zeit war, und fuhr mit einem Jetlift die zehn Stockwerke zum Landeplatz hinunter. Sie teilte dem Sicherheitsbeamten mit, wen sie erwartete, und ging an der Rampe auf und ab.

Der Wachmann in der Überwachungskuppel winkte ihr zu, und ein langer, ausgefallener Gleiter glitt auf das Landegitter und hielt. Eine Seitentür öffnete sich zischend, und Tique kletterte hinein.

Sie ging zu Josephine in den Fond, während sich die Tür schloß und der Wagen beschleunigte und sich in die Luft erhob.

Da der Wagen kein Kennzeichen hatte, war er offensichtlich ein Gesellschaftswagen mit einem Gesellschaftschauffeur.

Josephine streckte ihre behandschuhte Hand aus, als Tique vor ihr Platz nahm. »Hallo, meine Liebe.«

»Josephine. Danke für die Einladung.«

»Nicht der Rede wert.« Josephine sprach beinahe flüsternd. Tique hatte ihre Ausdrucksweise immer für affektiert gehalten, eine Finte, die den Zuhörer zu größerer Aufmerksamkeit zwang. In ihrer hohen Position konnte sie damit jedoch durchkommen. Josephine trug elegante Abendkleidung, mit Rüschen, Spitzen und einem bodenlangen Rock. Tique war überwiegend schwarz gekleidet, was entweder als Trauer- oder halbformelle Kleidung aufgefaßt werden konnte. Im Corona würde es durchgehen.

»Wie ich höre«, sagte Josephine, »suchen Sie das Corona selten auf.«

Tique mußte sich anstrengen, um sie zu verstehen, und fragte sich, wie sie die Ministerin im Corona mit all den Menschen und dem Geschrei und dem Beifall und Hohngelächter hören sollte.

Tique zuckte die Achseln. »Ich fühle mich dort einfach bloß unwohl.« Tatsächlich war sie noch nie dort gewesen.

Josephine lächelte. »Viele Leute teilen Ihre Abneigung. Das Corona erfüllt jedoch eine notwendige Funktion. Ich spreche nicht von Brot und Spielen, was manche der Gesellschaft zweifellos zum Vorwurf machen.«

Das Corona. Ein Stadion außerhalb von Cuyas, mit einem Fassungsvermögen von mehreren hunderttausend Zuschauern. Weltweit übertragene Vorstellungen.

Die alte, alte, alte Idee: nimm einen zum Tode Verurteilten, stell ihn in die Mitte des Stadions, umgeben von zweihunderttausend Menschen, und sag ihm, daß er seine Freiheit erlangen kann, wenn…

Wenn. Wenn er andere Gefangene schlagen kann. Wilde, mittels Drogen in Raserei versetzte Tiere besiegen. Computergesteuerte Mordmaschinen überlisten. Sicher, manchmal gestatten sie es einem, die Freiheit zu erlangen, um den Mythos des Corona zu bewahren; es mußte eine gewisse Hoffnung auf Erfolg geben, das Einbahnticket vom Planeten weg war eine große Verlockung. Diejenigen, die das Martyrium überlebt hatten, hatten scheinbar gegen alle Wahrscheinlichkeit gesiegt; die Chancen ließen sich jedoch manipulieren, menschliche Gegner und Tiere unter Drogen setzen. Tique glaubte, daß wohl die meisten Planeten ihre eigene Version des Corona hatten.

Tique wurde bewußt, daß Josephine ihr Gesicht musterte. »Sie glauben, die Gesellschaft benutzt das Corona für ihre Zwecke.«

Tique wandte den Kopf, damit sie Josephine besser hören konnte. »Die Gesellschaft hat, genauso wie Menschen auch, ihre Fehler.« Tique versuchte diplomatisch zu sein. Ihr kam der Gedanke, sie werde einem Loyalitätstest unterzogen. Was nicht viel Sinn ergab. Wer kümmerte sich darum, was eine einfache Aquadynamikerin dachte? Tique konnte ein Computernetz zum Tanzen bringen und dazu die Melodie pfeifen und ihre Modelle entwerfen, ihre Loyalität zur Gesellschaft sollte jedoch eigentlich bedeutungslos sein. Sie tat ihre Arbeit. Wurmholzbäume wuchsen, wurden geerntet und verkauft. Ungeachtet ihrer Sorge um das Schicksal der Natur.

»Ziemlich feinfühlig ausgedrückt, meine Liebe. Ihre Mutter war wesentlich freimütiger.«

»Ich weiß.«

»Trotzdem ist Alex die Firmenleiter bis zur Ministerebene hochgeklettert. Sie hat wirklich gute Arbeit geleistet.«

»Das hat sie«, pflichtete Tique ihr bei. Warum erzählst du mir das?

»Auf der anderen Seite«, Josephine wedelte lässig mit der Hand, »war Ihre Mutter eine willensstarke und unabhängige Frau.« Josephine hielt einen Moment lang inne, während sie sie ganze Zeit über in Tiques Augen starrte. »Uns wurde jedoch zur Kenntnis gebracht, daß Alex Sovereign uns etwas verheimlichte.« Ihre Stimme verlor sich.

Tique wünschte, sie hätte gewußt, wovon Josephine eigentlich sprach. Das, was Reubin gesagt hatte, konnte allerdings wahr sein...

»Mir fällt gerade ein«, fuhr Josephine fort, »daß Ihre Mutter Ihnen etwas hinterlassen haben könnte, das nicht in ihren Geschäftsbereich als Ministerin für Wurmholz gehörte.«

»Was meinen Sie?« Ihr Magen hob sich, und Tique wußte, daß es nicht daran lag, daß sich der Gleiter in eine Abstiegskurve legte.

Josephine hob die Stimme. »Ein Vermächtnis, zum Beispiel. Eine Aufzeichnung, gefilmt, geschrieben, gesprochen, alte Projekte betreffend.«

Da war es. Tique runzelte die Stirn, als dächte sie angestrengt nach. Josephines Worte hingen wie geronnene Milch zwischen ihnen in der Luft. Sie hob neugierig die Brauen und schüttelte den Kopf. »Nichts, wovon ich wüßte. Das Personalbüro müßte Unterlagen über Mutters Tätigkeit während ihrer Dienstzeit haben.« Um Josephine von ihren tatsächlichen Kenntnissen, die sie von Reubin Flood erworben hatte, abzulenken, hatte sie geantwortet, als hätte sie sie falsch verstanden.

»Es gibt ein paar Informationen«, sagte Josephine und schaute aus dem Fenster, »die wir gerne hätten. Ich bin sicher, daß Sie beim Durchsehen ihre Bedeutung erkennen würden. Des weiteren bin ich mir sicher, daß Sie diese Informationen mit uns teilen würden.«

»Sie klingen sehr geheimnisvoll«, sagte Tique, indem sie das zu sagen versuchte, was sie gesagt haben würde, wenn sie von nichts gewußt hätte.

»Wir sind fast am Corona angekommen.« Josephine lächelte, doch ihre Augen blieben kalt und durchdringend. »Vielleicht wird der Reiz des Wettkampfs Ihrem Gedächtnis auf die Sprünge helfen.«

»Wenn Sie meinen, Josephine.«

»Wir können uns später unterhalten.«

Tique wurde allmählich klar, daß sie eigentlich alarmiert sein sollte. Sie war es jedoch nicht. Mutter war tot. Reubin war verschwunden. Die zweitmächtigste Person nach Fels Nodivving fragte sie mit schonungsloser Offenheit aus.

Vielleicht hatte Reubin vergessen anzurufen oder die Funkabteilung des Schiffes weigerte sich, seine Nachricht zu übermitteln. Sie würde herausfinden, wie sie das Thema bei Josephine im Anschluß an die Wettkämpfe diplomatisch ansprechen könnte.

Der Wagen setzte auf der VIP-Rampe des Corona auf, und bald darauf fand sich Tique in der VIP-Suite wieder. Der Raum hatte eine Kuppelfront, die über die

Arena vorsprang und die beste Aussicht des Stations bot. Sie war noch nie hier gewesen, und als sie die Menschenmenge überblickte, verspürte sie eine Massenerwartung, eine elementare Vorfreude. Das Station war vollbesetzt.

Josephine nickte einem Mann am hinteren Ende der Suite zu. Er stand an einer Steuerkonsole. Tique vermutete, daß VIPs jederzeit sofortigen Zugang zu Kommunikations- und Kontrollsystemen und Datenbanken haben mußten. Der Mann schaltete einen Lautsprecher ein. »Weitermachen.« Also hatte man mit dem Beginn der Aktivitäten solange gewartet, bis Josephine Neff eingetroffen war. Macht ebnet viele Wege.

Josephine ging zur Vorderfront und nahm auf einem der Chefsessel Platz. Sie winkte Tique zu sich herüber. »Sie möchten doch nichts versäumen.«

Tique folgte pflichtbewußt und setzte sich zu Josephines Linken. Die Kuppel war so dünn, daß sie beinahe gar nicht vorhanden war. An allen strategischen Punkten über dem Station befanden sich riesige Bildschirme, so daß die weiter entfernten Zuschauer sehen konnten, als befänden sie sich unmittelbar am Ort des Geschehens.

Sie wußte, was kommen würde. Obwohl sie keine Lanze für die Mörder und Kriminellen brach, die sich für die Wettkämpfe freiwillig meldeten, billigte sie diese aber auch nicht. Es war jedoch Unterhaltung, erkannte sie, und zwar ziemlich billige. Sie begriff allmählich. Hunderttausende von Eintrittskarten wurden allwöchentlich verkauft, und beinahe alles davon war Profit. Ganz zu schweigen von den Einkünften aus den weltweiten Fernsehübertragungen.

Josephine tippte einen Code in die Konsole rechts von ihrem Sitzplatz ein. »Ein Ableger der Hauptkonsole«, erklärte sie und deutete mit einem Nicken auf die Steuerkonsole. »Ich muß die Zentrale ständig über meinen Aufenthaltsort auf dem laufenden halten.« Sie schaute wieder zur Arena hin.

Tique war nicht überrascht. Die Spitzenbeamten der ganzen Welt, von den Gesellschaftsfunktionären ganz zu schweigen, mußten ihre Kommando- und Überwachungssysteme haben. Eine gleichartige Konsole befand sich links von ihrem Chefsessel.

Josephine hob die Hand.

Der Mann an der Rückseite der Suite trat vor. »Madam?«

»Wein«, sagte Josephine.

Tique bemerkte, daß sich der Mann zu der Innenministerin hinüberbeugte. Er war an ihre leisen Töne gewöhnt.

»Roten«, sagte Josephine. Zu Tique sagte sie: »Rot für Blut. Möchten Sie auch etwas haben?«

Tique wollte nicht Zeugin der bevorstehenden Ereignisse sein, wußte jedoch, daß sie dazu gezwungen war. »Tequila«, sagte sie. »Mit Eis.«

Der Mann zog sich zurück.

Tique sah, daß die Vorstellung im hellen Scheinwerferlicht begann.

Der Steward kehrte mit ihren Drinks zurück, stellte sie auf den Tisch zwischen den Sesseln.

»Das wäre dann alles«, sagte Josephine zu ihm. »Ich werde Sie rufen, wenn ich Sie brauche.«

Er verneigte sich und ging durch die Hintertür hinaus.

»Drei Kämpfe heute abend«, ertönte eine gedämpfte Stimme, offenbar die eines Stadionsprechers.

Josephine beugte sich vor. »Nun macht schon endlich!« Dann schien sie sich ihrer Stellung bewußt zu werden und lehnte sich zurück. »Es heißt, es werde heute ein Tier präsentiert, das Schnarle genannt wird, von einem wilden Planeten namens Bear Ridge, wo immer der sein mag. Ein natürlicher Killer. Ah, es geht gleich los.«

Tique wandte ihre Aufmerksamkeit wieder der Arena zu. Sie fühlte sich an einen Film über den altertümlichen Sport des Stierkampfes erinnert, den sie einmal gesehen hatte.

Eine Seitenverkleidung schwang auf, und in der Öffnung erschien ein Tier, das sie sich niemals hätte vorstellen können. Es schlich auf sechs Beinen in die Arena heraus. Die riesigen Bildschirme zeigten seine umherspähenden Augen; sie ließen Tique frösteln. Eine lange Schnauze überragte ein Maul voller messerscharfer Zähne, die nach hinten zum Schlund des Tieres geneigt waren. Die sechs Beine waren kräftig, und die Füße waren zum Greifen geeignet, woran Tique erkannte, daß das Tier wahrscheinlich aus dem Gebirge stammte. Die kurzen Beine verliehen ihm die Überlegenheit eines Krokodils. Felsgraues Fell sträubte sich. Das Tier war still und wirkte dadurch umso bedrohlicher. Tique wußte, daß die Mikrofone auf die Gegner zielten, um den Zuschauern die begleitenden Geräusche zu übermitteln, sowohl denen im Corona, wie auch denen, die übers Fernsehen zuschauten.

»Ein Mörder«, sagte ein Ansager. »Sein Name lautet Hosiah Hence.«

Eine weitere Tür öffnete sich, und ein Mann taumelte heraus. Er wirkte benommen. Wie alle Kämpfer hier trug er lediglich Shorts und Stiefel, und sein Kopf war kahlrasiert. Er blickte das Schwert in seiner Hand an, und auf seinem nichtssagenden Gesicht zeigte sich Verwunderung. Die Kamera zeigte in Nahaufnahme, wie Hence die Schnarle entdeckte. Tique las Verzweiflung in seinem Gesicht, als Hence das Schwert versuchsweise und unbeholfen schwang. Er trat seitlich an die Wand.

Die Schnarle beäugte den Mann und duckte sich noch tiefer.

Hosiah Hence spuckte entschlossen aus, tat einen Schritt auf die Schnarle zu, dann noch einen.

Plötzlich, rascher, als daß Tique hätte folgen können, befand sich die Schnarle in der Luft, und Klauen hatten Hosia Hence' Bauch aufgeschlitzt, und seine halbe Schulter war von den mörderischen Zahnreihen der Schnarle abgerissen.

Die Zuschauer stießen Schreie der Überraschung und des Ekels aus.

Tique fühlte saure Galle in der Kehle aufsteigen.

Die Schnarle hockte sich auf den Leichnam und beäugte das Publikum.

Tique betrachtete Josephine. Sie hatte das Gesicht gegen die Kuppelwandung gedrückt und war gefesselt von dem Geschehen. Ihr Kiefer war erschlafft, und ihre Augen leuchteten. Tique hatte den Eindruck, den Raum verlassen zu können, ohne daß Josephine es bemerken würde.

Eine weitere Tür öffnete sich, und ein Roboter schlängelte sich heraus, streckte Klammern nach Hence' Leiche aus und wollte sie wegziehen. Die Schnarle bemerkte den Roboter und brüllte herausfordernd. Dann sprang sie ihn an und riß ihn zu Boden. Ihre Klauen schlugen auf die Maschine ein, und Tique bemerkte Kratzer auf dem Metall.

Die Schnarle kehrte zu ihrer Beute zurück; der Roboter richtete sich auf und rollte aus der Arena.

Auf der gegenüberliegenden Seite der Arena öffnete sich eine Tür, und ein weiterer Mann erschien.

»Ein Mörder und mehrfacher Frauenschänder«, psalmodierte der Ansager. »Donald Simon.«

Der Mann trug eine zweischneidige Axt.

Tique warf einen Blick auf einen der Bildschirme, um ihn aus der Nähe zu sehen. Ihr stockte der Atem, und ihr Gesicht begann zu brennen. Reubin! Reubin Flood! Mein Gott!

Tiques Augen schossen wild umher. Sie bemerkte, daß Josephine Neff sie amüsiert beobachtete.

»Josephine«, sagte Tique, von Entsetzen erfaßt, »das ist Reubin Flood. Es muß sich um ein Mißverständnis handeln ...«

Josephine hob scharf gezeichnete Brauen. »Ach, wirklich?«

Es paßte alles zusammen. Nun begriff Tique. Reubin hatte recht gehabt. Er hatte ihre Fragen nicht beantworten können, vielleicht wegen des implantierten Biochips, darum hatte man ihn zum Tode verurteilt. Bei dem Intermezzo zwischen Reubin und Fels Nodivving war es um Leben und Tod gegangen, begriff sie jetzt. Und sie konnten es nicht zulassen, daß Reubin den Planeten verließ.

Tique erinnerte sich an das ruhige Selbstvertrauen, das Reubin ausgestrahlt hatte. Sie holte tief Luft und sprach die schwersten Worte ihres Lebens: »Also, ich *dachte*, er sähe aus wie Reubin Flood. Jetzt bin ich mir nicht mehr sicher.« Sie lächelte ein, wie sie hoffte, nonchalantes Lächeln, das ihr jedoch schwach und wenig überzeugend vorkam.

»Vielleicht, vielleicht auch nicht«, sagte Josephine. »Ich bin mir sicher, daß Sie sich bestimmt erinnern würden, wenn er es wirklich *wäre* – ebenso, wie Sie sich an alles erinnern würden, was Ihre Mutter zu Ihnen gesagt hat. An das, was ich zuvor gemeint habe.«

Tique zuckte die Achseln, und ihre Schultern taten ihr davon weh. Sie bezweifelte, daß sie Josephine auch nur im mindesten täuschen konnte.

Josephine wandte sich der Arena zu. »Lassen Sie uns zuschauen. Es kann gut sein, daß sich daraus etwas lernen läßt.«

Tique sank in ihren luxuriösen Sessel zurück. Sie fragte sich, ob es irgendeine Möglichkeit gab, Reubin zu helfen. Dann wurde ihr klar, daß sie sich ebenfalls in

Gefahr befand. Offenbar spielte man mit ihr ein ähnliches Spiel. Weder Mutter noch Reubin hatte ihnen gesagt, wonach sie suchten; somit stellte Tique ihr letztes Verbindungsglied dar. Vielleicht fürchtete man, mit ihr würde das gleiche geschehen wie mit ihrer Mutter: Tod, und damit das Ende der Spur.

Was war Alexandra Sovereigns Geheimnis gewesen?

Tiques Augen hefteten sich auf die Szene, sprangen zwischen dem Bildschirm und Reubin hin und her.

Er hatte sich die Axt lose über die Schulter gelegt. Sein Gesicht war ebenso benommen wie das von Hosiah Hence. Drogen?

Wie als Antwort darauf, flüsterte Josephine: »Die Drogen machen müde. Wir können doch die zahlenden Zuschauer nicht verprellen, nicht wahr?«

Die Schnarle hockte auf Hence' Leichnam. Sie machte keine Bewegung in Reubins Richtung.

»Der Kämpfer muß die Schnarle töten, um sich der nächsten Probe unterziehen zu können«, sagte Josephine beiläufig.

Die Schnarle zuckte zusammen, als hätte sie etwas aufgeschreckt. »Ah«, flüsterte die Innenministerin, »man hat sie mit einem Aufputschmittel beschossen.«

Die Schnarle versuchte, sich in die eigene Flanke zu beißen.

Tique sah auf Reubins Gesicht einen Ausdruck des Begreifens, während die Schnarle ihren kurzen Hals weit genug zu verdrehen versuchte, um nach etwas zu beißen, das in ihrer Flanke steckte. Zwei ihrer rechten Klauen droschen auf das fremde Ding ein.

Reubin trug einfache Shorts und Stiefel. Sein Körper war sonnengebräunt. Sein Kopf war rasiert worden, seit sie ihn das letztemal gesehen hatte, kahlrasiert wie der aller anderen Kämpfer. Er sah jedenfalls anders aus als der Reubin Flood, den sie gekannt hatte. Ein wildes Leuchten erschien in seinen Augen, und Tique meinte zu bemerken, daß die Erkenntnis mit einem Schlag über ihn kam.

Er sprang vor und rannte auf die beschäftigte Schnarle zu.

Im letzten Moment bemerkte die Schnarle, daß er sich ihr näherte. Ihre Schnauze ruckte herum, und ihre Zähne glitzerten im Licht der Scheinwerfer. Sie glitt von dem Leichnam herunter, und Reubin katapultierte sich in die Luft. Als er über der Schnarle war, ließ er die Axt niedersausen, wobei er offenbar nach ihrem Hals zielte. Die Schnarle hatte sich jedoch bewegt, und die Axt spaltete ihr linkes Vorderbein.

Die Schnarle brüllte auf vor Schmerz – ein tiefer und erschreckender Laut.

Reubin landete auf der Schulter, rollte sich im Staub ab und kam auf die Beine, die Axt mit beiden Händen haltend. Sein Blick war grimmig, absolut konzentriert. Tique bemerkte keine Spuren der Drogen mehr.

Die Schnarle griff Reubin von unten an. Ihr verletztes Vorderbein ließ sie taumeln, und Reubin hatte Zeit, seine Axt neu in Position zu bringen; er stieß der Schnarle die Axt einfach ins lange Maul.

Die Schnarle ließ ihre Schnauze zuschnappen und wich zurück. Dann blieb sie stehen, öffnete würgend das Maul, und Blut bespritzte Reubin.

Während die Schnarle bellte und die Axt aus ihrem Schlund zu schütteln versuchte, schlitzte ihr Reubin die Kehle auf und schlug weiter auf sie ein, bis sie tot war.

Reubin stützte sich schwer auf sein Schwert. Er drehte sich langsam um und musterte die Arena, als hätte er bisher noch keine Zeit dazu gehabt. Sein Atem hatte sich beruhigt. Sein Körper glänzte von Schweiß und Blut; an der Feuchtigkeit klebte Staub.

Als er die tote Schnarle musterte, meinte Tique einen Moment lang, einen Ausdruck von Befriedigung auf seinem Gesicht erkennen zu können. *Innerhalb* von Reubin Flood ging eine Verwandlung vor sich.

Seine Augen musterten das Publikum und die Arena. Ein erwartungsvolles Schweigen beherrschte die Nacht.

Reubin reckte den Hunderttausenden von Anwesenden verachtungsvoll einen Finger entgegen, während sein gebräunter Körper sich wand wie der einer Schlange.

Josephine schauderte, und ihre Schultern vibrierten einen Moment lang nach.

Auf der gegenüberliegenden Seite öffnete sich eine Tür, und Tique blickte entsetzt hinüber, während Reubin sie nicht beachtete. Er beugte sich zu der toten Schnarle hinunter und klemmte ihr das Schwert ins Maul.

Drei Gnurle trotteten in die Arena. Obwohl sie auf Snister beheimatete Pflanzenfresser waren, neigten sie dazu, alles Lebendige auf zwei Beinen zu hassen und anzugreifen.

Reubin sah immer noch nicht auf, schien sie nicht zu bemerken.

Die drei Gnurle stürmten auf Reubin zu und kreisten ihn ein, als hätten sie schon öfter Jagd auf Menschen gemacht. Wenngleich ihre Mäuler zuzubeißen vermochten, waren ihre Zähne flach, um Pflanzen zermahlen zu können, und konnten weder zerreißen noch schneiden. Ihre Hufe waren jedoch mörderisch scharf, von der Natur dazu gedacht, Bodenpflanzen loszuscharren und zusammenzuraffen. Und sie waren äußerst schnell; ihre langen Beine gestatteten ihnen hohe Sprünge und Seitwärtsbewegungen.

Allmählich näherten sie sich Reubin Flood.

Reubin ließ die Axt wirbeln und versperrte einem der Gnurle den Weg. Die Axt biß in die Schulter des Tiers, und Reubin sprang zurück, als der zweite Gnurl mit den Hufen nach ihm schlug. Reubin duckte sich und attackierte die Vorderbeine des Tiers. Der zweite Gnurl brach mit durchtrennten Muskeln zusammen, unfähig, seine Vorderbeine noch zu gebrauchen. Der erste Gnurl rannte, ein hohes Heulen ausstoßend, in die Arena hinaus, während Blut aus seiner verletzten Schulter spritzte.

Der dritte Gnurl zögerte, dann griff er Reubin an. Reubin sprang über den zweiten Gnurl hinweg und wich seinen ausschlagenden Hinterbeinen aus. Der dritte Gnurl trottete um seinen Kameraden herum bei dem Versuch, an Reubin heranzukommen. Reubin sprang auf die andere Seite des am Boden liegenden Gnurls, indem er den schnappenden Kiefern auswich. Der dritte Gnurl trottete zurück. Reubin sprang erneut.

Tique bemerkte, daß sie den Atem anhielt, und setzte sich zurück, um wieder Luft bekommen. Josephine klebte an der Kuppelwandung und beobachtete gebannt das Geschehen, ohne auf ihre Umgebung zu achten.

Reubin sprang immer noch hin und her, indem er den verbliebenen Gnurl wieder und wieder um seinen niedergestreckten Kameraden herumführte.

Tiques Finger schwebten über der Konsole; sie wünschte, sie hätte Reubin zu helfen vermocht, wußte jedoch nicht wie.

Reubin setzte zu einem neuerlichen Sprung über den gestürzten Gnurl an, warf sich jedoch statt dessen zur Seite. Der dritte Gnurl drehte sich gerade, um ein weiteres Mal den sterbenden Gnurl zu umkreisen, und ging in die Falle. Reubin schlug ihm mit einem Schwerthieb den Kopf ab. Er trat zur Seite. Seine Augen suchten den Gnurl, den er am Anfang verwundet hatte. Das Tier stand sterbend an die gegenüberliegende Wand gelehnt.

Reubin holte tief Luft.

Er spuckte nach der Kamera und hob das Schwert. Langsam drehte er sich im Kreis, forderte die Menge heraus.

Tique begriff nicht, warum Reubin das Publikum derart aufhetzte. Sie machte ihm jedoch keinen Vorwurf. Sie wußte, daß er die Arena nicht lebend verlassen würde.

Spottrufe und höhnische Schreie verwandelten sich in vereinzelten Applaus. Die Zuschauer mußten erkennen, daß etwas Ungewöhnliches vor sich ging. Schließlich hatte der beinahe nackte Mann in der Arena zwei mörderische Proben bestanden, und die Menge begann seine Leistung zu würdigen.

Drei Männer traten durch eine Öffnung in Reubins Nähe. Die Tür schloß sich sogleich wieder, und Tique fragte sich, wer diese Vorgänge wohl kontrollierte. Die drei waren ebenso wie Reubin gekleidet. Alle drei waren jedoch mit einer Vielzahl von Waffen ausgerüstet: mit Messern, Schwertern, Ketten, Wurfsternen; einer von ihnen hatte einen Schild.

Reubin sah sie, und die Menge stöhnte auf. Sie war sich der Ungerechtigkeit bewußt.

Als der Ansager begann: »Drei Kinderschänder ...«, schleuderte Reubin sein blutiges Schwert wie einen Speer.

Die Bewegung überraschte alle, auch die neuen Kämpfer. Das Schwert traf den mit den Wurfsternen. Die Waffe durchbohrte die Brust des Mannes und tötete ihn auf der Stelle.

»... die freigelassen werden, wenn sie es schaffen, diesen einen Mann gemeinsam zu besiegen ...« Tique konnte den Rest wegen des Gebrülls der Menge nicht verstehen.

Reubin griff an. Wieder wirbelte er die Axt in der Hand und rannte geradewegs auf den Mann mit dem Schild zu, bog jedoch im letzten Moment zu dem anderen Gegner ab und veränderte die Schwingrichtung der Axt. Wieder war die Überraschung auf Reubins Seite, und sein Gegner starb, und die Ketten, die er in Händen gehalten hatte, schwebten in der Luft, um auf seinen enthaupteten Leichnam niederzufallen.

Der Mann mit dem Schild schwenkte sein Schwert und wich entsetzt zurück. Reubin führte seine Bewegung weiter, wobei die Axt wieder Schwung bekam, wirbelte die Waffe herum und ließ sie seitwärts pendeln, als hätte sie kein Gewicht. Die Waffe klirrte auf den Schild.

Während der verängstigte Mann vor der Axt zur Seite tänzelte, hob Reubin eine Kette auf, schwang sie zweimal herum und peitschte sie seinem Gegner über die Beine. Der Mann stolperte, wobei ihm sein Schild gegen den Magen knallte. Reubin stürzte sich auf ihn, und sein Arm schoß zweimal vor. Der Mann sank bewußtlos zu Boden.

Reubin hockte sich an Ort und Stelle hin, offenbar mit der Absicht, wieder zu Atem zu kommen, und sein Kopf schwenkte hin und her, nach neuen Bedrohungen Ausschau haltend.

Zuschauer erhoben sich applaudierend und pfeifend.

Tique begriff, daß Reubin die drei Proben überlebt hatte. Gemäß den Regeln mußte Reubin freigelassen werden. Tique trank von ihrem Tequila. Er war warm geworden, das Eis war geschmolzen. Trotzdem nahm sie einen großen Schluck.

Josephines Mund stand offen. »Großartig.« Sie schien sich mit Gewalt von dem Schauspiel loszureißen. Sie drückte den Knopf, der die Kommandokonsole rechts neben ihrem Sessel einschaltete.

»Zentrale«, sagte eine Stimme aus dem Lautsprecher.

»Weitermachen wie vorgesehen«, sagte Josephine.

»Geben Sie den Befehlscode ein«, antwortete die Stimme.

Josephine tippte NEFF 69696 FFEN. Ihre Augen huschten zur Arena zurück, und Tique las den Code vom Bildschirm ab.

»Bestätigt«, sagte die Zentrale.

Josephine schaltete ihre Konsole ab und rückte mit allen Anzeichen von Erwartung wieder nahe an die Kuppel heran.

Tique verspürte wachsende Angst. Sie hatte dem Schock ins Auge geblickt, Reubin in der Arena zu sehen. Das Ausmaß der Verschwörung wurde ihr erst allmählich bewußt. Sie hatte gesehen, daß man Reubin dort hinausgeschickt hatte, damit er starb, und sie hatte sich damit abgefunden, daß er tatsächlich sterben würde. Sie hatte ihn in der Hoffnung auf ein neues Leben drei Proben bestehen sehen. Was für ein Kämpfer! Sie hatte das nicht in ihm vermutet, in dem gutgekleideten Mann in ihrem Apartment, dem verletzlichen Mann auf dem Dach, der ihr seinen Schmerz nicht verhehlt und von dem ihre Mutter die phantastische Geschichte von seiner Flucht von Karg erzählt hatte. Soeben war Tique Zeugin geworden, wie Josephine Neff sein Todesurteil gesprochen hatte. Enttäuschung stieg in ihr auf. Sie fühlte sich hilflos.

Unmittelbar unter der VIP-Kuppel rumpelte die Mordmaschine heraus.

»Killerrobot«, sagte der Ansager.

Die Menge starrte ihn entsetzt an. Der Killerrobot wurde selten eingesetzt. Niemand hatte ihn bislang besiegt. Ein Teil des Publikums murrte, und viele Zuschauer buhten. Der Herausforderer hatte seine drei Runden gewonnen und sollte den Regeln gemäß Gnade finden und freigelassen werden.

Reubin hatte das Publikum eindeutig auf seiner Seite.

Der Killerrobot näherte sich.

Tique hatte den Killerrobot oft genug im Fernsehen

gesehen. Er war unbesiegbar. Kurzdistanzlaser. Mechanische Arme mit rasiermesserscharfen Klingen. Winzige, blendende phosphoreszierende Leuchtbomben von der Größe eines Daumennagels; sie machten Menschen völlig kampfunfähig, blendeten und betäubten sie. Der Killerrobot steuerte sich mittels optischer Infrarotsensoren und Radar.

Reubin erhob sich erschöpft.

Tique beobachtete sein Gesicht auf dem riesigen Bildschirm. Resignation.

Dann ging mit Reubins Gesichtsausdruck eine überraschende Veränderung vor sich. Entschlossenheit gewann die Oberhand. Tique hatte erste Anzeichen der Verwandlungen bereits vorher schon bemerkt, doch nun schien ein vollkommen anderer Mann vor ihr zu stehen – nicht mehr der, der den Wettkampf dort unten in der Arena begonnen hatte, sondern jemand anderer, dessen Kämpferpersönlichkeit während des Kampfes herangewachsen war und der sich nun ganz in diesen mörderischen Anblick verwandelt hatte. Seine Augen quollen hervor. Muskeln strafften, Sehnen spannten sich. Sein Körper bewegte sich geschmeidig.

Er hob sein Schwert aus dem Staub und malte ein verlängertes ›S‹ mit einer Verdickung am vorderen Ende.

Tique begriff nicht.

Josephine flüsterte völlig versunken vor sich hin: »Eine zustoßende Schlange!«, und Tique hörte es. Genau das war es.

Reubin rannte zu der Seite, wo die beiden Leichen lagen. Er schnappte sich mehrere Wurfsterne, suchte mit den Füßen festen Halt und warf sie dem näherrückenden Killerrobot entgegen. Er schleuderte sie mit solcher Wucht, daß sie die Radarantenne auf dem Robot zerschmetterten. Somit blieben der Maschine nur noch ihre IR-Sensoren.

Augenblicklich feuerte der Robot seine Kurzdistanz-laser auf die Stelle ab, wo Reubin eben noch gestanden hatte.

Er befand sich jedoch nicht mehr dort. Er rannte ge-bückt im Zickzack durch die Arena. Er beschleunigte und verlangsamte seinen Lauf, drehte sich im Laufen um. Seine Bewegungen waren so schnell, daß Tique ihnen kaum zu folgen vermochte. Energiestrahlen folgten ihm, doch der Killerrobot konnte sich nicht so rasch drehen oder bewegen wie Reubin. Er stellte das Feuer ein.

Reubin wurde langsamer, und der Robot begann zu ihm aufzuschließen. In dem Moment, als der Laser er-neut feuerte, warf sich Reubin mit einer langen Rolle zu Boden. Als er wieder hochkam, befand sich vor ihm der bewußtlose Mann. Er hielt den Mann fest und löste die Kette von seinen Beinen.

Reubin schlingerte auf den Killerrobot zu, wobei er seinen bewußtlosen ehemaligen Angreifer vor sich hielt. Der Mann war groß und schwer. Die Laser des Killerrobots schossen hervor, und als sich die beiden Menschen in Reichweite befanden, warf Reubin den Körper des Mannes zur Seite und kniete sich hin. Indem er dem fallenden Körper folgte, drehte sich der Robot mit feuernden Lasern herum, versengte den Boden und verbrannte den unglücklichen Mann von der Hüfte bis zum Bauch.

Währenddessen wirbelte Reubin die Kette herum und schleuderte sie auf den Killerrobot. Sie traf die Ma-schine und wickelte sich um sie herum.

Tique begriff, was Reubin vorhatte. Er mußte sich mit Killerrobots auskennen, dachte sie. Ein Teil der me-tallenen Kette bedeckte die Lasermündung und lenkte den Strahl ab. Der Robot schaltete die Waffe unverzüg-lich ab. Er drehte sich erneut zu Reubin herum, um ihn zu verfolgen, wobei die Kette gegen seine linke Seite klirrte. Sein mechanischer Arm hob sich und zog an der Kette, doch er war nicht dafür gebaut, weit genug nach hinten zu greifen.

Er feuerte eine Leuchtbombe auf Reubin ab. Als das Schwirren ertönte, duckte sich Reubin, rollte gegen eine Wand und bedeckte den Kopf mit dem Armen.

Die Kuppel vor Tique verdunkelte sich auf dem Höhepunkt der Leuchterscheinung; dann, als das Licht verblaßte, wurde sie langsam wieder durchsichtig.

Reubin war wieder auf den Beinen, mit irgendeinem Messer in der Hand. Er taumelte wie geblendet an der Wand entlang, während ihm der Robot gemächlich folgte.

Reubin hockte sich hinter einem toten Gnurl an die Wand, als hoffte er, der Robot werde ihn nicht finden.

Der Gnurl erbebte, als lebte er noch.

Der Killerrobot rollte näher und hielt an. Seine Arme streckten sich, und mit seinen superscharfen Klingen begann er in den Gnurl hineinzuschneiden.

Der Gnurl schien zu explodieren, und Reubin stand mit dem großen Gnurl über dem Kopf da, bedeckt von Eingeweiden und Organen, die sich kaskadenförmig auf den Boden ergossen. Blut und Körperflüssigkeit regneten herab. Tique wußte, daß Gnurle viermal soviel wogen wie ein Mensch, und dennoch hob Reubin ihn hoch.

Reubin hatte den Gnurl ausgeweidet. Warum?

Während sich der Killerrobot neu positionierte, schleuderte Reubin den ausgeweideten Gnurl auf die Maschine und zog ihn über den Robot, wobei er diesen wie mit einem Futteral bedeckte.

Reubin rannte weg.

Die Kameras verharrten auf dem verhüllten Robot, während dessen Laser unablässig feuerten. Zusätzlich verschoß er Leuchtbomben, und seine Klingen stießen nach dem toten Gnurl.

Der Kadaver des Tieres hinderte die Leuchtbomben daran, irgendein Ziel zu treffen. Leuchtbombe auf Leuchtbombe wurde ausgestoßen und verbrannte hell zwischen dem Kadaver und dem Robot.

Tique meinte, sogar innerhalb der Kuppel den Geruch verschmorten Fleisches riechen zu können. Sie hätte jedenfalls darauf gewettet, daß die Leuchtbomben die IR-Einrichtungen des Killerrobots verbrannten.

Es kam besser, als sie gehofft hatte. Die Hitze mußte die Steuerkomponenten der Maschine beschädigt haben, denn sie schaltete sich einfach ab, verfeuerte nichts mehr, bewegte sich nicht mehr. Das Fleisch des Gnurls brutzelte dort draußen in der Arena weiter vor sich hin, und sein Fell kräuselte sich und brannte.

Reubin stand in der Mitte der Arena und gestikulierte. Los, macht schon, schickt mir etwas anderes. Sein Gesicht und sein tierhaftes Verhalten waren Tique fremd. Er war ein Alien, kein Mensch.

Er kehrte zu dem gnurlbedeckten Robot zurück und neigte sich vor, um etwas aus dem Staub aufzuheben.

Er hob ein blutiges, qualliges Ding hoch über seinen Kopf.

»Das Herz«, sagte Josephine voller Staunen und Abscheu.

Tique fand, sie müsse irgendwie einen Draht zu Reubin haben.

Reubin führte das Organ an den Mund und riß mit den Zähnen ein großes Stück heraus. Seine Augen waren noch fremdartiger, als sie ihr in jener Nacht auf dem Dach erschienen waren. Dann richtete er sich auf und schleuderte das bluttriefende Herz auf die VIP-Kuppel. Er mußte sie als das Machtzentrum identifiziert haben. Obwohl die fleischige Masse der Kuppel nicht nahekam, war seine Absicht offenkundig.

»Was für eine Geste«, sagte Josephine. »Er fordert

mich heraus – uns alle.« Sie tippte etwas auf ihrer Konsole. »Mehr.«

»Ihren Code«, sagte die Zentrale, und Josephine gab wütend den Code ein. »Verdammte Bürokraten.«

»Bestätigt«, sagte die Stimme durch den Lautsprecher der Konsole.

Josephine wandte sich augenblicklich wieder der Kuppel zu, alles andere, den Code auf ihrer Konsole eingeschlossen, hatte sie vergessen.

Tique hatte die Leidenschaft in Josephines Augen gesehen.

Unter ihnen zog Reubin durch Staub und Sand einen Fuß nach.

Überall in der Arena öffneten sich Türen, und sechs Killerrobots kamen heraus, orientierten sich und bewegten sich auf Reubin im Mittelpunkt der Arena zu.

So viele vermochte Reubin unmöglich zu besiegen. Tiques Enttäuschung und Wut nahmen zu. Der anfängliche Groll, den sie ihm gegenüber empfunden hatte, war verschwunden. Sie wünschte sich so verzweifelt, daß er hier triumphierte – ebenso wie das Publikum, wie an dessen Reaktionen zu erkennen war.

Reubin sah kaum auf. Er fuhr fort, seinen Fuß nachzuziehen, wobei er irgendeine Zeichnung in den Boden der Arena ritzte.

Die sechs Robots hoben gleichzeitig ihre Gliedmaßen, und rasiermesserscharfe Klingen glitten hervor. Sie rückten vor, näherten sich Reubin. Tique vermutete, daß sie darauf programmiert waren, nur ihre mechanischen Schneidewerkzeuge und keine Laser oder Leuchtbomben einzusetzen.

Josephine hatte das Gesicht gegen die Kuppelwandung gedrückt, und ihr Atem ging flach und schnell.

Tique blickte verzweifelt umher. Sie rückte ihren inzwischen leeren Drink an den Rand der Konsole zu ihrer Linken.

Ohne weiter darüber nachzudenken, aktivierte sie ihre Konsole. Zweimaliges rasches Tippen, und sie hatte sie mit Josephines Konsole verbunden – und gleichzeitig mit dem Kommandocode der Ministerin.

Tiques Finger flogen. NUR BILDSCHIRMDARSTELLUNG. SCHEMA DER ENERGIEVERSORGUNG DES CORONA ANZEIGEN.

Ihr Bildschirm füllte sich mit einer Vielzahl unterschiedlich dicker verschiedenfarbiger Linien. Sie lenkte den Cursor auf die Linie der Energiehauptversorgung. UNTERBRECHEN, tippte sie ein.

WIDERSPRICHT DEN PRAKTISCHEN ERFORDERNISSEN, antwortete der Bildschirm.

IGNORIEREN, tippte Tique. CODE BESTÄTIGEN.

BESTÄTIGT, teilte ihr der Computer mit. STROMUNTERBRECHUNG WIRD DURCHGEFÜHRT.

Zuerst fiel die Klimaanlage aus. Niemand schien es zu bemerken, da Hunderttausende von Menschen ihren Unmut über die neu eingesetzten Killerrobots hinausschrien, die Reubin attackierten.

Teile der Beleuchtung fielen aus. Offenbar wollte der Kontrollcomputer nicht alles auf einmal abschalten, um einen Zusammenbruch zu vermeiden. Tique konnte durch die Kuppel die Sterne und Wolken erkennen.

Tique hatte noch einen Einfall, und sie tippte: SÄMTLICHE TÜREN IN DER ARENA UND DIE AUSGÄNGE ÖFFNEN. SICHERHEITSBESTIMMUNGEN AUSSER KRAFT GESETZT. Dann tippte sie: AUSFÜHREN. Sie wußte nicht, ob überhaupt etwas von dem, was sie tat, funktionierte, aber zumindest gingen die Scheinwerfer aus.

Tique drückte rasch hintereinander Tasten. SÄMTLICHE KOMMANDOKONSOLEN DES CORONA ABSCHALTEN. Dies tat sie für den Fall, daß irgendeine Sicherheitsschaltung die Stromversorgung in den VIP-

und Kontrollzentralen aufrecht erhielt, und um zu verhindern, daß jemand anderer ihre Befehle unterlief.

Josephine saß aufrecht da. Erst jetzt begriff sie, daß etwas grundlegend falsch war.

Der Bildschirm erlosch, und ein grünliches Nachleuchten erstarb.

Tique blickte in die Arena hinaus. Das Licht verblaßte zusehends. Sie hatte Reubin über einen Killerrobot springen und auf eine der offenen Türen in der Arenenwand zulaufen sehen. War er verwundet worden? In der wachsenden Dunkelheit war es schwer zu erkennen.

Im Zentrum der Arena, umgeben von Killerrobots, war das Bild, das er in den Sand gescharrt hatte.

Als es vollständig dunkel geworden war, brauchte Tique einen Moment, um zu erkennen, was es darstellte. Ein stilisierter Schlangenkopf, die Giftzähne bereit zum Zubeißen.

Sie spürte einen Schauder in den Eingeweiden, der bis zu einer Stelle hinter ihren Augen lief.

Eine batteriegespeiste Notbeleuchtung erhellte den Ausgang.

»Gehen wir«, sagte Josephine.

Ihr Wagen stand auf der VIP-Rampe.

»Wir werden uns später über das Vermächtnis Ihrer Mutter unterhalten«, sagte sie zu Tique, als sie auf die Rampe hinaustraten.

»Was ich nicht begreife, ist der Schlangenkopf. Zuerst ritzt er eine Schlange ein, dann einen Schlangenkopf. Was hat das zu bedeuten?«

Tique hatte das Gefühl, ihre Eingeweide wären aus Wasser.

5

Reubin

Reubin erlangte das Bewusstsein in einem unterirdischen Kuppelkäfig zurück. Er erinnerte sich an die Paßkontrolle, an mehr nicht.

Habu tobte, sein Überlebensinstinkt schlug Alarm.

Ein Mann trat zurück und steckte eine Injektionspistole ins Halfter.

Reubin ließ Habu selten zu vollem Bewußtsein erwachen. Dann und wann kam es vor, daß er sich auf Habu verließ. Die meiste Zeit über war er damit beschäftigt, ihn im Zaum zu halten.

Die Schlange bewegte sich durch Reubins Geist, wand sich um Barrieren herum.

Reubin preßte die Augen zusammen und öffnete sie erneut. Er stellte fest, daß er Shorts und Stiefel trug und sonst nichts. In seinem Mund schmeckte es wie nach verwesenden Leichen, und das Herz tat ihm weh. Er fuhr sich mit der Hand über den Kopf und stellte fest, daß er unfachmännisch rasiert worden war.

Er setzte sich auf, erschöpft und desorientiert.

Habu bemühte sich, die Kontrolle zu übernehmen.

– *Nein*.

Habu reagierte nicht. Der Überlebensinstinkt funktionierte jedoch. Reubin war ein kräftiger Mann, daran gewöhnt, sein Alter ego zu bekämpfen. Er konzentrierte sich auf ein fesselndes Muster und versuchte, sich über die Umstände klar zu werden.

Er roch Tierexkremente, Schweiß, Blut, Angst. Er sagte sich, daß er sich im Innern eines höhlenartigen Ortes befand. Im Hintergrund Stimmen.

Eine Menschenmenge?

Eine Wandhälfte verschwand, und grelles, künstliches Licht drang herein.

Vor seinen Füßen landete eine zweischneidige Axt, und der Mann, der ihn mit der Injektion geweckt hatte, bedeutete ihm, die Waffe zu nehmen.

Ein Blick aus der Öffnung hinaus genügte, und Reubin wußte Bescheid.

Sie mußten es auf seinen Tod abgesehen haben. Indem er mit seinem benebelten Verstand rasch ein paar Überlegungen anstellte, kam er zu dem Schluß, daß man ihn unter Drogen gesetzt hatte und...

»Los!« sagte der Mann, und ein Energiestrahl blitzte auf und prallte am Betonboden unter ihm ab.

Ihm blieb keine Wahl. – *Halt dich bereit*, sagte er zur Schlange.

Benommen ergriff er die Axt und erhob sich möglichst langsam, um Zeit zu schinden, in der er sich erholen konnte.

Ich.

– *Vielleicht*, antwortete Reubin. – *Warte*.

Der Kurzdistanzenergiestrahl kräuselte die Luft hinter seinem rechten Ohr, und er wußte, daß er hinausgehen mußte. Unmittelbar nachdem er die Öffnung passiert hatte, glitt sie geräuschlos zu.

Die Stimmen wurde lauter. Menschen. Viele.

Er roch Blut.

Habu schlängelte Fortsätze durch Reubins Nervensystem.

Er nahm den Ort mit einem Blick in sich auf. Trotz seiner Benommenheit erkannte er einen Schlachthof, wenn er einen sah.

Er fixierte die auf einem Leichnam hockende Schnarle. Mußte der letzte Kämpfer sein.

Ihn durchfuhr ein Schlag, der so stark war, daß er ihn

in seiner Verfassung unmöglich kontrollieren konnte, und er griff die Schnarle an.

Nachdem er das Tier getötet hatte, stützte er sich, von der Aktion übersättigt, auf das Schwert. Er atmete schwer. Das würde nicht reichen. Er bemühte sich, gleichmäßiger zu atmen. Er musterte die Arena und die gewaltige Menschenmenge, die nach seinem Blut verlangte.

Er machte ihnen Zeichen. Eine Herausforderung.

– *Denk nach*, sagte er zu Habu. – *Es kommt noch mehr.*

Ja. Ich bin bereit.

– *Laß mir Platz zum Überlegen.* Reubin wollte die Kontrolle nicht ganz verlieren. Falls es dazu käme, wäre er auf der Stelle tot.

Habu bereitete sich auf den nächsten Kampf vor.

Dann kamen die seltsamen Tiere, gefolgt von den drei Männern und dem Killerroboter. Und da war das befriedigende Blut und rohe Fleisch der drei Huftiere. Und die Verhöhnung der Autorität dort oben. Reubin entglitt die Kontrolle immer wieder. Als er dem Robot davonlief, brauchte er eine größere Geschwindigkeit, als dem menschlichen Körper zuträglich war. Er würde später mit Schmerzen dafür bezahlen – falls er überleben sollte.

Gebläse hielten die Luft in der riesigen Arena in Bewegung und halfen, seinen überhitzten Körper zu kühlen.

Nach gewöhnlichen Maßstäben müßte er durch die vorausgegangenen Kämpfe die Freiheit erlangt haben. Zweifellos hatte man für ihn noch mehr vorgesehen. Sie wollten seinen Tod, egal was die Regel über drei aufeinanderfolgende Siege besagte.

Seine Nasenlöcher waren mit Blut und Staub verstopft, und geistesabwesend blies er sie frei. Er spuckte aus.

Habu gewann mehr und mehr die Oberhand und

genoß die größte Freiheit, die er seit Jahren gehabt hatte. Reubin kämpfte um seine Identität, nahe daran, von dem Tier in ihm überwältigt zu werden.

– *Ich muß nachdenken und überlegen, sonst werden wir nicht überleben.*

Töte!

– *Wir werden nicht überleben.*

Habu war vom Eifer des Gefechts in Anspruch genommen. Reubin ertappte sich dabei, wie er ein Schlangenmuster in den Staub kratzte.

Sechs Killerroboter erschienen, und er zog weiter seinen Fuß durch den Sand nach, als wäre er wahnsinnig geworden und versuchte, über seinen Tod hinaus irgendein Vermächtnis zu hinterlassen.

Die Killerroboter schlossen zu ihm auf. Das Publikum brüllte wie mit einer einzigen Stimme, erschütterte mit seinem Mißmut die ganze Arena. Und feuerte ihn an.

Er zeichnete weiter.

Die Killerroboter hatten ihn in dem Moment umzingelt, als er die Zeichnung beendet hatte. Es sah Habu gar nicht ähnlich, auf andere Weise kreativ zu sein als hinsichtlich des Überlebens, Tötens oder unterschiedlicher Angriffsarten. Seine Einschätzung der Lage entsprach der Reubins. Daß er sich um ein Vermächtnis bemühte, stellte für Reubin eine neue Facette an Habu dar. Allerdings hatten sie sich bisher noch nie in einer so hoffnungslosen Situation befunden.

Seine animalischen Instinkte bemerkten sogleich das Fehlen eines Luftstroms. Irgend etwas Seltsames ging vor.

Die Killerroboter hatten ihre Klingen ausgefahren und näherten sich dem kritischen Punkt.

Er sprang zur Seite. Er lockte. Er lief schneller am Kreis der Killerrobots entlang, als sich je ein Mensch auf so engem Raum bewegt hatte.

Die Beleuchtung ging nach und nach aus. Reubin wich einem Killerrobot aus, dessen Fortsätze unerwartet vorschossen und an seinem Unterleib entlangzischten.

Er lockte den nächsten Killerrobot nach links und übersprang ihn mit einem Salto. Dann rannte er auf eine der plötzlich offenen Türen zu. Überraschenderweise standen sämtliche Türen der Arena offen. Was, zum Teufel, ging hier vor?

– *Überlaß die Kontrolle mir. Ich muß gleichzeitig denken und mich bewegen.*

Eine Handvoll dieser gefährlichen Pflanzenfresser trottete, aus einem anderen Eingang kommend, an der Wand entlang.

Die Gelegenheit zur Flucht und die verwirrenden Vorgänge versetzten Reubin in die Lage, die Kontrolle zu übernehmen.

Reubin duckte sich in eine Öffnung. Hinter ihm in der Arena war es inzwischen dunkel geworden. Angstschreie durchschnitten die Luft. Batteriegespeiste Notleuchten erhellten die Ausgänge.

Was war passiert?

Er wußte es nicht; es war ihm auch egal.

Die Freiheit winkte.

Er wußte, daß er sich in die Gewalt bekommen mußte. Habu war an die Oberfläche gestiegen und hatte während seiner berserkerhaften Raserei dort draußen die Kontrolle übernommen; nach der Hitze des Gefechts brauchte er jedoch einen klaren Kopf. Kämpferqualitäten waren nun zweitrangig, jetzt ging es darum, zu fliehen – und dafür mußte er seinen Verstand zum Arbeiten bringen. Er hatte sich auf Habu verlassen und überlebt; jetzt mußte er Habu zügeln, wenn er weiterleben wollte.

Er fühlte sich klebrig. Das Blut der Gnurle an seinem Körper war geronnen. Der Rest waren schleimige Körpersäfte.

Er trottete weiter, da er nicht zu schnell sein wollte: die Killerroboter würden ihn verfolgen und ein unbeschreibliches Chaos anrichten, von dem er profitieren konnte – es sei denn, Gnurle oder irgendwelche Leute stellten ihn kalt. Er wußte nicht, ob die Roboter mit seinen Charakteristika oder einem allgemeinen Programm programmiert worden waren, da sie in der Arena eigentlich nur mit einem einzigen Mann konfrontiert werden sollten.

Sein Körper bewegte sich wieder mit normaler Geschwindigkeit.

Vor sich bemerkte er ein Licht, und er erhöhte seine Vorsicht. Als er sich der Lichtquelle näherte, entdeckte er einen Wärter, der Käfigverschlüsse überprüfte, anscheinend hatten die meisten zusätzlich zu den elektronischen mechanische Verschlüsse.

Die eingesperrten Gnurle waren nervös. Der Wärter wich zurück, als ein scharfer Huf ausschlug. Das Kuppelmaterial absorbierte den Schlag jedoch.

Reubin sah seine Gelegenheit gekommen. Während der Wärter von der Attacke zurückschreckte, näherte sich ihm Reubin von hinten und versetzte ihm einen kräftigen Schlag an den Hals. Der Mann ging zu Boden.

Reubin zog ihm rasch Hose und Jacke aus, suchte an der Wand nach etwas, das sich dort befinden mußte, und fand es. Er betete darum, der Stromausfall möge nicht auch den Wasserdruck abgebaut haben. Er zog die Shorts aus und spritzte sich mit dem Schlauch ab. Die Kälte trug dazu bei, daß er wieder klarer denken konnte. Er bekam allmählich das Gefühl, sich wieder unter Kontrolle zu haben. Aus der Wunde an seinem Unterleib rann noch immer Blut. Offenbar war das Messer des Killerrobots aber sauber gewesen, dachte er. Er setzte ein Biofeedbackmuster auf die Reparatur des Schadens an und überließ es seiner Arbeit.

Habu lag noch auf der Lauer, wußte jedoch, daß

Reubin recht daran tat, die Kontrolle zu übernehmen. Nicht zum ersten Mal würdigte Reubin die Tatsache, daß Habu die Kontrolle schrittweise übernehmen konnte. Hätte Habu Reubin in die Dunkelheit zurückgedrängt, wäre er immer noch eine rasende Mordmaschine gewesen, mit wenig mehr Verstand, als der Logik des Kampfes und seiner Erfahrung entsprach. Nur bei einigen wenigen Gelegenheiten hatten sie eine Übereinkunft erzielt, eine höhere als eine nur individuelle Ebene, auf der sie beide, Reubin und Habu, miteinander verschmolzen waren; nicht mehr getrennte Persönlichkeiten, von denen einer von der Kontrolle ausgeschlossen war, sondern zu einem Ganzen verbunden. Der wahre Habu.

Der Druck des Wasserschlauchs hatte das Blut und die Körpersäfte abgewaschen. Er zog Hose und Jacke des Wärters an. Das Messer, das er aus der Arena mitgenommen hatte, steckte er sich hinten in die Hose.

Er fuhr sich mit der Hand über den rasierten Kopf und fragte sich, wann man ihm das angetan hatte.

Er war dankbar für die Stiefel, die er nun besaß, auch wenn sie naß waren.

Er bewegte sich rasch und vorsichtig einen Korridor entlang, der aus der Arena hinauszuführen schien. Bei einer weiteren Notleuchte bemerkte er eine Reihe von Doppeltüren. Gut. Es mußten Einlässe sein, durch die man die Tiere von draußen hereinbrachte.

Hinter sich vernahm er einen Schrei. Jemand hatte den entkleideten Wärter entdeckt – oder war den Killerrobotern begegnet, die Reubin verfolgten. Reubin drückte eine der Doppeltüren auf. Eine Kreuzung. Ein größerer Korridor verlief rechtwinklig zu dem Gang. Eine kleine batteriegespeiste Lichtinsel. Eine Gruppe von Angestellten eilte vorbei. Es war also kein öffentlicher Korridor. Einige der Männer trugen Waffen. Einer trug einen *Hut*.

Reubin trat zwischen den Türen hindurch, legte dem Mann einen Arm um den Hals und zerrte ihn durch die Doppeltür zurück.

Er schlug den Kerl bewußtlos und zog ihm das Hemd aus. Er zerschnitt das Hemd, hob seine Jacke an und verband die Wunde.

Ein bärtiger Mann kam den Korridor entlanggerannt und störte ihn. »Sag mal ...« Er bemerkte Reubins kahlen Kopf, drehte sich um und wollte weglaufen. Reubin schlug zu und rammte den Kopf des Mannes auf den Boden.

Beide waren unbewaffnet, aber Reubin nahm ihnen Ausweise und Geld ab. Obwohl er ihm etwas zu klein war, setzte er den Hut des einen Mannes auf. Er war froh, daß er eine Rundumkrempe hatte, nicht die Dreiviertelkrempe, die hier auf Snister beliebt zu sein schien. Abgesehen davon, daß er seinen rasierten Kopf bedeckte, würde er auch sein Gesicht beschatten.

Gelassen schritt er durch die Doppeltür und folgte dem Korridor Richtung Ausgang.

Ohne zu rennen, beeilte er sich und holte eine Frau ein.

Sie traten gemeinsam durch einen großen Ausgang. Fahrzeugscheinwerfer spendeten genug Licht, daß er sich orientieren konnte.

Die Frau zupfte an ihrem Overall. »Was ist bloß mit der Stromversorgung passiert?«

Reubin zuckte die Achseln und hob die Hände. Die Antwort auf diese Frage hätte er ebenfalls gerne gewußt. Aus welchem Blickwinkel er es auch betrachtete, es gab nur einen Nutznießer dieses zufälligen Ereignisses. Der Strom fiel nicht einfach aus, zumal dann nicht, wenn einige hunderttausend Menschen an einem Ort versammelt waren. Die Techniker hatten Programme, um dies zu verhindern. Handelte es sich dabei um die Fortsetzung irgendeines Plans, den er noch nicht durchschaute? Wahrscheinlich nicht, denn wenn sie gewollt hätten, daß er am Leben blieb, wären sie nicht das Risiko eingegangen, ihn mit diesen Gegnern zu konfrontieren.

Er hielt auf die Dunkelheit zu. Fahrzeuge wimmelten am Himmel und auf den Straßen. Bestimmt gab es irgendwo ein unterirdisches Rollband, um die große Masse an Zuschauern zu befördern. Das Risiko, es zu benutzen, wollte er jedoch nicht eingehen.

Die feuchte Außenluft roch gut, eine Erleichterung nach dem Sand und dem Blut und dem Schweiß und dem Tod.

Habu schwebte nahe der Oberfläche und beobachtete Reubin mit professionellem Interesse.

Ihm kam der Gedanke, daß es in der Umgebung aufgrund der Umstände wahrscheinlich bald von Polizei wimmeln würde. Eine professionelle Einsatzgruppe würde auf den Zwischenfall inzwischen reagiert haben.

Reubin ging langsam auf etwas zu, das wie ein Parkplatz aussah. Misch dich im Dunkeln unter die Leute, dachte er. Das ist das Sicherste.

Er musterte den Himmel.

Aus der Ferne betrachtet sahen sie wie Glühwürmchen aus, die alle der Arena zustrebten. Also wußte er, wo das Wohnzentrum war. Als sie näherkamen, konnte er die Blinklichter ausmachen. Die Gendarmerie setzte von einsitzigen Flugmotorrädern bis zu gepanzerten Luftfahrzeugen alles ein, was ihr zur Verfügung stand. Sie stießen vom Himmel herab und landeten, wo immer sie Platz fanden. Ihre Scheinwerfer wurden von der Kuppel des Corona schwach reflektiert.

Reubin stand hinter einer großen Menschenansammlung, welche die Flugshow beobachtete.

Überall im Umkreis der Arena strömten Gendarmen aus den Luftfahrzeugen heraus.

Obwohl man ihn unter Drogen gesetzt hatte und er

nicht wußte, was man mit ihm angestellt hatte, konnte er sich recht gut vorstellen, was geschehen war.

Er vermutete, daß er sich nahe Cuyas befand.

Reubin ging zum Parkplatz weiter und schlängelte sich durch die Reihen der geparkten Bodenfahrzeuge hindurch, als stünde seines ganz hinten, dann kehrte er auf einem Umweg auf die der Arena zugewandten Seite zurück. Er bog die Hutkrempe nach unten.

Dort. Ein Flugmotorrad der Gendarmerie. Reubin hätte gerne einem Cop aufgelauert und ihm die Waffen abgenommen, doch das konnte sich als zu riskant erweisen, falls die Körpersignale des Sergeanten überwacht wurden. Auf Karg hatte Reubin mit allen seinen Soldaten ständig über Funk in Verbindung gestanden. Jeder hatte einen Sensor getragen, der eine Veränderung der Biosignale anzeigte. Er konnte feststellen, wann ein Soldat verwundet oder bewußtlos war, was auch immer mit ihm los sein mochte. Reubin wußte es besser, als daß er bei der Technik ein Risiko eingegangen wäre.

Er setzte sich auf das Flugmotorrad und war dankbar für die technische Standardisierung. Er startete und hob ab.

Zwei Frauen beobachteten ihn respektvoll. Er grüßte sie, indem er an seine Hutkrempe tippte. Eine wünschte ihm mit erhobenem Daumen Glück. Dann schoß er davon.

Er atmete mit Genuß die Nachtluft ein. Er roch die Freiheit.

Aus geringer Höhe orientierte er sich, ortete Cuyas an den Lichteransammlungen, hohen Gebäuden und vereinzelten Kuppeln.

Wenn sie vielleicht auch nicht jedes ihrer Fahrzeuge überwachte, würde die Gendarmerie doch nicht lange brauchen, um herauszufinden, daß eines fehlte. Besonders jetzt, denn er hatte in den gewölbten Spiegel geblickt und gesehen, daß die Arenenbeleuchtung wieder funktionierte.

Er betätigte einen Schalter, und die Kanzel schloß sich um ihn.

Er brauchte eine weitere Minute, um seine Habu-Persönlichkeit weiter zurückzudrängen. Er mußte jetzt klar denken können, nicht kämpfen oder töten, um zu überleben.

Dann dämmte er die Prozesse, die den Blutverlust durch seine Verletzung ausgeglichen hatten, und bemerkte mit Genugtuung, daß sein Körper reagierte. Zum ersten Mal fühlte er sich aufgrund des Blutverlusts und der Anstrengung in der Arena schwach. Wo er seinen Körper überfordert und sich so schnell wie eine zustoßende Schlange bewegt und ebenso schnell und abrupt umgedreht hatte, schmerzten Muskeln und Sehnen. Außerdem bauten sich die Drogen ab, die man ihm gegeben hatte, und das erschöpfte ihn.

Er wollte den Monitor nicht einschalten, da dies der Gendarmeriezentrale signalisieren konnte, daß sich eines ihrer Flugmotorräder vom Ort des Geschehens entfernte.

Dem anderen von der Arena kommenden Verkehr entsprechend, wählte er einen Korridor und die richtige Höhe aus. Wenn es Verkehrscomputer gab, würde er bald Ärger bekommen, da er seinen Autopiloten nicht eingeschaltet hatte. Er beschleunigte und schlängelte sich zwischen ein paar größeren Luftfahrzeugen hindurch.

Als er sich dem Stadtzentrum näherte, hielt er Ausschau nach einem öffentlichen Platz. Dort. Ein Landeplatz am Rande eines Gebäudes, das ein Einkaufszentrum zu sein schien. Die einzige Möglichkeit, seine Überlebenschancen zu maximieren, war, seine Verfolger inmitten vieler Menschen und Fahrzeuge abzuschütteln. Eine Einzelperson im Wald oder auf freiem Feld konnte man mühelos ausfindig machen.

Er wollte, daß sie glaubten, daß er so dächte. Darum wollte er das gestohlene Flugmotorrad in der Innenstadt loswerden.

Er stieß hinab und parkte an einer Stelle, die mit einem funkelnden ›NUR FÜR BEHÖRDENFAHR-ZEUGE‹ gekennzeichnet war.

Er hielt auf eine Bahnhofshalle zu, die zu einem öffentlichen unterirdischen Rollband führen mußte. Er mischte sich unter die Menschenmenge.

Die Gespräche, die er hörte, kreisten einzig und allein um den Stromausfall in der Arena.

Er blieb auf dem Außenband, wo vereinzelter Schatten die Tatsache verbarg, daß seine Kleidung naß war. Er hatte weder die Zeit gehabt, sich abzutrocknen, noch war er dazu in der Lage gewesen. Die Bandage und seine Biofeedbackbefehle hatten den Blutstrom zum Versiegen gebracht. Zum erstenmal bemerkte er, daß er Hunger hatte.

Kurz bevor er ganz außer Sichtweite war, hielt er an und blickte zu der Stelle zurück, wo er das Flugmotorrad abgestellt hatte. Ein großes Luftfahrzeug der Gendarmerie setzte gerade neben ihm auf. Reubin wußte, daß ihn sein Instinkt nicht trog; sein Timing war perfekt gewesen. Aufgrund der raschen Reaktion der Gendarmerie wußte er jedoch, daß er in großen Schwierigkeiten steckte. Diese Cops waren *gut*, tüchtig in ihrem Beruf. Im Gegensatz zu manch anderen, denen er begegnet war.

Nun, er hatte sich nicht darum gerissen, in diese Lage zu kommen. Wut stieg in ihm auf, und Habu bemühte sich, an die Oberfläche zu kommen.

Nein. Jetzt war Flucht angesagt – um ein andermal zu kämpfen, wenn die Chancen besser standen.

Er überquerte die Straße zum gegenüberliegenden Bürgersteig und ging Richtung Norden.

Innerhalb einer Stunde hatte er gefunden, was er gesucht hatte. Ein Krankenhaus. Die ganze Nacht geöffnet und voller Fremder.

Ein Automat nahm seinen roten Geldschein an, gab ihm zwei grüne Scheine als Wechselgeld und einen heißen Eintopf heraus. Während die erste Portion seinen Hunger stillte, genehmigte er sich noch eine zweite als Vorsorge. Die Zukunft ließ im Hinblick auf regelmäßige Mahlzeiten nichts Gutes erahnen. Die gestohlenen ID-Karten benutzte er nicht. Das hätte bedeutet, der Gendarmerie mit einer Fahne zuzuwinken. Besser, sie für Notfälle aufzubewahren.

Er entdeckte den letzten Automaten, den er brauchte, in der Eingangshalle. Der Monitor zeigte die VERFÜG-BAREN TITEL in der Kategorie ›Viehzucht‹ an. Unter ›Überleben‹ war nichts gespeichert. Er nahm an, eine Aufzeichnung über die Viehzucht auf Snister würde ihm helfen, die gefährlichen Pflanzen und Tiere kennenzulernen. Wenn etwas für Nutztiere des Menschen genießbar war, konnte es für Menschen nicht tödlich sein. Seine Absicht war es, etwas über die Verträglichkeit auf Snister heimischer Lebensformen mit dem menschlichen Organismus herauszufinden. Über Bazillen, Mikroben, Bakterien. Er entschied sich für einen Ausdruck an Stelle eines Tonbandes oder einer Diskette. Der Automat spuckte sie aus, und er steckte sie in eine Jackentasche.

Als er sich in Erinnerung rief, wie er in der Arena das Herz des Gnurls zerrissen hatte, dachte er reumütig, er habe für die Erkenntnis, daß Gnurlenfleisch für Menschen genießbar war, ausreichend Lehrgeld bezahlt.

Indem er den Namen ›U. Grant‹ benutzte, nahm er eine Reservierung für einen kosmetischen Eingriff zu einem willkürlichen späteren Termin vor – ein Termin, der sich wieder ändern ließ. Er konnte sich als Arzt ausgeben, Techniker oder als Patient, solange der Computer eine solche Eintragung im Speicher hatte. Reubin hatte immer gerne einen Plan, auf den er im Notfall zurückgreifen konnte.

Er forderte eine Liste der Schiffe an, die sich im Raumhafen und im Orbit befanden. Nichts. Um die Flucht von diesem Planeten war es schlecht bestellt – nicht daß eine Flucht in seinen Plänen im Moment vorgesehen gewesen wäre. Mal sehen. LISTE DIE HIER STATIONIERTEN SCHIFFE AUF. Frachter zur Beförderung behandelten Wurmholzes. Gesellschaftseigene Raumyachten. Ausbeute gleich Null. LISTE SCHIFFE AUF, DIE INNERHALB VON 50 TAGEN FAHRPLANMÄSSIG AUF SNISTER EINTREFFEN SOLLEN.

NEGATIV. O je. LEDIGLICH UNPLANMÄSSIGE KURIERE DER REGIERUNG/WORMWOOD INC.

Sein Flug mit dem Raumkreuzer nach Snister war anscheinend gutes Timing gewesen. Nicht für Alex. Verdammt. Er hatte wieder den Auslöser betätigt, und Habu tastete nervös herum. Der Gedanke an Alex frustrierte ihn, löste bei seiner zweiten Persönlichkeit eine Wutreaktion aus. Das war etwas, woran sich Habu niemals gewöhnen würde. Außerdem war es eine merkwürdige Kombination, daß Habu einen Groll gegen Alex gehegt hatte, während er sich nun über ihren Tod erregte. Vielleicht war es ein Hinweis darauf, wie sehr sie beide im Laufe der Jahre zusammengewachsen waren.

Er stellte noch ein paar Nachforschungen an, dann schaltete er die Konsole ab. Darauf verließ er das Krankenhaus – ein weiterer müder Mann, der endlich nach Hause ging.

Er dachte daran, zu schlafen, und nahm an, daß es irgendwo im Krankenhaus möglich sein müßte, ohne gestört zu werden. Er wußte jedoch, daß er andererseits möglichst weit wegkommen mußte. Gegen Abend würde das Zentrum wahrscheinlich abgesperrt werden – wenn ihnen die Tatsache, daß er sich in Freiheit befand, wirklich Sorgen bereitete. Aber tat sie das? Anscheinend war er entbehrlich, oder sie hätten ihn nicht in die Arena geschickt, damit er getötet würde.

Er ging weiter nach Norden, wobei er sich im Schatten hielt und Orte mied, an denen er im Falle, daß er von der Gendarmerie entdeckt wurde, gefragt werden mochte, weshalb er sich dort aufhielt, wo er nichts zu suchen hatte.

Sie hatten ihn festgenommen, als er den Durchleuchtungsraum zum Shuttle passiert hatte. Ein Gasschwall statt eines Desinfektionsmittels, und er hatte auf der Stelle das Bewußtsein verloren. Er erinnerte sich verschwommen an Fragen und Drogen und noch mehr Drogen. Er war sich relativ sicher, daß sein implantierter Biochip wie vorgesehen mit seiner Deckgeschichte eingesprungen war. Es hatte *bestimmt* funktioniert, andernfalls hätte er gesagt, wer er tatsächlich war, der berüchtigte Habu, ein viel wertvollerer Gefangener als Reubin Flood. Dann hätten sie ihn nicht in den Tod geschickt. Sie hätten ihn für die Föderationsbehörden festgehalten.

Aber warum hatten sie ihm dann einen falschen Namen gegeben und ihn in die Arena und in den Tod geschickt? Sie konnten durch seinen öffentlichen Tod nichts gewinnen und einiges verlieren. Sie hätten ihm nur irgendein tödliches Reagenz zu injizieren und seinen Körper zu zerstören brauchen. Zumal die hohen Tiere in der Regierung und auf diesem Planeten eine Rolle bei seiner Entführung spielten.

Es lief alles auf eines hinaus. An ihm sollte ein Exempel statuiert werden.

Ein Exempel wofür? Gab es auf diesem Planeten etwas, eine Verschwörung beispielsweise, von der er nichts wußte?

Der Gedanke, der ihm nicht aus dem Kopf ging, war, daß er gegen irgend jemand als Druckmittel benutzt worden war. Es war die einzige plausible Antwort. Er kannte nur eine Person, auf die sich durch ihn Druck ausüben ließ: Tique Sovereign.

Eine Menge Aufwand für eine simple Lektion. Aber, gestand er sich ein, er wußte nichts über die Querverbindungen zwischen den hohen Tieren, die Alex umgebracht hatten, und Tique Sovereign. Er wußte weder über die Politik, noch die beteiligten Personen Bescheid. Darum konnte es ein Dutzend plausibler Gründe geben, warum er in die Arena geschickt worden war, um zu sterben.

Darum konnte er mit Tique keinen Kontakt aufnehmen. Sie würden darauf warten.

Er hatte sich auf den riesigen Bildschirmen der Arena gesehen. Sie wären verrückt, wenn sie das Bild nicht an sämtliche Televideos des Planeten schickten. Was natürlich bedeutete, daß nahezu jeder Bewohner von Snister sein Aussehen kannte oder es bald kennen, mit seinen Gesichtszügen vertraut sein würde. Nun, wenigstens konnte er sich das Haar wieder wachsen und seinen Bart sprießen lassen.

Er befand sich zwei Stunden nördlich der Stadt und machte sich immer noch Sorgen um Tique, als es dämmerte.

Er war parallel zur Straße marschiert, doch nun wandte er sich nach Osten und entfernte sich von ihr. Er entdeckte eine Höhle in der Flanke eines baumbestandenen Hügels. Sie bot den besten Schutz, den er finden konnte. Ein Luftfahrzeug würde sich unmittelbar über ihm befinden müssen, um ihn mit seiner IR-Ausrüstung aufspüren zu können.

Er verzehrte eine der Rationen, die er mitgebracht hatte, und überflog das Buch über Viehzucht, obwohl er erschöpft war. Eigenartige Insekten krochen oder flogen umher, und Reubin hoffte inbrünstig, daß sie ihn nicht beißen, stechen, zwicken, befallen, infizieren oder anbohren würden.

Er versuchte die Position des Aussichtspunkts Nr. 18 im Gebirge vor sich zu bestimmen. Er würde den kürzesten Weg durch die Täler und Pässe einschlagen. Er überlegte, ob er sich auf der Ladefläche eines Lastwagens verstecken sollte, wollte jedoch wiederum nicht das Risiko einer Entdeckung eingehen.

Er beschloß, sich irgendwo zu verkriechen und zu überlegen, was er als nächstes tun sollte. Er brauchte Hilfe, jemanden mit Verbindungen, jemanden mit den richtigen Zugriffsmöglichkeiten, um Antworten zu finden.

Bevor er Rache nahm.

Nur eine einzige Person konnte ihm helfen: Tique, falls sie sich noch auf freiem Fuß befand. Er hoffte, sie würde sich an seine Fragen nach ihrer Hütte erinnern. Die Adresse und den Ort hatte er aus dem Zentralinfoterminal im Krankenhaus. Der Automat hatte ihm eine Schemakarte der Straßen und Luftkorridore gezeigt, die dorthin führten. Dann hatte er eingetippt, der Computer habe die falsche Adresse aufgerufen, für den Fall, daß der Computer gespeichert hatte, daß jemand diese Information abgerufen hatte. Eine gute Computerrecherche konnte so programmiert werden, daß sie anzeigte, ob irgendwelche Nachforschungen für oder über jemanden, in diesem Falle Tequilla Sovereign, angestellt worden waren.

Er untersuchte seine Verletzung und stellte fest, daß sie heilte. Er hatte die Wunde im Krankenhaus gewaschen, ein Antibiotikum eingenommen und einen Sieben-Tage-Heilverband angelegt. Es war schon erstaunlich, was in Krankenhäusern über die Theke oder aus Automaten verkauft wurde. Außerdem hatte er sich eine Garnitur haltbarerer Wäsche gekauft, eine Hose und ein Hemd, die für Arbeit im Freien geeignet waren, Unterwäsche und eine schwere Jacke. Er nahm an, daß er würde klettern müssen. Der Flaag Peak. Oder hieß es Flaag Mountain? Daß ihm ein einfaches Detail nicht einfallen wollte, kam daher, daß seine Energie auf einem Tiefpunkt angelangt war. Sie hatten ihn bestimmt übel durch die Mangel gedreht, bevor sie ihn in die Arena hinausgeschickt hatten.

Erschöpfung überwältigte ihn, und während er schlief, ließ er Habu als Wächter nahe der Oberfläche schweben. Er kuschelte sich in Blätter und Laub, bis er es bequem hatte und den Tag durchschlief.

Regen hatte seinen Ausdruck über Viehzucht auf Snister zerstört. Er war beim Lesen eingeschlafen, und es war ein leichter Vorabendregen gefallen. Da er an Entbehrungen gewöhnt war, hatte ihn der Regen nicht geweckt. Er hatte jedoch das biologisch abbaubare Papier zerstört. Verfluchter billiger Automat. Er fragte sich, ob die angebotenen Bänder und Disketten von ebenso schlechter Qualität gewesen waren. Irgend jemand machte immer Geld mit billigem Zeug. Obwohl er zugeben mußte, daß die löslichen Bücher besser für die Umwelt waren. Er stieß die Handvoll Papierbrei beiseite.

Die flüchtige Lektüre hatte ihm nicht viel gebracht. Er mußte seine eigenen Schlüsse ziehen. Anscheinend war das Leben auf Snister, da es auf Kohlenstoff basierte, mehr oder minder kompatibel mit menschlichen Erfordernissen. Das Gleichgewicht zwischen Vitaminen, Mineralien, Proteinen etc. war ein anderes, diese Mängel ließen sich jedoch leicht beheben. Nahrungstiere wie beispielsweise Büffelschafe hatten keine Schwierigkeiten, sich auf Snister von der Vegetation zu ernähren – wenn man ihnen einige Zusätze verabreichte. Es gab keine schädlichen Mikroben, Bakterien und so weiter. Wenn etwas nicht nahrhaft war, würde es einen wenigstens nicht umbringen, nur weil es fremdartig war. Es gab einige gefährliche Pflanzen, die man besser nicht aß – oder zumindest hatte das Buch davor gewarnt, sein Vieh davon fressen zu lassen.

Zum Glück war Wasser Wasser. Und alles in allem, entschied Reubin, befand er sich einstweilen in Sicherheit.

Er verspeiste die restliche Nahrung, wobei er innehielt, um den Inhalt zu lesen, für den Fall, daß es ihm dabei helfen sollte, sich von Landeserzeugnissen zu ernähren. Fehlanzeige. Büffelschaf. Ein weiteres Silas-Swallow-Projekt. Den Pflanzennamen kannte er allerdings nicht: Stechnix. Er bezweifelte, daß er ihn erkennen würde, wenn er darüber stolperte.

Er vergrub seinen Abfall und gab der Höhle ihr früheres Aussehen zurück. Dann schritt er, den Kopf voller Fragen, nach Nordosten aus, in die Richtung von Tiques Hütte.

Was war mit dem Strom in der Arena passiert? Die Nachrichten, die er im Krankenhaus gesehen hatte, hatten lediglich gemeldet, ein ›plötzlicher und mysteriöser Stromausfall‹ habe die Abendunterhaltung gestört und ›zur Flucht eines gefährlichen und bewaffneten Gefangenen geführt‹. Anschließend wurde ein Standfoto von Reubin gezeigt, natürlich kahlrasiert. Es gab keinen allgemeinen Alarm, lediglich eine Warnung, wachsam zu sein, da ›die Behörden beabsichtigen, ihn bald wieder in Gewahrsam zu bringen‹. Anscheinend mußten sie vorsichtig zu Werke gehen, da Reubin genaugenommen seine Gegner besiegt und sich die Freiheit verdient hatte.

Reubin warf sich die Jacke über die Schultern und befühlte die Stoppeln auf seinem Kopf. Fünfzehn Tage, dachte er, und er war wieder ein anderer Mensch.

Ihm wurde bewußt, daß seine Habu-Persönlichkeit diesmal relativ problemlos untergetaucht war. Die Wut war mit der Ruhe abgeflaut. Es war Zeit, Pläne zu machen.

Er gelangte von einer Waldgegend in ein von Bergen eingeschlossenes Tal. Er erspähte etwas, das er zunächst für ein Luftfahrzeug hielt, das sich jedoch als ein großer Vogel mit drei kleineren Vögeln, die das riesige Vieh umkreisten, herausstellte. Eine eigenartige Umwelt war das.

Was seine Gedanken in eine andere Richtung lenkte. Wie konnte er an den Herren von Snister am besten Rache nehmen? Sie hatten Alex umgebracht und ihm das gleiche anzutun versucht – von der Erniedrigung, den Drogen, all ihren Verbrechen ganz zu schweigen. Was war die beste Möglichkeit, einem gigantischen Konzern, der einen ganzen Planeten kontrollierte, zu schaden?

Auf wirtschaftlichem Gebiet.

Reubin machte sich klar, daß Snister und die Wormwood Inc. von einem einzigen Produkt abhängig waren: Wurmholz.

In seinem Kopf machte es *klick*. Überall im Universum hatten Menschen in zahlreichen dokumentierten Fällen Umweltfrevel begangen. Er konnte sich jedoch an keinen einzigen Vorfall erinnern, bei dem ein ganzer Planet, ein Produkt mit solchen Auswirkungen, das Ziel gewesen war. Wenngleich er zugeben mußte, daß seine Vorgeschichte konsequent in die Richtung der Planetenverwüstung wies.

Größe, dachte er. Das ist der Schlüssel. Keine kleinen Fische hier. Und wenn er es richtig anstellte, würden die Auswirkungen die für Alex' Tod Verantwortlichen bestimmt enttarnen, wer immer sie sein mochten.

Also gut, Alex. Das wäre geklärt. Ich werde diesen Planeten in die Knie zwingen. Nur für dich. Dann werde ich die für deinen Tod Verantwortlichen töten. *In memoriam*.

Habu regte sich. Er gewöhnte sich allmählich an Hinweise auf Alex. Habu drängte ihn in eine andere Richtung. Rache war Wasser auf Habus Mühlen.

Reubin beschleunigte seinen Schritt. Seine fragmentierte Persönlichkeit stachelte ihn zu extremer Rache an. Er mußte gegen den Drang ankämpfen, da Habu größere Bewußtheit erlangte und an die Oberfläche stieg. Verdammt nochmal. Wieder der Auslöser. Alex.

Schließlich waren es extreme, ungewöhnliche Umstände gewesen, die zu extremer, ungewöhnlicher Rache und Habus Entstehen geführt hatten.

Reubin blieb jedoch hart. Zuerst würde er sich um das Produkt kümmern, von dem diese Leute abhängig waren. Die ökonomische Struktur der Wormwood Inc. angreifen.

Warum? unterbrach Habu plötzlich besorgt seine Träumereien.

– *Weil ich das Menschliche zuerst erledigen will.*

Laß uns töten.

– *Nein. Diesmal hat die Vernunft Vorrang.* Reubin spürte, daß es Habu allmählich dämmerte.

– *Ich bin ein Mensch. Noch ein solches Ereignis kann ich nicht überleben. Jetzt, wo ich darüber nachdenke, weiß ich nicht, ob mir nach all dem noch am Leben liegt. Aber ich werde nicht als nichtmenschlicher Barbar sterben.*

Schau dir an, was Menschen dir angetan haben.

– *Ein gutes Argument. Aber keine plausible Logik.*

Meine Methode funktioniert. Vor langer Zeit hast du mich gebraucht. Vor Jahren.

– *Nein. Vor langer Zeit war ich ... verrückt? Man hat mich zum Berserker gemacht. Man hat mich zum Killer abgerichtet. Ich wollte nicht, nach einer Weile wollte ich es nicht mehr.*

Wir haben getötet. Wir haben gewonnen.

– *Wir haben getötet. Niemand hat gewonnen. Wir haben einen Planeten getötet.*

Laß uns jetzt töten. Laß deinen Plan fallen.

– Diesmal machen wir es auf andere Weise, Habu. Diesmal habe ich die Kontrolle.

Du hast mich schon zuviel benutzt. Laß uns losziehen und sie töten.

– Wir werden die schuldige Person töten, entgegnete Reubin verzweifelt.

Zuerst will ich das System dafür bezahlen lassen. Erneut wurde er von der Heftigkeit von Habus Antwort überwältigt.

– Nein.

Rache. Jetzt. Habu ließ sich nicht ablenken.

– Nein. Hör auf mich!

Sie haben Alexandra umgebracht.

Habus Gedanken drückten Abscheu aus.

– Nimm mir das nicht weg, verlangte Reubin. – Du warst gegen Alex eingestellt; sie hat einen zivilisierenden Einfluß ausgeübt. Einen humanisierenden Einfluß auf mich. Auf uns. Du wolltest nichts mit ihr zu tun haben.

Keine Reaktion.

– Ich wollte sie. Reubin wurde allmählich wütend.

Habu mußte Reubins wachsende Verärgerung gespürt haben. *Dieser Nodivving. Er ist ein Killer. Ich habe es gespürt.*

– Mit Sicherheit ist er amoralisch. Die meisten Leute mit enormer Macht sind es. Reubin wollte nicht daran denken, dieselben Kriterien an sich selbst anzulegen. Seine Wut explodierte. – Ich wünschte, ich könnte dich loswerden.

Und dann sterben. Du und ich, wir sind Symbionten.

Reubin hoffte, dies wäre nicht wahr. Er beendete das Gespräch aber trotzdem.

Jahrhundertelang war das Leben ein Kompromiß nach dem anderen gewesen. Ein ständiger Balanceakt. Habu hatte recht. Sie waren Symbionten. Jeder war vom anderen abhängig. Ihre besondere, einzigartige

Existenz hatte zum Überleben unvermeidlich beider Talente erfordert.

Reubin fragte sich, ob wohl ein riesiger leerer Raum in seinem Geist entstünde, wenn Habu verschwände?

Er setzte seinen Marsch fort.

Habu gab seinen Platz an der Oberfläche desinteressiert auf.

Reubin lenkte seine Gedanken auf die Entwicklung eines Angriffsplans gegen die Wormwood Inc. Ihm wurde klar, daß er zunächst eine Menge über Wurmholz lernen müsse. Man mußte das Ziel kennen, den Feind, um seine Schwachpunkte anzugreifen.

Es kam die Zeit, wo er hätte anfangen müssen zu klettern, und die beiden Monde befanden sich auf der anderen Seite des Planeten. Darum rollte er sich am Fuß eines Felsen zusammen und schlief bis zum Morgengrauen.

Noch nicht hungrig genug, um Insekten zu verzehren oder Zeit mit Jagen zu verschwenden, kaute er eine Handvoll Steinflechte und setzte seinen Weg fort.

Er gewann Höhe, inzwischen über eine Menge Felsflächen kletternd. Die Luft war kühler geworden, und als der Regen einsetzte, war er kalt.

Reubin brauchte länger als nötig. Für den Fall von Luftüberwachung hielt er sich in der Nähe von Deckung. Er mußte sich sorgfältig einen Weg bahnen, damit er nicht von Straßen aus gesehen werden konnte, die sich über ihm an den Bergen entlangschlängelten.

Die Anstrengung reinigte seine Seele von Wochen des Untätigseins. Die meisten Schmerzen und Leiden, die er sich in der Arena zugezogen hatte, waren verschwunden. Er glaubte, daß ihm die physischen Anstrengungen und seine kärgliche Ernährung dabei halfen, seinen Geist zu klären, eingeschränkt durch den Druck, der verschwinden würde, sobald er sich der lebensverlängernden Behandlung unterzog. Auf der anderen Seite konnte es sein, daß er nicht lange genug lebte, um das ILV zur Behandlung zu betreten. Dieser Druck und ein schwacher Schmerz drängten sich in sein Bewußtsein.

Gegen Abend entschied er, daß er genug vom Hungern habe, und folgte seinem Instinkt eine Seitenschlucht entlang. Er entdeckte einen hohen Aussichtspunkt und saß eine Stunde lang da und beobachtete.

Da. In der hereinbrechenden Dämmerung sah er drei gefiederte Wesen von nicht mehr als Armeslänge aus dem Schatten an der gegenüberliegenden Seite der Schlucht hervorhuschen. Sie bildeten ein Team, griffen ein kleines Tier an, das gerade aus einem Rinnsal trank, und streckten es nieder.

Die drei Vögel waren anscheinend nicht in der Lage, das Tier vollständig zu überwältigen.

Dann begriff Reubin.

Der Riesenvogel, oder wie in aller Welt man diese Monster nannte, katapultierte sich aus einer Höhle und stürzte – anstatt zu fliegen – zum Boden hinunter. Beinahe auf Bodenhöhe angelangt, breitete er große, hauchdünne Schwingen aus, die sich mit Luft füllten und in der Schlucht hörbar schlugen. Er sank die verbliebene Distanz zum Boden hinab, watschelte zu den drei Vögeln und hackte den Kopf des kleinen Tieres mit seinem Schnabel ab, der scharf war wie der einer Eule.

Reubin kletterte von seinem Ausguck hinunter. Als er näherkam, sah er, daß die drei kleineren Vögel am Blut des Tieres leckten. Der Riesenvogel saß einfach da und wartete. Also war die Beziehung zwischen ihnen eher symbiotischer als parasitärer Natur, erkannte Reubin.

Er klappte sein Messer auf, dann hob er einige Steine auf. Er bezweifelte, daß er mit diesen Tieren Probleme haben würde, aber man konnte nie wissen. Auf den meisten Planeten, die er besucht hatte, stellten Vögel für den Menschen keine oder nur eine geringe Gefahr da. Flugfähige Tiere waren im allgemeinen zart gebaut und mit hohlen Knochen ausgestattet. Menschen waren groß genug, um ihnen Furcht einzujagen. Er hoffte, daß dies auch hier galt.

Er warf die Steine und schrie. Die drei Symbionten hoben mit einem Alarmstart ab. Der große Vogel drehte sich zu Reubin um. Er war ein wenig größer als Reubin und hatte einen dicken Bauch. Sein Körper war mit dunkelbraunen und grauem Fell bedeckt. Reubin warf noch einen Stein und schrie erneut. Der Vogel keckerte protestierend, hüpfte ein paarmal hügelabwärts und breitete die Flügel aus. Die dünne Haut zwischen den Knorpeln fing eine Luftströmung auf, der Vogel schlug mit den Flügeln, gewann allmählich an Höhe, wobei er die ganze Zeit über keckerte.

Reubin näherte sich dem enthaupteten Opfer. Er hätte nicht sagen können, was es für ein Tier war.

Er häutete es ab und untersuchte es nach Hinweisen auf Würmer oder Krankheiten. Er wußte, daß das Fleisch, in dem Maße, wie es erhitzt, beziehungsweise gekocht wurde, seine Nahrhaftigkeit verlor. Auf der anderen Seite wollte er keine Krankheitserreger oder Parasiten zu sich nehmen, die durch Kochen abgetötet wurden. Das Fleisch roch frisch und wirkte gesund. Er hatte fleischfressende Vögel hinsichtlich ihrer Nahrung noch nie für wählerisch gehalten, doch diesem vertraute er, hauptsächlich deswegen, weil er keinen Halt einlegen, ein Feuer machen und kochen wollte. Er schnitt ein Stück Fleisch ab und kaute darauf herum. Es schmeckte ein wenig nach Wild, war aber eindeutig genießbar. Er zerschnitt das restliche Fleisch und vergrub die Überreste des Kadavers.

Er trank aus dem Rinnsal und kletterte zu einer flachen Höhle in der Wand des Canyons empor. Kein IR würde ihn hier finden.

Auf dem rohen Fleisch herumkauend bedauerte er, was er in Zeiten wie dieser schon häufig bedauert hatte: den Mangel an Lesestoff. Keine Ablenkungen der Zivilisation, nichts als friedliche Natur. Dann erinnerte er sich an die Zeit, als er und Alex *Der letzte Mohikaner* gelesen hatten, und er wurde wütend.

Er machte sich daran, einen Plan zu entwerfen.

Spät in der Nacht tobte in den Bergen über ihm ein Unwetter. Eine Blitzflut fegte durch die Schlucht. Reubin hatte den Anstieg des Wassers bemerkt und wußte, daß Gefahr drohte. Er kletterte an der Wand der Schlucht empor, bis er den oberen Rand erreicht hatte, zog sich über die Kante und auf einen in nördlicher Richtung verlaufenden Grat. Er hockte sich hin und musterte die unter ihm liegende Schlucht. Er konnte jedoch nichts erkennen.

Er fand einen umgestürzten Baum und brach einige belaubte Äste ab. Mit diesen baute er sich einen Unterstand, unzulänglich zwar, aber das Beste, was er nachts im Regen tun konnte. Er schickte sich in das Unvermeidliche und schaffte es, ein wenig zu schlafen.

Am Morgen kniete er am Rand der Schlucht nieder und schätzte die Höhe, die das Wasser erreicht hatte. Er glaubte, daß er in seiner ursprünglichen Höhle in Sicherheit gewesen wäre. Das hatte er jedoch nicht wissen können.

Er setzte seinen Weg ins Gebirge fort, verzehrte Pflanzen oder Blätter, von denen er Vögel hatte fressen sehen. Mehrmals nahm er Raubtieren die Beute ab, wie er es bereits bei den Vögeln getan hatte. Es war eine alte Gewohnheit: das Fleisch würde nicht giftig und roh genießbar sein. Hoffte er. Hätte er eine dieser teuren, weitreichenden Laserwaffen gehabt, hätte er sie auf schwache Leistung einstellen und das Fleisch abflammen können – um Bazillen abzutöten und um das Fell abzusengen. Oder er hätte ein altmodisches Feuer in Gang bringen können. Die wenigen Eier, die er finden konnte, verzehrte er roh.

Diese Gedanken beschäftigten ihn, während er sich über die Schneefallgrenze emporarbeitete. Schneeregen durchnäßte ihn. Da machte er sich Gedanken um das Kochen seiner Nahrung, während er einen ganzen Planeten in die Knie zwingen wollte. Optimismus, dachte er mit einem schiefen Lächeln. Zwei Hände, ein Messer und ein Verstand (nun, mindestens einer).

Einmal, am Spätnachmittag, meinte er Luftfahrzeuge zu sehen, die das Land unter ihm im Zickzack überflogen. Ernsthafte Arbeit? Oder eine Suchaktion nach einem Flüchtling?

Er konnte es nicht sagen. Er erhöhte jedoch seine Vorsicht.

Er erreichte das Gebiet von Tiques Hütte auf dem Flaag Peak am folgenden Abend. Die Sonne ging unter, und die Luft war schneidend kalt.

Er überquerte einen vereisten See, da der Wind hier früher Schnee über seine Fährte wehen würde als an Land. Der Schnee war hier weniger als einen Meter tief, in Verwehungen tiefer.

Vorsichtig schob er seine Füße voran, indem er das dünne Eis testete. Gelegentlich meinte er, das Eis sei vielleicht gefährlich, und schlug eine andere Richtung ein. Der Schnee fiel in dicken, nassen Flocken.

Wenngleich Luftfahrzeuge eigentlich leise sein sollen, können sie doch nicht vollkommen lautlos sein. Das eigentümliche Pfeifen erreichte ihn auf dem Eis des Sees. Zwei Fahrzeuge, stellte er fest. Das Geräusch kam und ging, woran er erkannte, daß ihm nur noch wenige Augenblicke blieben, bevor sie das Seegebiet überflögen.

Er wußte, das war kein Zufall. Sie durchsuchten das Gebiet im Umkreis von Tiques Hütte. Er hätte es selbst genauso gemacht. Und zwar mit IR-Ausrüstung.

Mist. Er stöhnte und sprang hoch. Er rammte die Füße nebeneinander aufs Eis. Es knackte und brach, und er versank im eiskalten Wasser. Er hatte sein Messer gezogen, denn er wußte, daß er nicht solange im Wasser warten konnte, bis er starb.

Er rammte das Messer in das intakte Eis und zog sich hinaus. Er rollte sich rasch auf die Küste zu, wobei der Schnee an seinem nassen Körper haften blieb. Er spürte, wie seine Körpertemperatur rasch sank. Er löste seine Biofeedbackmechanismen jedoch nicht aus, da er keine zusätzliche Wärme erzeugen wollte. Vielleicht würden der Schnee und das inzwischen zu Eis gefrorene Wasser rund um seinen Körper die IR-Mannschaften täuschen. Vielleicht. Falls nicht, dann würde seine erniedrigte Körpertemperatur sie vielleicht zu der Annahme verleiten, er sei ein Tier oder ein Fisch. Er rollte weiter, inzwischen ein riesiger verlängerter Schneeklotz, und krachte in eine Schneewehe.

Heftig zitternd lag er still und horchte, doch außer seinem Zähneklappern hörte er nichts. Wie lange konnte er bewegungslos bleiben? Wie lange, bevor ihn die Kälte umbrachte?

Es war ein alter Trick: sich in Wasser zu tauchen und im Schnee zu rollen, der am nassen Körper besser kleben blieb. Ein mobiles Iglu. Eine Isolierung, um solange zu überdauern, bis man in Wärme und Sicherheit gelangte.

Inzwischen hatte er sich jedoch zu sehr abgekühlt. Er starb an Unterkühlung. Er konnte kaum noch seinen Arm bewegen, um sich den Mund freizumachen, damit er atmen konnte.

Noch eine Minute verstrich, und er fürchtete, er habe zu lange gewartet.

– *Habu.*

– *Komm raus.*

– *Habu?*

6

Tique

»Nun, nehmen Sie eine Aufnahme aus der Aufzeichnung«, sagte Josephine Neff zu ihrem Büro. »Und
wenn auf Snister keine Informationen über die Schlangen verfügbar sind, ermächtige ich Sie, eine Daten-
recherche auf Webster's durchzuführen.« Sie tippte
ihnen den Aufbewahrungsort des Zugriffscodes ins System ein und stieß mit den Fingern wütend nach der
Befehlskonsole in ihrer Limousine. Ihre Stimme hatte
sich über ihr gewohntes Flüstern erhoben.

Tique wußte, daß Josephine von Reubin sprach.
Während Tiques Herz wegen ihrer Intrige heftig geschlagen hatte, sagte ihr der Verstand, daß sie soeben
etwas Außergewöhnliches beobachtet hatte.

Josephines orgiastische Reaktion flaute ab, und im
Hintergrund machte sich Verärgerung bemerkbar. Viel-
leicht war Tique deshalb mit dem Stromausfall im
Corona durchgekommen.

»Sprechen Sie, Nummer Zwei«, ertönte eine andere
Stimme über das Kommunikationssystem.

»Höchste Priorität«, sagte Josephine. »Im Corona gab
es einen Stromausfall. Ich will wissen wie und warum
und wer und wann.«

»Verstanden, Nummer Zwei. Wir arbeiten an dem
Problem. Die Funkverbindung Corona-Zentrale ist unterbrochen.«

»Halten Sie mich auf dem laufenden«, sagte Josephine in schneidendem Ton. Ihre Hand krachte herunter, und die Verbindung wurde unterbrochen. Sie
schnaubte. »Wir arbeiten an dem Problem«, äffte sie

nach. »Verdammte Bürokraten.« Sie ließ sich zurückfallen. »Was für ein Mann.«

Sorge um Reubin benebelte Tiques Verstand.

Wie als ein Echo ihrer Gedanken, sagte Josephine: »Ich frage mich, ob er wohl entkommen ist.«

Tique antwortete nicht sogleich. »Und wenn er es geschafft hat?«

»Ich würd gern eine Wette auf die Zeit abschließen, die wir brauchen, um ihn einzufangen.« In Josephines Gesicht blitzte ein für sie untypisches Lächeln auf. »Gut möglich, daß wir eine Weile brauchen werden.« Sie zögerte. »Das wird eine nette Jagd werden«, sagte sie versonnen. Sie streifte ihre Handschuhe ab.

Unfähig dazu, sich zurückzuhalten, sagte Tique: »Ist das alles, was Ihnen ein Menschenleben bedeutet? Eine Jagd? Unterhaltung?«

Josephine blickte unter dunklen Augenbrauen zu Tique auf. »Laß dir eins gesagt sein, Schätzchen. *Kein* Mensch bedeutet mehr für mich.« Ihre Augen glitten über die Befehlskonsole, als erwartete sie einen Bericht.

Tique holte tief Luft und lehnte sich zurück.

Josephine musterte sie prüfend. »Was ist los mit Ihnen? Habe ich Ihr gewaltfreies Zartgefühl verletzt? Sie müssen noch eine Menge lernen, Sie kleine Öko-Mimose. Dort draußen gibt es ein großes Universum, und man bekommt nur, was man bereit ist, sich zu nehmen. Wachen Sie auf, Sovereign. Verdammt, nicht einmal Ihre eigene Mutter hat Ihnen Geheimnisse anvertraut, dessen bin ich mir inzwischen ziemlich sicher. Im Corona war Ihr Gesicht weiß vor Angst. Sie hätten nichts verbergen können, selbst wenn Sie es gewollt hätten.« Ihre Stimme war im Laufe ihrer Attacke leiser geworden und gegen Ende zu ihrem ursprünglichen Flüstern zurückgekehrt.

Tique krümmte sich tiefer in den Sitz hinein, während Wut in ihrem Innern kochte. Mal sehen, was du sagen wirst, wenn deine Techniker herausfinden, daß ich es war, der die Strom- und Kommunikationsleitungen unterbrochen hat, dachte Tique. Trotzdem, Josephine Neffs Worte schmerzten. Sie fragte sich, wie lange es dauern würde, bis ihr Computerkunststück bemerkt werden würde. Es brachte sie dazu, sich Gedanken um die Zukunft zu machen.

Der Wagen setzte Josephine an ihrem Büro ab, dann brachte er Tique nach Hause. Tique rutschte unruhig auf ihrem Sitz hin und her, in dem Bewußtsein, daß sie etwas unternehmen mußte. Es gab Gesetze und Bestimmungen gegen die Manipulation von Strom- und Kommunikationsverbindungen, desgleichen gegen die Unterbrechung einer Computerleitung. Man konnte sie auch mit einigen tausend Anklagen wegen ›Gefährdung der öffentlichen Sicherheit‹ belegen. Außerdem konnte man ihr den Technikerlohn und die von der Gendarmerie aufgewendeten Arbeitsstunden in Rechnung stellen.

Sie wußte, daß sie sich dünnmachen mußte. Wenn sie erst einmal herausfanden, daß sie die Verantwortliche gewesen war, würden sie auch ihre Meinung überdenken, sie wisse nichts über das sogenannte Geheimnis ihrer Mutter. Und dann würde sie wirklich in der Klemme stecken.

Hastig packte sie ihre Sachen.

Sie wunderte sich über ihr Tun. Noch nie im Leben hatte sie etwas Derartiges getan. Ihre Mutter bestimmt schon. Vielleicht kamen diese genetischen Merkmale nun bei ihr zum Vorschein und verliehen ihr den Mut, sich so zu verhalten, wie sie es im Corona getan hatte. Vielleicht hatte es sie inspiriert, als Reubin sich mit einer aussichtslosen Lage konfrontiert sah.

Alles, was sie von Reubin wußte, sagte ihr, daß er nichts leichtfertig tat. Nichts. Alles hatte einen Grund. Darum hatte er eine bestimmte Absicht verfolgt, als er

draußen auf der Terrasse und unterhielten sich. Ihre Mutter konnte über sehr viele Themen sprechen und überraschte Tique gelegentlich mit ihrem Wissen. Als sie an ihre Mutter dachte, wurde Tique plötzlich von einer bedrückenden Traurigkeit ergriffen.

Am folgenden Tag piepte ihr Computer und meldete: »In Übereinstimmung mit Ihrer Programmierung informiere ich Sie, daß Sie jemand in Ihrer Stadtwohnung zu erreichen versucht hat.« Zehn Minuten später ein weiteres Piepen. »Eine Nachricht von der Gendarmerie«, verkündete der Computer. »Sie sollen sich als unter Hausarrest stehend betrachten, solange Ihr Verfahren in der Schwebe ist. Als Urheber werden die übergeordneten Behörden genannt.«

»Wundert mich gar nicht«, sagte Tique. Sie hatten herausgefunden, was sie getan hatte, aber sie wußten nicht, was sie mit ihr anfangen sollten. Oder vielleicht benutzte man sie als Lockvogel, um Reubin Flood zu fangen. Sie installierte ein Kurzprogramm, das sie auf alle Neuigkeiten bezüglich Reubin hinweisen würde.

Ein weiteres Programm, an dem sie zwei Stunden lang arbeitete, diente dem Fernhalten von Störungen. Ihr Computer würde *keinerlei* externe elektronische Quelle zulassen, von wegen ›höchste Priorität‹. Kein Gendarmerietechniker konnte Tequilla Sovereign beim Programmieren das Wasser reichen. So, sie war vor elektronischer Überwachung sicher.

Am folgenden Tag sah sie Luftfahrzeuge in der Gegend, solange das Tageslicht anhielt. Einschüchterung? Eine Suchaktion?

Einige Tage später kam die Luftüberwachung wieder und blieb bis zum Spätnachmittag da. Tique war in der Höhle unter der Hütte gewesen, um ihr Nahrungsverzeichnis zu aktualisieren. Als sie über die Treppe wieder nach oben stieg, begann der Computer zu plärren.

»Achtung, Einbruchsversuch! Achtung, Einbruchsversuch!«

Tique stellte den Alarm ab und überprüfte ihre Monitore. Irgend etwas Großes war an der Westseite gegen die Kuppel gestoßen und prallte unbeholfen immer wieder davon ab, während es sich an dem Gebilde entlangbewegte. Tique sah nach den Gleitern und entdeckte, daß sie in der Ferne verschwanden – für heute hatten sie aufgegeben.

Ihre Geräte zeigten ihr an, daß was immer sich dort draußen befinden mochte, in der Nähe des Vordereingangs der Kuppel zusammengebrochen war. War es vielleicht ein Tier?

Sie wußte verdammt genau, wen sie dort vermutete, und verfluchte sich für ihre nutzlosen Spekulationen. Die Erwartung wanderte von ihrem Bauch in den Kopf. Sie nahm einen Bleistiftlaser, für den Fall, daß das Wesen ein gefährliches Tier war – oder ein Mensch.

Draußen entdeckte sie einen riesigen Klumpen aus Eis und Schnee, der beim Versuch aufzustehen gegen die Kuppel stieß. Die Gestalt war annähernd menschlich, sah jedoch einem Schneemonster ähnlicher.

Es war ein Mensch mit nur einem sichtbaren Auge, umrahmt von verkrustetem Eis. Sie hatte dieses Auge schon früher einmal gesehen, auf dem riesigen Bildschirm in der Arena. Es war kein Auge, das sie von ihrer mehrtätigen Bekanntschaft mit Reubin Flood her kannte. In diesem Auge war ein inneres Feuer, eine unbezähmbare Energie. Es war auch ein Fenster, in das sie nicht hineinsehen konnte, ein Fenster in ein freigelassenes wildes Tier.

Sie half der Gestalt hoch, und gemeinsam wankten sie in den Schutz der Kuppel. Der Eingang schloß sich automatisch, sobald sich kein Hindernis mehr im Weg befand.

Allmächtiger! Wie war es möglich, daß Reubin lebte?

Irgendwie brachte sie ihn ins Bad im Erdgeschoß unter die Dusche. Sie hatte keine Erfahrung mit Erfrierungen und Unterkühlung.

Sie stellte den Lufttrockner auf höchste Leistung und ließ ihn auf der Kante sitzend zurück. Sie lud das Erste-Hilfe-Programm in den Computer und wählte die Eintragung unter ›Unterkühlung‹. Sie überflog sie rasch. Atmung überprüfen. Er atmete. Warme, trockene Kleidung. Warme Getränke, wenn der Betroffene sich nicht übergibt oder hustet. *Kein Alkohol.* In schweren Fällen kann ein Erwachsener in einem lauwarmen, jedoch nicht heißen Bad wiedererwärmt werden. Weniger schwere Fälle in einem sehr warmen, beheizten Raum unterbringen.

Sie eilte zur Dusche zurück und untersuchte Reubin. Das Eis war abgefallen, und der Schnee schmolz. Sie schloß die Tür und stellte die Wassertemperatur auf 37 Grad, da dies der Körpertemperatur entsprach. Vielleicht würde sie sie später noch etwas erhöhen. Sie drehte sämtliche Hähne und Düsen auf, und die Dusche reagierte wie ein Whirlpool und füllte sich rasch.

Ohne das steigende Wasser zu beachten, zog Tique Reubin aus. In der Enge der Dusche war dies ein schwieriges Unterfangen. Sein Gesicht war unter den Stoppeln ausgezehrt, und sein schlecht rasierter Kopf machte sie wütend.

Seine Haut fühlte sich noch immer eiskalt an. Als das Wasser bis auf Hüfthöhe gestiegen war, fiel es ihr leichter, ihn zu entkleiden. Seine Verletzung war verbunden worden; die Bandage war schmutzig, aber intakt.

Sie zog ihm Stiefel und Hose aus. Die Unterhose ließ sie ihm an. Auf seinem Oberkörper waren ein paar alte Narben.

Seine Lippen waren blau. Sie drehte das Wasser ab, da es bis zu Reubins Hals gestiegen war. Er wirkte, als befände er sich im Koma. Sie schöpfte warmes Wasser in ihre Hände und flößte ihm gewaltsam etwas davon ein. Schließlich öffneten sich seine Lippen von selbst, und sie goß ihm mehrere Handvoll die Kehle hinunter.

Seine Kleidung schwamm und war im Weg, darum hängte sie sie an einen Haken. Er klapperte jetzt mit den Zähnen, und sie badete seinen Kopf mit dem warmen Wasser. Sie betätigte einen Schalter, und das Wasser zirkulierte wie in einem Whirlpool, wobei es seine Temperatur beibehielt. Sie legte noch ein halbes Grad zu.

Sie betrachtete ihn. Er sah wirklich – nun ja, schrecklich aus. Geschoren wie ein Tier, erschöpft, krank.

Seine Muskeln begannen zu zucken. Vielleicht kam er wieder zu Bewußtsein.

Ein eigenartiger Ausdruck erschien auf seinem Gesicht. Sein Körper straffte sich. Seine Halsmuskeln standen hervor. Sein Kopf drehte sich von einer Seite zur anderen, schien hypnotisch zu pendeln. Nach und nach kam er vor Tique zur Ruhe.

Sie stand neugierig da, ohne zu wissen, was sie davon halten sollte.

Das eine Auge öffnete sich wieder und blinzelte. Das Lid fiel herab, was den Eindruck erweckte, sein Auge sei mit einer Schutzhaut bedeckt.

Tique wich unwillkürlich einen Schritt zurück, von dem Wasser, das ihr bis an die Brust reichte, behindert. Das Auge folgte ihr.

Ein irrationales Grauen durchströmte sie.

Von dem Auge ging eine Bedrohung aus.

Dann entdeckte sie endlich ein menschliches Gefühl darin: Verzweiflung. Augenblicklich folgte darauf Verwirrung, dann Fassungslosigkeit.

Sie fragte sich, ob ihn die Kälte geistig verwirrt hatte. Sie merkte, daß sie sich an die Wand drückte.

Das eine haßerfüllte Auge ging zu, und sein ganzer Körper entspannte sich und sackte nach vorn.

Sie trat zu ihm und hob seinen Kopf und seine Schultern aus dem Wasser; sie lehnte ihn wieder an die Wand.

Sie bemerkte, daß sie in der warmen, feuchten Luft schwer atmete.

Seine Augen öffneten sich langsam, sein Blick belebte sich. Sein Mund ging auf, und seine Zunge zuckte. Sie fühlte, wie sich sein Körper straffte und gegen sie und das Wasser andrängte. Dann kam ein Schimmer von Begreifen durch, und er entspannte sich. Seine Augen nahmen die Umgebung auf, und er neigte den Kopf ins Wasser und trank.

Er hob den Kopf und krächzte, dann beugte er sich vor und trank erneut. Er richtete sich hustend in eine sitzende Position auf. Er stammelte: »Es wäre viel netter, wenn du dich ebenfalls ausgezogen hättest.« Dann lehnte er den Kopf an die Wand.

Zumindest war sein Gehirn nicht abgestorben. Sie fand seine schnoddrige Bemerkung angesichts der Umstände eigenartig. Sie fand, daß seine Worte eine ziemlich vernünftige Beurteilung der Tatsache darstellten, daß sie sich zusammen mit einem psychopathischen Monster in einer geschlossenen Dusche aufhielt.

Sie befühlte seinen Hals und seine Ohren. Immer noch kalt. Und derweil schwitzte sie unter ihren Haaren und im Nacken.

»Sehr warm hier«, krächzte er.

»Gut. Wir werden es dabei auch belassen.« Sie war jetzt mehr oder weniger ruhig.

Sie ließ ihn noch etwas warmes Wasser trinken.

Schließlich erwärmte er sich.

Sie ließ das Wasser aus der Kabine ablaufen und stellte die Luftdüsen an, wobei sie deren Temperatur auf vierzig Grad stellte und den Luftstrom auf ein Minimum reduzierte. Als sie mehr oder weniger trocken war, ging sie in die Küche und erhitzte in der Mikrowelle eine Suppe.

Als sie zurückkehrte, saß er noch immer. Sie stellte das Trockengebläse ab und schaltete für ein paar Minuten die Sauna ein. Die Kabine erwärmte sich augenblicklich.

Sie zwang ihn, die Suppe zu trinken.

Er kicherte. »Hühnersuppe. Das paßt.« Aber er trank sie.

Tique begann wieder zu schwitzen und stellte die Kabine ab. Sie stützte Reubin auf dem Weg zu dem Aufzug, auf dessen Einbau ihre Mutter bestanden hatte. (»*Ich* werde bestimmt keine Sachen die Treppe hochtragen.«) Tique ließ das hüfthohe Geländer um ihn zuschnappen und schickte ihn in die erste Etage.

Sie brachte ihn zu Bett, und er schlief auf der Stelle ein. Sie überprüfte seine Temperatur: sie war nahezu normal. Trotzdem stellte sie die Zimmer- und Bettheizung höher.

Anschließend ging sie nach unten und trank einen großen Tequila mit Eis.

Als Tique am nächsten Morgen erwachte, war irgend etwas geringfügig anders. Sie stellte den Computer an, um sich über Reubin zu informieren. Der Bildschirm zeigte ein schwarzes Liniendiagramm ihres Hauses. Rote Linien schlängelten sich durch jeden Raum und jede Kammer, von der Sonnenterrasse bis zur Felsenhöhle unter dem Haus.

»Gemäß Ihrem Programm«, sagte der Computer. »Die roten Linien zeigen den Weg des Mannes. Seine Wanderung begann bei seinem Erwachen, vor zwei Stunden und zwölf Minuten.«

Dieses Schlafzimmer eingeschlossen, sah Tique. Er war nahe ans Bett gekommen, dann hatte er die Fenster untersucht. Ein vorsichtiger Mann, dieser Reubin Flood.

Sie wurde von einem plötzlichen Schuldgefühl erfaßt. Reubin mußte gesehen haben, was sie getan hatte. Sie hatte ihn in *ihr* Bett gelegt, und sie hatte im Schlafzimmer ihrer Mutter geschlafen. War das vielleicht eine freudsche Fehlleistung gewesen?

Zur Hölle damit. Eindeutig stimmte bei *ihm* etwas nicht.

Sie duschte und ging nach unten.

Reubin saß an ihrer Konsole, benutzte ihren Computer und trank Kaffee aus ihrer Lieblingstasse.

Er sah zu ihr auf. »Dort draußen bläst ein höllischer Schneesturm. Einstweilen sind wir in Sicherheit.«

Sie starrte ihn an. »Fühlen Sie sich ganz wie zu Hause.«

»Vielen Dank«, sagte er, »daß Sie mich gestern abend aufgetaut haben. Vielen Dank, daß Sie mir diese Nacht Ihr Bett zur Verfügung gestellt haben. Vielen Dank für Ihre Gastfreundschaft. Vielen Dank, daß Sie meine Kleider gewaschen und getrocknet haben. Warum haben Sie mich eigentlich in Ihr Bett und nicht in Alexandras gesteckt?«

Nicht deshalb, weil ich eifersüchtig war, dachte Tique, was du mich gerne sagen hören würdest. »Ich war im ersten Stock.«

»Diesem Lift war es egal, wieviele Stockwerke es hochging«, sagte er, indem er sich wieder der Konsole zuwandte.

Tique geriet augenblicklich in Verwirrung. »Also, ich bitte vielmals um Entschuldigung. Ich habe getan, was mir gerade in den Sinn kam. Vielleicht hatte ich dabei ein wenig Selbstaufopferung im Sinn, ich weiß nicht. Aber lesen Sie nicht, ich wiederhole, lesen Sie nicht mehr hinein, als Sie sollten.«

»Klar, Mädchen. Schauen Sie mal hier.« Er zeigte mit dem Finger und beförderte das Bild von ihrem Konsolenmonitor auf den Wandschirm. Da war er: kahl, der

Oberkörper glänzend von Schweiß, mit nach vorn gewölbten Schultern, einen Arm gehoben, mit dem Mittelfinger das Publikum herausfordernd.

»Sie haben dieses Bild ausgewählt«, sagte er, »weil es das am stärksten diskriminierende war. Es ärgert die Leute von Natur aus. Sie vergessen, daß ich den ungleichen Kampf gewonnen habe und hätte freigelassen werden sollen.«

Reubin berührte die Konsole. Das Bild blieb, aber ein Off-Kommentar sagte: »...der meistgesuchte Mensch auf Snister. Die Behörden haben bestätigt, daß er mittels Geiselnahme einer Frau entkam, einer Ingenieurin für Aquadynamik...«

Ihr Bild erschien, und sie sagte: »Aquadynamikerin, keine Ingenieurin.«

Reubin stellte die Anzeige ab.

»Was hat das alles zu bedeuten?« fragte sie, wobei sie fürchtete, die Antwort bereits zu kennen.

»Es bedeutet, daß man Sie abgeschrieben hat. Es bedeutet, daß man einen legalen Grund brauchte, um mich zu verhaften. Es bedeutet, daß Sie irgend jemanden sehr wütend gemacht haben.

Sie nickte abwesend. »Sie haben herausgefunden, daß ich für die Strom- und Kommunikationsausfälle im Corona während Ihres... äh... Kampfes verantwortlich war.«

Er sah zu ihr auf, und Begreifen blitzte in seinen Augen auf – ruhige, nachdenkliche Augen, nicht die feueratmenden Augen eines Monsters. Keine psychopathisch drohenden, zusammengekniffenen Augen.

»Sie waren da«, sagte er.

»Ja.«

»Sie sind ein Risiko eingegangen.«

»Verglichen mit dem, was Sie in der Arena durchgemacht haben? Ich mußte etwas tun. Ich habe das Corona und das, wofür es steht, nie gemocht. Ich...«

»Vielen Dank, daß Sie den Strom in der Arena abgestellt haben, damit ich fliehen konnte«, sagte er, ohne sich ein Grinsen zu verkneifen.

»Fühlen Sie sich ganz wie zu Hause«, sagte sie.

»Erzählen Sie's mir.«

Sie schilderte ihm kurz die Umstände.

»Josephine Neff, hm? Innenministerin und die Nummer Zwei von Snister.«

»Stimmt«, sagte Tique.

»Damit haben wir Nummer Eins und Nummer Zwei beide als der Verschwörung zugehörig identifiziert.«

Tique schauderte, als habe sie soeben gehört, wie ein Todesurteil ausgesprochen wurde.

»Was alles zusammen bedeutet«, fuhr er fort, »daß wir solange in Sicherheit sind, bis der Schneesturm vorbei ist. Wir sind hier wirkungsvoll eingekerkert, jederzeit für sie greifbar. Ein Flug über das Haus, und ihre IR-Ausrüstung wird ihnen sagen, daß sich hier zwei Leute aufhalten. Wir sind also in der Klemme.«

Tique ging in die Küche, machte Kaffee und Frühstück. »Kommen Sie und essen Sie«, rief sie nach einer Weile.

Er kam in die Küche. »Vielen Dank für das Frühstück.« Er nahm am Tisch Platz. »Was ist das für ein Zeug?«

»Sanderlingbrust«, sagte sie. »Ein Wildvogel und streng geschützt.«

»Wie kommt es dann, daß wir verbotene Nahrung essen?«

»Erstens enthält sie viel Protein, und Sie brauchen vermutlich eine Menge Protein. Und zweitens ist es eine Delikatesse, die wir in der Speisekammer eingelagert haben, bevor die Schutzbestimmung erlassen wurde.«

»Wie kommt es, daß er geschützt ist?«

»Er ist eines der Hauptglieder in der Nahrungskette,

die mit den Würmern im Wurmholz endet.« Sie zögerte. »Seit man dazu übergegangen ist, das Wurmholz in Massen anzupflanzen, hat man herausgefunden, daß die Vermehrung der Bäume die natürliche Zunahme in anderen notwendigen Bereichen des Zyklus übersteigt. Eine dieser Spezies ist der Sanderling.«

»Oh. Sie sind sich doch darüber im klaren, daß Sie mit mir werden flüchten müssen?« Er hatte eine verwirrende Art an sich, plötzlich das Thema zu wechseln.

Sie stieß sich vom Tisch ab und ging umher, wobei sie die teure Wandverkleidung aus Wurmholz betrachtete, die sie und ihre Mutter vor Jahren eingebaut hatten. Sie berührte das Holz, in dem Bewußtsein, daß ihr Leben in gewisser Hinsicht endete. Nie wieder würde sie als Tique Sovereign, Aquadynamikerin bei der Wormwood Inc., ein unbeschwertes Leben führen.

»Sie haben mich als die Schuldige aus der Arena identifiziert«, sagte sie.

»Von der Tatsache, daß Sie dem meistgesuchten Mann Unterschlupf und Obdach gewährt haben und so weiter – nochmals vielen Dank –, ganz zu schweigen.«

»Ich bin ziemlich tief gesunken, nicht wahr?« Es stürzte alles auf einmal auf sie ein. Es war so überwältigend, daß sie nicht einmal darüber nachdenken konnte. Sie setzte sich schwerfällig. Nicht einmal in ihren wildesten Träumen hatte sie sich vorgestellt, daß ihr so etwas passieren könnte. Was sollte sie tun?

»Es gibt einen Ausweg, wissen Sie.« Sein Tonfall war ruhig. Er betrachtete sie, taxierte sie. Beobachtete ihre Reaktionen.

»Ach?«

»Solange man glaubt, Sie wären im Besitz des Geheimnisses Ihrer Mutter oder hätten Zugang dazu, sind Sie in Schwierigkeiten. Wir beseitigen einfach... äh... die Ursache der Probleme.«

»Was meinen Sie damit?« Sie probierte einen Bissen von ihrem Essen, dazu geneigt, Reubin zu glauben, daß es einen Ausweg gab.

»Josephine Neff. Fels Nodivving. Vielleicht sogar die Wormwood Inc.«

»Sie umbringen?«

»Das ist eine Möglichkeit. Der Sanderling ist gut. Angenommen, wir beseitigen Nodivving und Neff auf die eine oder andere Art. Das System bleibt weiterhin bestehen. Die Machtbasis. Die Maschine, welche die Gendarmerie antreibt, die uns dringend haben will. Abgesehen von den verborgenen, persönlichen Gründen, warum Spitzenbeamte hinter uns her sind.«

Tique nippte an ihrem Kaffee. Sie wählte ihre Worte sorgfältig. »Sie wollen mir erzählen, daß Sie, Reubin Flood, die Regierung stürzen wollen? Die Wormwood Inc.?«

»Daran habe ich gedacht«, gab er zu.

Er hatte es sachlich gesagt, beiläufig, bescheiden. Tique sagte: »O mein Gott.« Dann lachte sie. »Ziemlich dreist. Und das beim Frühstück. Ein ziemlich dicker Brocken. Wie wollen Sie das anstellen?«

»Ich weiß noch nicht. Aber ich arbeite daran.«

»Ich hatte Angst, Sie würden die Antwort schon kennen«, sagte sie.

»Kommt Zeit, kommt Rat. Aber ist Ihnen klar, daß wir bald große Probleme bekommen werden?«

»Nach dem Schneesturm?«

»Richtig«, sagte er. »Wir werden auf uns gestellt sein, draußen in der Wildnis, mit wenig mehr als unserem Verstand.« Sein Blick war durchdringend. »Wir werden auf der Flucht sein, gejagt von nahezu jedem Einwohner von Snister. Wir müssen unsere Freiheit bewahren, während wir zurückschlagen.«

Sie seufzte resigniert. »Mit dieser Ausgangsbasis wollen Sie die Behörden, das Wirtschaftssystem und das Regierungssystem eines Planeten in die Knie zwingen?«

»Warum nicht? Es ist die einzige Möglichkeit, heil aus diesem Schlamassel herauszukommen. Haben Sie noch ein paar von diesen Muffins? Ah. Vielen Dank.« Er nahm einen Bissen. »Überlegen Sie, welche Nahrungsmittel Sie haben, die nahrhaft und gefriergetrocknet sind und die wir tragen können.«

»Ich habe mich noch nicht entschieden, ob ich mit Ihnen gehe oder nicht«, sagte sie vorsichtig.

»Wenn Sie eine Einladung wollen, sind Sie hiermit offiziell eingeladen. Wenn nicht, bestellen Sie der Gendarmerie und Ihren Freunden Grüße von mir. Denken Sie daran, Sie haben jetzt nichts mehr zu verlieren. Sie sind ein Todeskandidat. Wenn man Sie erwischt, wird Ihr Verstand innerhalb von einer Stunde Mus sein.«

Sie war bereits selbst darauf gekommen, wollte es sich jedoch noch nicht eingestehen. Sie fragte sich, was Mus war. »Aber ich kenne Mutters Geheimnis nicht.«

»Das vermuten sie inzwischen wahrscheinlich auch, aber sie können kein Risiko eingehen. Schauen Sie, Sie sind das einzige Verbindungsglied. Ihr Vater ist fortgegangen, hat sich umwandeln lassen und alle Bindungen an dieses Leben gekappt. Über das Institut für Lebensverlängerung können sie ihn unmöglich ausfindig machen. Wenn Ihre Mutter in früheren Leben auf anderen Welten Ehemänner oder Nachkommen hatte, so kommt die Wormwood Inc. nicht an sie heran – und sollte es den Bestimmungen des ILV nach offengestanden auch nicht. Sie können nur auf eine einzige Person zurückgreifen: auf Sie selbst.«

Sie schüttelte den Kopf. Ihr Leben, ihre Existenz, zerbröckelte mit jedem seiner Worte mehr.

»Schauen Sie, Alex wußte zweifellos etwas über das Institut für Lebensverlängerung, aber in den Jahrhunderten, in denen sie herumgekommen ist, hat sie es niemandem gesagt, warum sollte sie es dann Ihnen sagen?« Reubin schnitt sich ein großes Stück Sanderling ab und verspeiste es genüßlich. »Soviel haben sie sich vermutlich selbst zusammengereimt, aber sie können kein Risiko eingehen. Begleiten Sie mich. Ich würde mich bedeutend besser fühlen, wenn ich mir um Sie keine Sorgen zu machen bräuchte.«

Und wenn sie mit ihm in der Wildnis allein wäre? »Ich bin nicht Ihr Mündel, jemand, um den Sie sich zu kümmern hätten.«

Einen Moment lang schwieg er. »Ich erlaube mir, anderer Meinung zu sein. Sie sind die einzige Verbindung, die ich zu meiner verstorbenen Frau habe. Ich will wissen, warum sie umgebracht wurde. Außerdem fühle ich mich Alex gegenüber verpflichtet, dafür zu sorgen, daß Ihnen in keiner Weise Schaden zugefügt wird.«

»Das ist das mindeste, was Sie tun können, nicht wahr?«

Er starrte sie an. »Ich wollte Sie nicht bevormunden. Seien Sie nicht so verdammt empfindlich.« Er grinste. »Außerdem habe ich es nicht auf Ihren makellosen, attraktiven Körper abgesehen.«

»Reubin? Was hatten die Zeichen zu bedeuten, die Sie in den Sand der Arena gezeichnet haben?« Sie schienen in Verbindung mit seiner Abneigung zu stehen, über sich zu sprechen.

»Ich habe viel nachgedacht«, sagte er, ihre Frage ignorierend. »Es ist mir lange Zeit schwergefallen, meine Wut angemessen auszudrücken; aber es ist meine Absicht, diese gutgeölte Maschine hier knirschend zum Stehen zu bringen. Dafür brauche ich Ihre Hilfe.«

»Wovon reden Sie eigentlich?«

»Von der Wormwood Incorporation. Sie ist letztendlich verantwortlich für Alexandras Tod. Ich werde sie ruinieren, vollständig ruinieren. Die Gesellschaft vernichten.«

»Sie allein, klar.«

»Mit Ihnen zusammen, wenn Sie mitmachen. Sie können hier nicht bleiben. Ich dachte an Guerillataktik, an klassische Öko-Stoßtruppunternehmen, bis wir ihre Achillessehne ausfindig machen.«

Sie nickte bereits. Ihr geheimer Wunsch. Die wahllose Anpflanzung von Wurmholzbäumen unterbinden. »Sie meinen, Wurmholz ist ein Agrarprodukt. Einen verwundbaren Punkt in seinem Ökosystem herausfinden und angreifen?«

»Genau. Oder etwas in der Art. Vielleicht sollten wir die Unternehmensmechanik in den Mittelpunkt stellen. Um etwas derartiges zu tun, brauche ich Sie. Sie kennen die Wormwood Inc. Sie kennen ihre Arbeitsweise. Sie kennen sich mit Wurmholzbäumen aus. Sie wissen über Snister Bescheid. Sie kennen die örtlichen Gegebenheiten und die Geographie. Ich brauche Sie.«

»Stimmt.« Es war eine erregende Aussicht. Eine Lanze brechen für die Natur. Aber sie würde mit ihm in den Feuchtgebieten allein sein. Nun, sie war hier und jetzt mit ihm allein, oder etwa nicht? Und es war nichts Schreckliches geschehen. »Also gut«, sagte sie widerwillig. »Ich bin dabei.«

Er erhob sich rasch. »Ich werde nach dem Wetterradar und der Wettervorhersage sehen. Sie treiben irgendwelchen leichten Reiseproviant auf. Haben Sie hier irgendwelche Waffen?«

»Einen Bleistiftlaser.«

»Großartig. Ich habe ein Messer. Jetzt sind wir quitt.«

»Sie haben etwas vergessen«, teilte sie ihm mit.

»Und das wäre?«

»Ihre Frechheit«, sagte sie.

7

Cad

SNISTER. EIN MANN NAMENS REUBIN FLOOD.

Cadmington Abbot-Pubal starrte auf seinen Monitor.

Möglicherweise der erste Hinweis auf den Aufenthaltsort von Habu – oder welchen Namen er jetzt auch führen mochte – seit über einem Jahrhundert.

Als Habu hier lebte, hieß er Robert Lee.

Der Mann war vorsichtig. Cad glaubte seit langem, daß Habu eine Art Wundergabe besaß, sich zu verstecken, die Identitäten zu wechseln. Was wiederum zu dem Mythos beitrug. Je mehr Jahre verstrichen, desto mehr Leute glaubten, Habu sei einer der ursprünglichen Mythen der Menschheit; Cad war einer der wenigen, die es besser wußten.

Es war Ironie des Schicksals, daß ihn die Nachricht hier auf Tsuruga erreicht hatte, das zu der Ryuku Retto-Gruppe in der Präfektur Fukui gehörte und von Cads Vorfahren besiedelt und aufgegeben worden war, nachdem Habu ein Chaos angerichtet hatte. Diejenigen, welche die Tortur überstanden hatten.

Er war vielleicht zum zehnten Male hier, auf seiner Heimatwelt, in einer der beiden Städte, die auf dem ehemals bewohnten Planeten übriggeblieben waren. Wissenschaftler hielten die Kuppelsiedlungen in Betrieb; und Touristen und neugierige Journalisten zahlten enorme Summen für das Privileg, die sogenannte ›Welt der Schlangen‹ besuchen zu dürfen. Die Touristikindustrie unterstützte die wissenschaftlichen Forschungen und machte irgend jemanden reich, davon war Cad überzeugt, auch wenn er nicht wußte, wer es war. Nun, das konnte er ein andermal herausfinden.

Er verließ sein Quartier und blickte durch die Kuppel hinaus. Ja, da war eine. Mehrere Meter lang, mit dunkelgrünen Flecken und Streifen. *Trimeresurus flavoridis*. Das Grün der Schlange verschmolz mit dem Grün des Dschungels – eine perfekte Tarnung. Eine mutierte Viper von der Alten Erde – eine Habu aus Okinawa, von irgendwo hinter der Küste von Asien im Pazifischen Ozean, erinnerte er sich. Die ursprüngliche Habu aus Okinawa war giftig gewesen – etwa so wie andere Vipern wie beispielsweise die Klapperschlange oder die Lanzenschlange, aber während des Transports nach Tsuruga oder in ihrem Käfig im Zoo hatte sich die Schlange im Laufe der Jahre allmählich verändert. Vielleicht waren es die UV-Strahlen hier, dachte er. Jetzt vermochte die Tsuruga-Version der Habu einen Menschen auf der Stelle zu töten.

Nicht zuletzt dank Reubin Flood, oder wie sein Name jetzt lauten mochte.

Cad spürte die Anwesenheit eines anderen Menschen und riß seinen Blick von der Kuppel los.

»Hallo, Cad.« Jane Wakasa bleib neben ihm stehen. Sie gehörte zu den Wissenschaftlern, und ihr Gesicht war stärker orientalisch geprägt als Cads. Viele dieser ursprünglichen tsurugischen Merkmale waren assimiliert worden; der japanische Genpool war absorbiert und von einer mobilen Menschheit verwässert worden. Was Cad einen weiter Grund lieferte, Habu zu hassen: der Mann hatte die Okinawa-Variation der Japaner getötet. Manche hatten es Genozid genannt.

Cad lächelte Jane an und fragte sich, ob sie eine geheime Verwandtschaft aufwiesen. »Gehst du heute raus?« Er nickte in Richtung des Dschungels.

»Nah-ah.« Sie schüttelte den Kopf. »Ich hab meine Zeit gestern rumgebracht.« Sie sah ihn an in der Art der Frauen, die sich für ihn interessierten und ihm zu nahe getreten waren.

Er lächelte. Als ein klassischer Fall von Frauenheld mochte er aggressive Frauen. »Ich wollte nicht selbst rausgehen.« Nach der Katastrophe – dem Genozid – und dem darauffolgenden Exodus von Tsuruga hatten die Wissenschaftler beschlossen, die Habuschlangen sich uneingeschränkt vermehren zu lassen. Was sie in Wirklichkeit bereits getan hatten. Die Wissenschaftler hörten einfach auf, sie zu bekämpfen. Da die Schlangen bereits eingeführt und zu zahlreich waren, um etwas dagegen zu unternehmen, hatte sie vor Jahrhunderten beschlossen, es ihnen zu gestatten, sich weiterhin zu vermehren. Theoretisch war es ein Experiment, um herauszufinden, welchen Schaden eine fremde oder fremdartige Lebensform einem ganzen Ökosystem zufügen konnte. Da die Habu keine natürlichen Feinde hatte, stellten ihr eigener Populationsdruck und die Verfügbarkeit von Nahrungsquellen die einzigen Wachstumsbeschränkungen dar.

Jetzt gab es dort draußen Tonnen von Schlangen pro Quadratmeter, dachte er. Kein Wunder, daß die Bewohner – die wenigen, die geblieben waren, nachdem Robert Lee sein Chaos angerichtet hatte – diesen Ort verlassen hatten.

Jetzt waren Schutzkuppeln und Stromgitter nötig, um die Sicherheit der Menschen zu gewährleisten.

»Irgend jemand zu Hause?« fragte Jane.

»Hoppla. 'tschuldige, JW. Ich war in Gedanken.«

»Und du hast behauptet, du wärst wissenschaftlich orientiert.«

»Also«, sagte er, »wir Journalisten sind seit jeher dafür bekannt, unser Gehirn nur bei Bedarf einzuschalten.«

»Ist ja reizend. Hör mal. Wie wär's mit heut abend…?«

Er ächzte und stöhnte abwechselnd. Er schüttelte

versonnen den Kopf. »Kann nicht. Muß heute nachmittag das Postschiff nehmen.«

»Ach?«

Er nickte. Sie kannte seinen Hintergrund; verdammt, jeder wußte, daß er bezüglich Habu der anerkannteste Experte der ganzen Föderation war. »Möglicherweise wurde er auf Snister gesichtet.«

Sie machte ein langes Gesicht. »Man sollte die Leute erschießen, die Planeten geschmacklose Namen geben.«

Er zuckte die Achseln. »Jemand hat sich mit einer Anfrage zum Hintergrund oder der Bedeutung eines Schlangensymbols an die Sektorenhauptstadt gewandt. So ist es in das System gekommen, und mein Syndikat hat es sich rausgepickt und an mich weitergereicht.«

»Bloß weil sich jemand nach einem Symbol erkundigt hat?«

»Schon eher eine Zeichnung«, sagte er. »Genaugenommen zwei. Eine zustoßende Schlange die eine, die andere ein riesengroßer dreieckiger Kopf.«

Jane schauderte. »Bah. Ich will damit nichts zu tun haben. Ich habe Geschichten gehört ...« Sie wandte sich wieder der Kuppel zu. »Man bekommt immer zu hören, Habu sei eine Legende, nicht real, so wie Davy Crockett, Mike Hammer, Valentine Smith.« Sie legte ihre Hand auf die Kuppel und schauderte erneut. »Nicht mit mir. Nicht hier. Habu war also wirklich. Wer einmal hier gewesen ist und gesehen hat, wie sich der Dschungel vor Schlangen ringelt – uh!« Sie schüttelte sich. »Glaubst du, er hat es absichtlich getan?«

»Ich habe sogar gelesen, einige Wissenschaftler nähmen an, die Schlangen seien ihm einfach entlaufen«, sagte Cad. »Einfach in den Urwald gekrochen.«

»Das habe ich gemeint«, sagte sie.

»Ich habe gehört, sein Verhalten sei als psychotische Bewußtseinsspaltung beschrieben worden«, sagte Cad. »Kein Kontakt mit der Realität. Halluzinationen. Aber ich vermute, die Bezeichnung Psychopath trifft es besser; mit Sicherheit hat er sich über normale Verhaltensmuster hinweggesetzt. Ich bin überzeugt – und du weißt, daß ich meine Recherchen angestellt habe –, daß er sein Vorgehen kaltblütig und logisch geplant und seinen mörderischen Plan vorsätzlich ausgeführt hat. Genozid ist nicht vernünftig.«

Sie schüttelte den Kopf. »Daß ein Mensch für all das verantwortlich sein soll.« Sie deutete nach draußen. Sie schüttelte erneut den Kopf.

»Ich weiß, was du meinst«, sagte er. »Wie wär's statt dessen mit einem Lunch?«

Sie blickte ihn nachdenklich an. »Verlockend, Cad. Wann startet das Shuttle?«

Cad wünschte sehnlichst, nicht zu einem Planeten namens Snister fliegen zu müssen. Nichts konnte ihn jedoch aufhalten. Nichts.

Die erste richtige Spur seit hundertzwanzig oder -dreißig Standardjahren. Die ursprüngliche Habu aus Okinawa war dafür bekannt, daß sie mehrere Jahre fasten konnte, bevor sie starb. Gegen Ende des zwanzigsten Jahrhunderts hatte man eine beobachtet, die fast vier Jahre lang gefastet hatte, bis das Experiment abgebrochen worden war. Cad zog Parallelen zwischen der Schlange und Habu hinsichtlich seiner Fähigkeit, abzutauchen und auf einem niedrigen Energieniveau von seiner eigenen Substanz zehrend jahrelang im Verborgenen abzuwarten – den zu überleben, der nach ihm suchte. Aber sobald Habu einmal in einem Energieausbruch aus dem Mann hervortrat, war er deutlich sichtbar.

Und tödlich.

Auf Snister gibt es tatsächlich ein Video dieses Menschen, dachte Cad. Dann fragte er sich erneut: »Falls ich dieses Chamäleon namens Habu jemals finde, will die Föderation dann immer noch, daß ich ihn töte?«

8

Reubin

»FERTIG«, SAGTE TIQUE, Mantel und Rucksack im Arm.

»Sieht gut aus«, sagte Reubin. »Denken Sie dran, tun Sie genau, was wir besprochen haben. Irgend jemand wird zuhören oder später eine Aufzeichnung abhören.« Er schulterte seinen Rucksack. »Übrigens, Sie haben da ein sehr nettes Aufpasserprogramm.«

»Danke«, sagte sie. »Ich hab viel mit Computern zu tun.«

»Ich weiß. Ich hab davon profitiert.« Er war immer noch von ihrem Verhalten im Corona beeindruckt.

Er sah, daß es Tique schwerfiel, die Hütte zu verlassen. Bis jetzt nahm sie es gut auf. Ein Mensch, der sein ganzes Leben lang behütet gewesen war und dessen Lebensgebäude eingestürzt war. Die Mutter tot. Jetzt war sie auf der Flucht, zusammen mit dem meistgesuchten Mann auf Snister – und auf einer ganzen Menge anderer Orte, von denen sie nichts zu wissen brauchte.

Der Schneesturm ließ etwas nach, als sie die Berge hinunterfuhren. Reubin fröstelte, als er an den See zurückdachte und daß er beinahe erfroren wäre.

Tique steuerte geschickt, obwohl ihr das geländeabhängige Programm dabei half und die Straße Magnetstreifen enthielt, die es dem Bodenfahrzeug ermöglichten, ihr automatisch zu folgen. Sie wollten die modernere, näher an Cuyas gelegene Straße benutzen.

»Ich bin mir nicht sicher, ob ich das durchstehen kann«, sagte Reubin.

»Das können Sie, Reubin, ich weiß es«, antwortete Tique in zunächst steifem Ton.

»Es liegt mir einfach nicht, mich zu stellen.«

»Ach was«, sagte sie in entspannterem Ton. »Wir haben es wieder und wieder durchgesprochen, und es ist das beste. Wir können die ganze Angelegenheit wieder in Ordnung bringen.«

»Verdammt noch mal, sie haben versucht, mich *umzubringen*«, sagte Reubin.

»Das könnte die Folge einer Befugnisüberschreitung von Untergebenen gewesen sein.«

»Schon möglich.« Er kam allmählich in seine Rolle hinein.

»Was ist mit dem Schlangenkopf, den Sie in der Arena gezeichnet haben?« fragte sie. Er hatte ihr gesagt, daß sie dies fragen sollte, hatte sich, als sie diesen Plan entworfen hatten, jedoch geweigert, ihre Fragen zu beantworten.

»Etwas, das ich einmal gelesen habe«, sagte er. »Ich habe die Dinge dort draußen einfach durcheinander gebracht. Dasselbe, wie eine Beschwörung hinzumalen.« Habus Herausforderung. Im Moment hatte er seinen Haß überwunden und unterdrückte sein Alter ego. Er konnte die mit Habus öffentlicher Kenntnisnahme einhergehende Publicity nicht brauchen. Dann dachte er wieder an Alex und änderte fast augenblicklich seine Meinung. Dieser Planet verdiente es, von Habu zerstört zu werden. Aber, argumentierte er, anonym läßt sich mehr erreichen. Sonst wimmelt es hier bald von sämtlichen Föderationsidioten im Sektor wie von Fliegen auf einem Misthaufen.

»Vielleicht kommen wir an Fels heran – oder an Josephine Neff«, fuhr Tique, die ihre Rolle gut spielte, fort.

»Das wäre die einzige Möglichkeit für mich, hier je wieder heil herauszukommen«, sagte er auf sein Stichwort hin. Er zögerte kurz. »Je mehr ich darüber nachdenke, desto besser gefällt es mir.«

Tique bog auf eine Automatikstraße ab. »Vielleicht werden sie auf mich hören.«

»Ich wüßte nicht, warum. Verdammt noch mal. Sie wissen nicht, was Alex wußte. Ich wußte nicht einmal, daß sie überhaupt ein Geheimnis *hatte*. Vielleicht gibt es eine Möglichkeit für uns, einen Vorteil daraus zu ziehen ...«

»Reubin!«

Es kam darauf an, Nodivving davon zu überzeugen, daß er und Tique nichts wußten, was sie von einem Teil des Drucks entlasten würde. Welche bessere Möglichkeit gab es, dieses Ziel zu erreichen, als etwas möglicherweise Illegales vorzuschlagen, Geldgier zu zeigen. Das müßte jedenfalls helfen, dachte er.

»Vergessen Sie's«, fauchte er. »Wir fahren eine Weile um Cuyas herum, und ich werde einen Entschluß fassen. Es gibt da ein Apartment – nun, warten wir erst mal ab und sehen dann weiter. He, weiter unten ist das Wetter besser, nicht wahr? Wie kommt es, daß Sie eine so hoch gelegene Hütte haben?« Er fühlte sich unbehaglich dabei, vor einem unsichtbaren gegenwärtigen oder zukünftigen Publikum zu schauspielern. Und einem unfreundlichen noch dazu.

Von da ab wurde die Unterhaltung zu einem normalen Gedankenaustausch. Die Erwähnung des Apartments sollte auf eine falsche Fährte locken. Es konnte gut sein, daß sie glaubten, er und Tique hielten sich in der Stadt versteckt, und sich dort bei der Suche verausgabten.

Nach zwei Stunden fand Tique eine Hauptverkehrsstraße, die nach Cuyas hineinführte. Eine Zeitlang fuhren sie durch den Regen. Dann hörte der Regen auf, und der Himmel klarte ein wenig auf.

In zwanzig Kilometern Entfernung von Cuyas hielten sie an einer Raststätte an. Nach wenigen Minuten steckten sie ihre Köpfe wieder in den Wagen.

»Jetzt brauche ich ein Nickerchen«, sagte er.

»Ich werde ganz still sein«, erwiderte sie, während sie Befehle in ihr Armaturenbrett eintippte.

Reubin hätte sich selbst nicht geglaubt, aber vielleicht war ja jemand dumm genug.

Sie schlossen die Türen und traten zurück. Der Wagen bog auf die Straße ein und machte sich auf den Weg nach Cuyas. Er würde das größte, meistbenutzte Parkhaus der Stadt ansteuern. Das wird ihnen erst mal eine Nuß zu knacken geben, dachte Reubin. Sie hatten es auf diese Weise geplant, für den Fall, daß die Wanze tatsächlich sendete und nicht bloß aufzeichnete. Alles, um Zeit zu gewinnen.

Ein Lastwagen kam über die Hauptstraße, und sie duckten sich hinter ein Gebüsch, auch wenn der Fahrer wahrscheinlich eingeschlafen war. Falls überhaupt ein Fahrer drinsaß.

Sie befanden sich jetzt im Vorgebirge und überquerten die Hauptverkehrsstraße, um die Bergkette zu umgehen. Ihr Ziel waren die großen, von der Gesellschaft angepflanzten Wurmholzwälder.

Sobald sie die Straßen und mögliche Beobachter hinter sich gelassen hatten, verlangsamte Reubin seinen Schritt so weit, daß Tique bequem mithalten konnte.

Als das Zucken in seinem Kopf begann, mußte es ihm anzusehen gewesen sein, denn er hatte sein schmerzdämpfendes Biofeedbackprogramm abgeschaltet – er hatte nicht geglaubt, daß er es bei der überwiegend körperlichen Aktivität des Wanderns brauchen würde.

»Reubin? Was ist? Ach«, sagte sie, und in ihrem Gesicht dämmerte Begreifen. »Ist es schon so schlimm?«

»Ich werd's schaffen«, sagte er und lud ein kurzes Biofeedbackprogramm zur Bekämpfung der leichteren Anfälle.

»Sie haben eigentlich nicht die Zeit für das alles, nicht wahr?« Ihre Stimme war voller Sorge.

Er schöpfte Trost aus ihrer Besorgnis. »Doch, das habe ich«, sagte er mit Nachdruck. Er blieb stehen und schaute sie an. Für gewöhnlich ging er mit sich selbst zu Rate, doch diesmal war er vollkommen aufrichtig zu ihr. »Ich werde mir Zeit *verschaffen*. Es ist wichtig genug.«

»Sie werden verrückt werden.« Ihre Worte waren eine einfache Feststellung, keine Frage.

»Vielleicht, aber vorher werde ich beenden, was ich angefangen habe.«

Sie setzten sich wieder in Bewegung. »Jesses«, sagte Tique. »Mutter hat Ihnen soviel bedeutet?«

Noch mehr, dachte er, grunzte aber nur. Ihm wurde das ganze Ausmaß seiner Entschlossenheit bewußt. Er hatte diesmal zu lange mit der Umwandlung gewartet. Der Druck stieg zu rasch an. Er würde ihn nicht mehr lange unter Kontrolle halten können. Dann würde sein Gehirn verbrennen und verschmoren, und es würde zu spät sein.

Andererseits würde Habu die Situation vielleicht beeinflussen.

Andererseits würde er seine Pläne vielleicht beschleunigen müssen.

Sollte er aufgeben? Einfach von Snister verschwinden und die ganze Angelegenheit vergessen? Schließlich hatte er sich damit, daß er es mit einem ganzen Planeten aufnehmen wollte, eine ganze Menge vorgenommen – zumal wenn es aufgrund der geistigen Konsequenzen seines jahrhundertelangen Lebens mit ihm bergab gehen sollte.

Ihm wurde klar, daß er sich wirklich darauf gefreut hatte, sich zusammen mit Alex der Umwandlung zu unterziehen und ein ganzes Leben mit ihr zu verbringen. Er fand, daß er gegenwärtig verdammt wenig

Interesse daran hatte, seine Existenz fortzuführen. Ich werde mich an dieser Welt rächen, dachte er, und zum Teufel mit den Konsequenzen.

Habu regte sich. *Wir werden leben.* Der Überlebensreflex.

Reubin antwortete ihm. – *Du weißt, daß ich meine Zeit zu sehr überschritten habe, um mich der Umwandlung zu unterziehen. Wahrscheinlich ist es deine Schuld. Ich habe die Absicht, diese Angelegenheit zu Ende zu bringen, bevor ich mich um die Umwandlung bemühe."*

Wir werden töten.

– *Richtig.*

Bald.

– *Vielleicht. Aber wir werden es diesmal auf meine Art machen, selbst wenn es zu spät sein sollte. Vielleicht fangen sie mich, und dann sterben wir sowieso.*

Wir werden vorher viele von ihnen töten. Habu zog sich zufriedengestellt zurück.

Reubin dachte, er habe sein Alter ego zumindest abgelenkt. Und er hatte die Schlange mit der Tatsache bekannt gemacht, daß sie sterben könnten. Sie würden sich all diesen Fragen stellen, wenn es soweit war.

Er fühlte sich besser, weil er sein Denken auf eine festere Grundlage gestellt hatte, wußte jedoch, daß seine Einstellung eine Folge des mentalen Drucks war – nicht seines natürlichen Urteilsvermögens.

Er warnte sich, daß er nicht nur sein eigenes Leben in die Waagschale lege.

Tique. Ja, Tique.

»Ein Sanderling.« Tique zeigte auf ihn.

»Da fällt mir ein, daß ich Hunger habe«, sagte er.

»Noch nicht.«

Ein leichter Regen setzte ein. »Nicht schon wieder«, sagte er.

»Am besten gewöhnen Sie sich dran.« Sie holte eine Packung heraus, die nicht ganz so groß wie ihr Fingernagel war, und faltete sie auseinander, bis der ultraleichte Poncho auseinanderfiel. Sie zog ihn an.

Reubin tat das gleiche. Er wünschte, sie wären nicht neutral gefärbt, sondern tarnfarben gewesen. Das wäre von Vorteil gewesen – nicht bei einer IR-Messung, aber visuell.

»Reubin? Würden Sie mir von den Schlangen erzählen? Ernsthaft. Sie sind diesem Thema ausgewichen.« Sie brachte den Poncho mit einem Achselzucken in Position. »Es steckt etwas dahinter, mehr, als Sie zugeben. Es macht mich... ängstlich.« Sie blickte entschlossen, und ihr Tonfall sagte Reubin, daß er ihre Frage beantworten mußte. Die Sache ist nur die, dachte er, es würde nicht sonderlich beruhigend klingen.

Er antwortete nicht gleich, sondern platschte weiter voran. »Wer, zum Teufel, möchte schon freiwillig an einem solchen Ort wohnen?«

Sie schloß zu ihm auf. »Ich. Erzählen Sie mir von *sich*. Ihre Vorstellung im Corona war ein sehenswerter Anblick. Zweihunderttausend Menschen haben Sie angefeuert, zusätzlich zu all denen, die über Fernsehen zuschauten.«

Er fuhr sich mit der Hand unter der Ponchokapuze über die Stoppeln auf seinem Kopf. Es war ihm unangenehm, darüber zu sprechen. »Es ist mir unangenehm, darüber zu sprechen«, sagte er, als ihm der Gedanke in den Sinn kam.

»Also«, sagte Tique, »für mich ist es unangenehm, mit einem Mann, den ich kaum kenne, allein hier draußen in der Wildnis zu sein. Es ist mir unangenehm, von der Gendarmerie gejagt zu werden. Eine Menge Dinge sind mir unangenehm.«

Bis jetzt hatte sie die richtigen Entscheidungen getroffen. Andernfalls wäre sie jetzt mit Drogen vollgepumpt gewesen – und ihr Gehirn leer.

Und sie war Alexandras Tochter.

Und es gab triftige Gründe, ihr von Habu zu erzählen.

Er wandte ihr das Gesicht zu. Zwischen ihnen fiel Nieselregen. »Sie haben ein Recht darauf, Bescheid zu wissen.« Er blieb stehen und setzte den Fuß auf einen Felsen, um seine Achillessehne zu strecken. Oder um Zeit zu schinden, einen Entschluß zu fassen, wie er es ihr sagen sollte.

»Nun?« Tique war nicht so geduldig, wie sie es bei anderen Gelegenheiten gewesen war.

»Ich werde es Ihnen erzählen, weil ich bezweifle, daß ich lebend aus all dem herauskommen werde. Alex war … nun, sie hat mir eine Menge bedeutet…«

»Nicht schon wieder«, sagte Tique, deren Tonfall Erschöpfung ausdrückte. »Wovon sprechen Sie *diesmal*? Von einem neuen Geheimnis?«

»Ich vertraue Ihnen ein privates Vermächtnis an. Ich nehme an, die Menschheit wird aufatmen, wenn sie erfährt, daß ich tot bin. Ich schulde ihr viel.« Er beobachtete ihr Gesicht, das eine keimende, von seinen Worten ausgelöste Angst widerspiegelte. »Außerdem werden Sie als Eingeweihte soviel Aufmerksamkeit auf sich ziehen und so berühmt werden, daß niemand auf Snister oder anderswo es wagen wird, Ihnen zu nahe zu treten. Ich gebe Ihnen eine Waffe in die Hand, eine furchtbare Waffe: Wissen.«

Sie blickte ihn verwirrt an. »Sie wollen mir erzählen, Sie sind gar nicht Reubin Flood.«

»Stimmt.« Er seufzte. »Ich bin derjenige, der Habu genannt wird.«

Unglauben machte sich auf ihrem Gesicht breit. Sie neigte den Kopf zurück und starrte ihn an.

Er ließ das Schweigen wachsen, das nur durchbrochen wurde von dem Geräusch der Regentropfen.

Nein. Habu war jetzt wachsam. Seine Botschaft

bedeutete, daß er/sie sich jetzt eine Blöße gegeben hatte/hatten und in Gefahr waren.

– *Es ist meine Entscheidung*, sagte Reubin mitfühlend. **Das geht nur uns etwas an.**

– *Die Umstände erfordern es.* Reubin war entschlossen, die Kontrolle zu behalten.

Tique starrte ihn immer noch voller Respekt und zunehmendem Begreifen an. Sie fügte alles hinzu, was sie wußte und gesehen hatte. Ihr Gesicht war bleich. »Sie sind *er*?«

»Ja.«

»O gütiger Gott, ich hätte nie geglaubt, daß es wahr sein könnte. *Sie* sind er?«

»Ja.«

Sie musterte sein Gesicht.

»Wissen Sie was? Ich neige dazu, Ihnen zu glauben.« Er zuckte die Achseln. »Sie haben gefragt, ich habe geantwortet.«

»Es heißt, Habu sei ein Mythos.«

»Manchmal basieren Mythen auf der Realität. Ein wenig Übertreibung…«

»Wenn nur ein Zehntel von dem, was Sie sagen, wahr ist…«

Er zuckte die Achseln.

Zumindest reagierte sie nicht mit Angst. »Es erklärt eine Menge.« Sie war schließlich Alex' Tochter.

Er nickte.

»Reubin? Würden Sie mir davon erzählen? Haben Sie wirklich einen ganzen Planeten ausgerottet? Haben Sie jahrhundertelang getötet?«

»Es genügt wohl, wenn ich sage, daß ich nicht wahllos töte und keine kleinen Kinder fresse.«

Sie setzte sich abrupt auf einen Stein in der Nähe. »Sie haben soeben einen Genozid zugegeben.«

»Nicht wirklich«, sagte er nachsichtig. Er beugte sich vor und verschränkte die Arme auf den Knien. »Völkermord ist ein großes, schlimmes Wort. Ich weise diese Bezeichnung von mir.«

»Ach?« Sie hob die Brauen. Sie war jetzt wütend und vergaß für einen Moment ihre Lage.

»Verdammt noch mal, hören Sie! Ich werde die ganze Angelegenheit nicht noch einmal durchkauen.« Er wollte die Erinnerungen nicht, die keine Erinnerungen waren, sondern alptraumhafte Jahre. Er konzentrierte sich wieder auf die Gegenwart. »Tsuruga. Die Unruhen. Die Pogrome. Sie haben jeden umgebracht, der von der Erde stammte.«

»Sie ausgenommen.« Ihr Tonfall war deutlich herausfordernd.

»Mich ausgenommen.« Er senkte den Blick in ihre Augen. Wasser tropfte von seiner Ponchokapuze. »Meine Familie. Meine Frau und mein…« – er zögerte – »neugeborenes Kind… und Freunde und Kollegen von der Botschaft der Erde. Und all die anderen Erdgeborenen auf Tsuruga – Geschäftsleute, Studenten, Touristen, Einwanderer. Die meisten wurden von einem aufgeputschten Mob auf barbarische, blutrünstige Weise ermordet.« Die Erinnerung verlieh seinen Worten einen gequälten, bitteren Klang. »Es war so brutal, daß ich jahrelang, ich weiß nicht wie lange, rasend – verrückt – war, und als ich wieder zu mir kam, war Habu in mir.«

Auf ihrem Gesicht breitete sich Unglauben aus. Sie schüttelte ihre Kapuze ab. »In Ihnen ist *jemand*?«

»Ja und nein.« Wie sollte er es erklären? »Vielleicht wurde ich verrückt, schizophren oder erlitt eine Persönlichkeitsspaltung oder etwas in der Art. Während dieses langen Zeitraums verwandelte ich mich in etwas, das ich immer noch nicht ganz begreife. Wie auch immer, die Folge davon war, daß ich Tsuruga entvölkerte; einige muß ich unmittelbar getötet haben, manche starben durch die von mir ausgesetzten

Schlangen. Die übrige Schuld, die man mir an der Entvölkerung von Tsuruga gibt, geht auf die entsetzten Leute zurück, die von dem Planeten flohen. Sie flohen vor dem Monster, zu dem ich geworden war, dem Monster, das sie töten konnte, so wie sie vorher soviele andere getötet hatten. Und ganz zum Schluß flogen sie weg, weil der Planet für Menschen nicht mehr bewohnbar war.« Seine Wut hatte immer weiter zugenommen, und sein Tonfall war brutal geworden. »*Erinnern* Sie sich, daß die gleichen Bewohner von Tsuruga mich in Habu verwandelt haben; und die gleichen Leute waren an der Ermordung sämtlicher Erdgeborener mitschuldig. Die übrigen waren schuldig, dabei versagt zu haben, das Morden zu beenden.«

»Aber sie sind trotzdem gestorben. Stand es Ihnen zu, ein Urteil zu fällen?«

»*Nein*.« Er hatte mit Nachdruck gesprochen. »Es war *nicht* meine Absicht, all diese Menschen entweder vorsätzlich oder zufällig zu töten. Bloß die Verantwortlichen: den tobenden Pöbel und seine politischen und religiösen Anführer, die zu den Pogromen angestiftet und die Randalierer zu ihrem hemmungslosen Haß auf alle Dinge und Menschen von der Erde aufgehetzt haben.« Er brauchte einen klaren Kopf, und er mußte Tique nicht ebenfalls wütend machen. »Ich trage die Schuld an diesen Vorgängen. Aber es ist lange her.«

Überraschenderweise hatte sie Mitgefühl mit ihm. »Es muß schrecklich gewesen sein, was all das ausgelöst hat.« Ihr Haar war triefend naß.

Sich zurückerinnernd, nickte er. Er wollte ihr sagen, daß sein Trauma schlimmer war, viel schlimmer, als es irgendwelche dürren Worte auszudrücken vermochten. »Kein menschliches Wesen sollte durchmachen, was ich durchgemacht habe. Und auch kein anderes denkendes Wesen.« Er hob den Kopf und öffnete den Mund. Regen kühlte seine Kehle. »Das ist der Grund, weshalb Habu mit nackter Gewalt reagiert. Ich versuche diese Reaktion zu kontrollieren. Meistens habe ich damit Erfolg.«

Sie stand auf. »Und jetzt widmen Sie Ihre Aufmerksamkeit zusätzlich noch der Abwehr des wegen der überfälligen Umwandlung zunehmenden Drucks.«

»Ja.« Würdest du mich also bitte in Ruhe lassen? »Danke, daß Sie mir vertrauen.«

Diesmal zuckte sie die Achseln. »Ich bin mir meines Urteils nicht sicher. Aber ich vertraue dem meiner Mutter.«

Nach vielen Tagen des vorsichtigen Wanderns, in denen sie allen Menschen und Orten, an denen sie Menschen hätten begegnen können, ausgewichen waren, gelangten sie allmählich in unbewohntes Gebiet.

Zunächst war Tique still und zurückhaltend und warf ihm wiederholt neugierige Blicke zu. Schließlich entschloß sie sich, ihn rückhaltlos zu akzeptieren; als Reubin Flood, im Gegensatz zu dem legendären Killer. Wenngleich sie Reubins Geschichte glaubte, war sie noch nicht bereit dazu, ›Habu‹ als Person anzuerkennen.

Am zweiten Tag hatte Reubin sich wegen Blasen an Tiques Füßen langsamer fortbewegen müssen. Obwohl sie gerne wanderte, waren ihre bisherigen Wanderungen gemütliche Tagesausflüge gewesen. Er hatte auf das Tempo gedrückt, und sie wanderten mehr als den halben Tag über. Während die zurückgelegte Entfernung aus Sicherheitsgründen für ihn wichtig war, wußte er, daß er sich beeilen mußte – der Druck wurde hartnäckiger –, und er wußte nicht, wieviel Zeit ihm noch blieb.

Am fünften Tag waren ihre Rationen aufgebraucht. Reubin begann zu jagen und Fallen zu stellen. Fischen war am einfachsten.

Am siebten Tag überquerten sie ein felsiges Vorgebirge. Ein Unwetter veranlaßte sie, unter einem tief herabhängenden Überhang Schutz zu suchen.

»Wir könnten ebenso gut die Nacht über hier bleiben«, sagte Reubin. »Bald wird es zum Weitergehen zu dunkel sein.« Er wollte bei Nacht und Regen kein Gebirge überqueren.

»Ich bin ausgehungert«, sagte Tique. Sie hatten tagsüber nicht angehalten, um sich irgend etwas Eßbares zu beschaffen.

Reubin wußte, daß es auch nichts genützt hätte, auf Nahrungssuche zu gehen – diese kahlen Hügel boten nicht viel Nahrung. »Hier.« Er kratzte Flechte von einem Felsen und reichte sie Tique.

»Ich? Das essen?« Tiques Tonfall war gleichermaßen amüsiert wie überrascht.

»Klar. Früher hat man Steinkutteln dazu gesagt. Es wird den Hunger zumindest für heute nacht fernhalten.«

»Nein, danke. Ich glaube, ich werde heute fasten. Das wird gut sein für meine Figur.«

»Sie müssen eine Menge gefastet haben.«

»Hm, danke, Reubin.«

Am nächsten Tag umrundeten sie, wie sie es seit Tagen taten, einen Gebirgszug, wobei sie sich am Rande spärlicher Gehölze hielten. Reubin legte ein paar Schlingen aus und stellte Baumfallen auf. Er fing mehrere Kleintiere. An diesem Abend kochte er in ihrem großen Behälter eine Suppe aus einer Mischung von eßbaren Pflanzen und Fleischbrocken.

»Ich hätte nie gedacht, daß ich so etwas hinunterbringen könnte«, sagte Tique und trank aus ihrer Tasse.

»Natürliches, frisch getötetes Fleisch. Jesses, was wohl als nächstes kommt?«

Reubin freute sich über die Art, wie sie sich an die Entbehrungen gewöhnt hatte. Zunächst war sie still gewesen, da ihre Blasen schmerzten. Dann, als ihre Füße Hornhaut bekommen und sich an das ständige Wandern gewöhnt hatten, war es leichter geworden, mit ihr auszukommen. Er hatte gefürchtet, Tique Sovereign werde sich als verdorbenes Produkt von zuviel Zivilisation erweisen.

Er wog Alternativen gegeneinander ab. Er hätte eine andere Stadt aufsuchen, ihr nach einer gewissen Zeit eine neue Identität verschaffen und sie schließlich von diesem Planeten fortbringen können. Auf der anderen Seite wußte er, daß er sie und ihr Wissen über Snister brauchte.

In dieser Nacht schlief er unter einem Überhang ein, während er sich fragte, ob er Snisters Wirtschaft wirklich zerstören wollte. Der Planet als Ganzes war an der Ermordung seiner Frau nicht beteiligt gewesen. Und es gab Leute hier, deren Leben von der Wormwood Inc. abhing. Vielleicht würde er die Schuldigen an Alexandras Tod feststellen müssen. Nodivving. Josephine Neff. Angestellte der Wormwood Inc. Was ausreichend für ihn war, die Vernichtung der Gesellschaft in Betracht zu ziehen. Er wußte, daß die Wormwood Inc. ein Ableger einer Muttergesellschaft namens Omend war. Omend, die in der ganzen Föderation geschäftlich tätig war. Omend, von der die meisten Leute in der Föderation entweder gehört oder mit der sie geschäftlich zu tun gehabt hatten. Dinge, denen er weiter nachgehen mußte.

»Das ist also ein Wurmholzbaum«, sagte Reubin, froh darüber, daß sie endlich die Peripherie der Wurmholzplantagen erreicht hatten.

»So ist es.«

Reubin legte den Kopf in den Nacken. »Kein Wunder, daß es so teuer ist.« Der Baum war vielleicht hundert Meter hoch. »Man müßte sich einen Tag freinehmen, um dieses Ding zu umrunden.« Es versprach, einen harten Gegner abzugeben. Er verwarf die Idee, Bäume einfach zu fällen. Das Ding hatte eine graue Rinde und breite Äste, die auf halber Höhe des Stammes begannen. Hie und da etwas Blattwerk, abgestorbene Zweige und kleinere Äste, die ohne Zugang zum Sonnenlicht nicht so in die Breite und Höhe wachsen konnten. Oben im Laub Samenkapseln. Moos. Tiere und Vögel und Insekten. Eine Welt für sich.

Der Baum beherrschte das Ufer eines Baches, der aus dem Gebirge kam.

Tique näherte sich dem Bach. Sie probierte das Wasser. »Hm, kalt. Macht mir aber nichts. Ich werd ein Bad nehmen.« Sie hatten eine Trockenheitsperiode mit mehreren regenfreien Tagen erwischt, und der Schweiß hatte ihre Körper mit einer Schmutzkruste überzogen.

Reubin musterte eingehend das Gelände. Weit und breit kein Mensch. Der größte Teil des Baches wurde von mehreren Wurmholzbäumen überschattet. »Nur zu. Im Wasser gibt es doch nichts Gefährliches, oder?«

»Ach was«, sagte sie. »Nicht auf Snister.« Sie legte ihren Rucksack ab und zog die Stiefel aus. Sie blickte ihn an. »Meine Eitelkeit ist mir irgendwo unterwegs abhanden gekommen. Lassen Sie sich gesagt sein, daß ich auch meine Unterwäsche waschen werde.« Sie legte ihre Buschjeans ab und zog sich das Hemd über den Kopf. Als sie in den Bach hineinging, warf er ihr den abschätzenden, bewundernden Blick zu, um den sie geworben hatte. Er dachte, daß sie vielleicht böse auf ihn sei; schließlich waren sie jetzt – wie lange schon? – in der Wildnis, und er hatte noch nicht versucht, sie zu verführen. Was sie als persönliche Beleidigung ihres

Aussehens und ihrer Reize auffassen mochte. Seine Augen musterten den Wald auf dem gegenüberliegenden Flußufer und schweiften weiter umher, hielten Ausschau nach einer eventuellen Gefahr. Tique war eine beeindruckende junge Dame. Eine ziemlich attraktive. Schließlich war sie die Tochter ihrer Mutter.

Reubin wurde jedoch noch immer von einer heftigen Wut geleitet. Sie hatten Alex umgebracht, und er mußte seine Antwort darauf zielstrebig im Auge behalten. Von der Tatsache, daß sich sein Gehirn allmählich in Haferbrei verwandelte, ganz zu schweigen. Er wollte nicht darüber spekulieren, wieviel Zeit ihm noch blieb, bevor ein dauerhafter Schaden auftrat. Wahnsinn. Ständige bewußtseinstrübende Schmerzen. Und als nächstes der Tod.

Es kam auch nicht darauf an, da er nicht erwartete, dies hier lebend zu überstehen.

»Verdammt, Tique«, sagte er unwillkürlich, »machen Sie, daß Sie ins Wasser gehen, bevor ich auf komische Gedanken komme.«

Sie blickte über die Schulter zurück, in den Augen ein triumphierendes Glitzern. Sie verlangsamte ihre Bewegungen noch mehr. Frauen, dachte Reubin geistlos, weil er sich nicht eingestehen wollte, daß sie ihm zusetzte.

Eine Zeitlang tanzte sie in dem tieferen Wasser herum, dann kam sie hoch und saß bis zu den Schultern im Wasser vor ihm. Sie wusch ihre Unterwäsche. Reubin konnte sich an eine Zeit erinnern, als es nichts derartiges wie Permadur gegeben hatte, ein unverwüstliches Material, das man mit einem Laser bearbeiten mußte, um es zu zerstören oder auch nur geringfügig zu beschädigen. Dieses Zeug ließ sich leicht waschen und in einer leichten Brise oder mit etwas Sonnenschein trocknen.

Er wandte den Bäumen den Rücken zu, blickte in die

Höhe und fragte sich, wie, in drei Teufels Namen, er etwas gegen diesen Koloß von einem Baum unternehmen sollte. »Erzählen Sie mir vom Wurmholz. Von diesen Gletschern, die man Bäume nennt.«

Tique hielt ihren Schlüpfer hoch und inspizierte ihn.

Aus einem unerfindlichen Grund heraus fühlte Reubin sich wohl bei diesen häuslichen Verrichtungen.

Sie rieb ihn zwischen den Knöcheln. »Ich bin kein Experte. Mutter war der Experte…«

Reubin empfand nicht mehr jedesmal stechenden Schmerz, wenn Tique Alex erwähnte. Was häufig der Fall war. Er glaubte nicht, daß er sich bereits mit dem Verlust seiner Frau abfand; er fand einfach, es sei etwas, das er mit Tique teilen könne.

»…aber ich kann Ihnen eine kurze Einführung für Laien geben. Das Wurmholz steht, wie vieles in der Natur, im Mittelpunkt eines eigenen kleinen Ökosystems. Das ganze beruht auf einem jährlichen Zyklus. Ob Sie's glauben oder nicht, es gibt eine Trockenperiode und gelegentliche Feuer, die überraschenderweise das Überleben der Bäume sichern. Jetzt…«

»Vielleicht könnten Sie mit dem Anfang anfangen?« Da ist etwas. Etwas Merkwürdiges… was *ist* es bloß? Habu ein wenig herauslassen – da. Die Sinne vorsichtiger, wachsamer…

»Die Bäume sind so groß, sie würden sich gegenseitig ersticken und niemals richtig wachsen, wenn nicht ab und zu ein Feuer das Wachstum zuvieler Sämlinge – wenn nicht gar für mehrere Jahreszeiten das aller Sämlinge – verhindern würde. Schauen Sie, die…«

Der Geruch! Das war es. Ein Geruch, der nicht hierher gehörte, den er jedoch kannte, zumindest ein wenig. Was? Wo?

Habu strömte in seinen Körper.

Er erhob sich langsam, und das Messer erschien in seiner Hand.

Tiques Stimme verlor sich. Ihre Augen klebten an ihm, offenbar hatte sie seine plötzliche Verwandlung bemerkt.

Er duckte sich. Wo hatte er das schon einmal gerochen?

Der animalische Teil seines Gehirns arbeitete auf Hochtouren, wählte Möglichkeiten aus und verwarf sie wieder.

Ich hab's!

Ein Gnurl. Er wollte etwas sagen, Tique warnen.

Als der Gnurl am Baum vorbei und unmittelbar auf sie zustürzte.

Sie erbleichte, ihre Augen weiteten sich.

Der Gnurl war in seinem ersten Satz begriffen, und seine messerscharfen Hufe schlugen durch die Luft nach Tique, als Reubin sich auf das Tier stürzte. Hätte Habu nicht seine Reflexe geschärft, würde er es diesmal nicht geschafft haben. Sein linker Arm legte sich um den Hals des Gnurl, und er zog sich neben das Tier, wobei er von den Füßen gehoben wurde. Die massigen Schultermuskeln des Tieres traten hervor und drückten rhythmisch gegen Reubin.

Er vergeudete keine Zeit mit dem Versuch, sich auf das Tier zu setzen. Er zog das Messer einfach so rasch und so oft er konnte über die Kehle des Gnurl. Sein linker Arm zerrte mit aller Kraft, zwang das Tier nach rechts.

Sie platschten durch das Wasser, Tique knapp verfehlend.

Blut spritzte über seine Hand und das Messer, doch er blieb oben. Er hatte einen aus Notwendigkeit geborenen Einfall und schnitt mit dem Messer längs anstatt von rechts nach links.

Der besonders tiefe Schnitt mußte eine Arterie verletzt haben, denn der Gnurl gelangte rutschend zum Stehen und griff Reubin mit seinen massigen, flachen Zähnen an. Der Bach war trübe von Blut, und Reubin schaffte es, den Gnurl unter Wasser zu umschwimmen, wobei er mehreren Hieben der tödlichen Hufe auswich.

Er tauchte an der linken Seite des Tieres auf und landete auf dessen Rücken. Er beschloß, auf Nummer sicher zu gehen, und stach mit dem Messer nach den Augen des Gnurl. Blut und eine schleimige Substanz spritzten hervor. Das Tier blökte und heulte vor Schmerzen.

Da er genau wußte, wo sich das Herz des Tieres befand, stellte Reubin sich breitbeinig über den Gnurl, hielt ihn mit den Beinen fest, beugte sich vor und stach auf das Herz ein.

Inzwischen war es jedoch nicht mehr nötig. Der Gnurl fiel nach vorn ins Wasser, verkrampfte sich und lag still in dem sich rötenden Wasser.

Reubin stieß sich davon ab. Er packte ein Hinterbein des Tiers und begann es ans Ufer zu ziehen.

Tique stand halbbekleidet da. Als sie sein Gesicht sah, wich sie unwillkürlich zurück.

Reubin übernahm wieder die Kontrolle und drängte den Habu-Krieger in sich zurück. Habu hatte die Abwechslung Spaß gemacht.

Tique, nur mit einem Hemd bekleidet, sah wirklich bezaubernd aus. Dieser Anblick half Reubin, wieder zum Menschen zu werden.

Ihr Körper zitterte. »Reubin, ich ...« Sie holte tief Luft und sprach langsamer. »Es war, als wären Sie besessen gewesen ...«

»Ich bin wieder menschlich«, versicherte er. »Und das werde ich handgreiflich beweisen, wenn Sie sich nicht bald anziehen.«

»Oh.« Sie fuhr in ihre Shorts und dann in ihre Buschjeans.

Reubin zog den Gnurlkadaver halb auf das steinige Ufer hinauf. »Kann man diese Viecher essen?«

Sie sah ihn merkwürdig an und rückte ihre Jeans zurecht.

Er brauchte einen Moment, bis ihm klar wurde, daß sie an die Arena dachte, wo er ein Stück von dem noch schlagenden Herzen eines Gnurl abgebissen hatte.

»Klar«, sagte sie, inzwischen vollständig bekleidet. »Das Fleisch ist allerdings zäh, wenn es nicht weichgeklopft wird, zumal bei einem wilden Gnurl, der nicht als Nahrungstier gezüchtet und angepaßt wurde. Aber er ist ein Pflanzenfresser und enthält keine Organismen, die dem Menschen schaden können.«

Er betrachtete das riesige Tier. »Ich hoffe, Sie sind hungrig. Er ist schon ausgeblutet.«

Reubin erkundete das Gelände, um sich zu vergewissern, daß keine weiteren Gnurls in der Nähe waren. Am anderen Bachufer entdeckte er eine Salzlecke. Diese Attraktion hatte den Gnurl wahrscheinlich angezogen.

Dann kehrte er um und hackte Brocken von Gnurlfleisch ab, wickelte es in einen Teil der Haut, und sie drangen tiefer in den Wald ein, bis Reubin eine für seine Zwecke geeignete Lichtung entdeckte. Große Äste überschatteten den größten Teil der Lichtung, es drang jedoch ausreichend Sonnenlicht hindurch.

Er machte ein Feuer und briet Gnurlsteaks. Nachdem sie von Trockenrationen gelebt hatten, von Geflügel wie Sanderling und Fisch, sehnte er sich nach echtem rotem Fleisch. Er röstete sein Steak an der Außenseite und verspeiste es, während Tique ihres immer noch briet.

Sie blickte ihn voller Abscheu an, als Blut und Saft an seinem Gesicht hinunterliefen, seinen struppigen neugewachsenen Bart befleckten und auf den Boden tropften.

Er beachtete sie nicht.

Als er fertig war, briet er sich ein weiteres Steak, einen riesigen Brocken Fleisch. Während er dies tat, schnitt er weiteres Fleisch in lange, breite Streifen von etwa einem Zentimeter Dicke. Mit dem Salz, das er von der Salzlecke mitgenommen hatte, bereitete er eine Lake zu. Er gab die Lake und die Fleischstreifen in einen Beutel aus der Haut des Gnurl.

»Was machen Sie da?« fragte Tique.

»Das Fleisch in Salzlake einweichen. Morgen machen wir Trockenfleisch.

Er verspeiste einen weiteren Fleischbrocken. Tique begann endlich mit ihrem, den sie, im Gegensatz zu ihm, ganz gründlich kaute. Ihm war es egal. Gesättigt, rollte er sich an einem Baum zusammen, ließ Habu Wache halten und schlief ein. Diese Technik hatte ihm viele Male das Leben gerettet – und verschaffte ihm den nötigen Schlaf, um am Leben zu bleiben.

»Meine Frisur ist zum Teufel«, sagte Tique, die sich mit den Fingern durch ihr Haar hindurcharbeitete, um es zu entwirren.

Was Reubin als ›Löckchen‹ bezeichnet hatte, war irgendwo unterwegs auf der Strecke geblieben, und Tique ließ ihr kastanienbraunes Haar wachsen. Er betastete sein eigenes Haar und sagte bekümmert: »Wenn mich mein erster Sergeant von früher sehen könnte, wäre er stolz auf mich.«

Tique warf ihm einen raschen Blick zu, dann erhellte Begreifen ihr Gesicht. »So ändern sich die Zeiten, nicht wahr?«

Er nickte und lächelte.

Sie runzelte die Stirn. »Mist. Sie haben mich soweit gebracht. Kryptisch und nachdenklich. Donnerwetter, Mr. Flood. Ich weiß nicht, was ich denken soll.«

Er schon. Sie hatte sich seit ihrer ersten Begegnung stark entwickelt. Eine behütete Frau, noch keinen Schicksalsschlägen und Prüfungen ausgesetzt. Jetzt war sie auf der Flucht und gewöhnte sich daran, mit dem zu überleben, was das Land zu bieten hatte. Und fand sich anscheinend mit der Tatsache ab, daß er der berüchtigte Habu war.

Reubin wandte sich wieder dem Gestell aus kleinen Ästen zu, das er gebaut hatte. Er legte Streifen von Gnurlenfleisch darüber, die er am Abend zuvor auf den Querstreben geschnitten hatte. »Wieder an die Arbeit. Das wird ein paar Tage dauern, darum haben Sie Zeit, mir vom Wurmholz zu erzählen, von den Jahreszeiten und all dem.«

»Klar.« Tique fuhr sich fortwährend mit der Bürste durchs Haar. »Ich hoffe, es nutzt etwas.« Sie zerrte an einer verfilzten Stelle. »Ich weiß, ich soll mit dem Anfang anfangen. Während der Trockenperiode treten in der Gegend manchmal Feuer auf, wovon die Bäume profitieren. Feuer lichtet das niedrigere Laubwerk, das dem Baum die Nährstoffe stehlen würde. Wie ich gestern schon sagte, hindert es die meisten Sämlinge am Wachsen. Eine Art von Kontrollmechanismus, der den Baumbestand auf dem Umfang hält, daß der Boden ihn ernähren kann.« Sie blickte ihn scharf an. »Bis die Gesellschaft mit ihren Pflanzungen anfing.«

»Die Feuer vernichten nicht alle Bäume? Nur die, die dem Überleben der Art im Weg stehen?« Er entfachte unter dem Gestell ein kleines Feuer.

»Ja. Wegen ihrer Dicke und ihrer irgendwie schwammigen Rinde widerstehen sie dem Feuer. Darum wandert das Feuer auch nicht den Stamm hinauf zu den empfindlicheren Trieben.«

»Ich glaube nicht, daß es hier eine längere Trockenperiode gibt«, sagte Reubin.

»Doch, es gibt sie. Abgesehen davon, daß sie immer kürzer wird, wegen der ganzen neuen Wurmholzbäume, die man angepflanzt hat und für deren Wachstum man Vorsorge trifft. Der ›Treibhauseffekt‹, verstehen Sie.«

»Ich verstehe.« Reubin befestigte eine Stütze. »Reden Sie weiter.«

Tique deutete zu den Bergen hinüber. »Das Anbaugebiet der Wurmholzbäume ist etwa wie hier: fruchtbares Schwemmland. Eine Menge Flüsse und Bäche, die vom Schnee in den höheren Lagen gespeist werden. Was man eben einen Flußwald nennt.«

»Woher wissen Sie das alles?«

»Erinnern Sie sich noch an meinen Job?«

»Ach, ja klar. Etwas, das ich nicht einmal buchstabieren kann.«

Sie fuhr fort, sich das Haar zu bürsten. »Erinnern Sie sich an diese ganzen Flüsse und Bäche, denn später im Zyklus treten sie über die Ufer – aber ich greife vor. Okay. Die Bäume bringen in der Trockenzeit, wenn die Flüsse zahm sind und nicht über die Ufer zu treten drohen, Blüten hervor. Tiere und Vögel fressen die Blüten oder den Nektar, wandern von Baum zu Baum und befruchten sie. Einer der wichtigsten Vögel dabei ist der Sanderling.«

»Was der Grund dafür ist, daß man ihn auf die Liste der gefährdeten Tierarten gesetzt hat.«

Reubin nickte. Konnte er sich dies zunutze machen? »Ohne den Sanderling würde der Vorgang zusammenbrechen?«

»Es gibt andere Tiere, welche die gleiche Funktion erfüllen, aber nicht so gut und nicht so häufig wie der Sanderling. Niemand kennt die Antwort auf diese Frage, aber die Experten vermuten, daß es so ist.« Sie zögerte. »Ihr Feuer ist nicht groß genug, um das Fleisch in dieser Höhe und Entfernung zu garen.«

Reubin legte weitere Fleischstreifen auf das Flechtwerk über dem Feuer. »Das soll es auch nicht. Das Feuer dient nur dazu, die Insekten fernzuhalten und die Feuchtigkeit zu entfernen.« Geistesabwesend kaute er auf einem Streifen rohen Fleisches. »Für gewöhnlich macht man Trockenfleisch, indem man es von Sonne und Wind trocknen läßt. Die Lake fördert die Härtung und Schwärzung der Außenseite.«

»Oh. Es hält sich besser.«

»Ja.«

»Zurück zur Wurmholzsaga, die länger wird, als man braucht, um einen Wald davon anzupflanzen. Da sind einmal der Sanderling und andere Tiere, welche die Pollen hierhin und dorthin tragen. Die nächste Phase ist, daß Früchte entstehen und herunterfallen, wovon sich weitere Tiere ernähren, deren Überleben inzwischen davon abhängt. Okay, die steigenden Säfte und die Entwicklung der Blätter und Früchte und deren Abfallen haben wir gehabt. Die Früchte werden ›Ballen‹ genannt, große Hülsen, gefüllt mit einem baumwollartigen Zeug und Samen.«

»Warten Sie, lassen Sie mich die Rückseite machen«, sagte Reubin und nahm ihr die Bürste ab. Er kniete neben ihr nieder und begann ihr Haar zu bürsten und es mit der Hand in Form zu bringen.

»Danke. Sie verfügen über eine Menge Talente.«

»Klar, Mädchen. Wann kommen wir endlich zu der Sache mit den Würmern?«

»Jetzt gleich. Die Würmer ernähren sich von den Samen. Die Natur hat es eingerichtet, daß die Fortpflanzungszeit der Würmer mit dem Abfallen der Früchte zusammenfällt. Ich weiß nicht, ob die Würmer es allein tun, zu zweien, zu dreien oder wie auch immer. Aber sie tun es. An diesem Punkt angelangt, streben sie dem nächsten sicheren Hafen zu: dem Baum. Nach einer ausreichenden Anzahl von Jahren hat sich eine nette kleine Wurmkolonie entwickelt. Die einzelnen Würmer gehen ihren individuellen Geschäften nach, legen Eier und haben Babywürmer. Von denen viele heranwachsen und sich auf eigene Faust auf den Weg machen, nämlich diejenigen, die sich nicht fortgepflanzt haben, und nachdem in der Gegend ein Feuer aufgetreten ist und eine Art von Wechselwirkung zwischen den sinkenden Pflanzensäften und der tatsächlichen physischen Kontraktion der Rinde bewirkt hat, schaffen sie es, den Baumstamm hinunterzukriechen und den Vorgang von neuem zu beginnen, wobei sie jedoch ihre Eltern und einige ihrer Geschwister zurücklassen, damit diese die Arbeit im Innern des Baums weiterführen, um...«

»Sie können jederzeit eine Pause einlegen und Luft holen«, sagte Reubin.

»Danke. Habe ich vergessen zu erwähnen, daß einige Samen überleben und keimen und wachsen?«

»Nein, soweit waren Sie noch nicht. Aber so etwas Ähnliches habe ich mir schon gedacht.«

»Au!«

»Hoppla, tut mir leid. In Zukunft werde ich zurückhaltender sein. Auf diesem Gebiet bin ich nicht sonderlich bewandert.«

Sie drehte sich herum, legte den Kopf schief und sah ihn an, als wollte sie die Tatsache in Zweifel ziehen, daß der berüchtigte Habu friedlich mit dem Haar einer Frau beschäftigt war.

Er verzog das Gesicht und zuckte die Achseln.

»Wo war ich stehengeblieben? Ah ja, beim Monsun...«

»Das waren Sie zwar nicht, aber es klingt wie ein gutes Thema zum Weitermachen...«

»Wie ich gerade sagte, kommt der Monsun, und diese ganze Gegend verändert sich. Flüsse werden zu Seen, Bäche zu Flüssen, die über die Ufer treten. Rinnsale werden zu – ich mach's schon wieder, nicht wahr?«

Reubin zog ihr Haar zurück, indem er es an den

Kopfseiten fest spannte. »Es ist beinahe lang genug dafür. Aber ich glaube, Sie sollten noch acht bis zehn Tage damit warten.«

»Die Überschwemmungen frischen die Nährstoffe der Schwemmebene auf, so daß die Bäume während der übrigen Jahreszeiten wachsen können. Aber die Überschwemmungen fordern einen gewissen Tribut von den Bäumen, die mit ihren Leichen ein anderes Ökosystem ernähren, aber das ist unwichtig.«

»Erzählen Sie's mir trotzdem.« Er bürstete ihr Haar nach vorn. »Das sieht ein bißchen zu altmodisch aus.«

»Bestimmt. Ihre Finger fühlen sich gut an. Äh... um zum Ende zu kommen, nach den Überschwemmungen nimmt alles seinen erwartungsgemäßen Lauf, und dann kommt der Übergang zur Trockenzeit, wo sich alles wiederholt.«

»Die toten Bäume«, half Reubin nach.

»Richtig. Die Überschwemmungen fordern ihren Tribut. Entwurzelte Bäume, abgebrochene Bäume, beschädigte Bäume und so weiter. Ein Tier, das Schlammkatze genannt wird – nach den Überschwemmungen, erinnern Sie sich...«

»Ich bin im Bilde«, sagte er.

»Diese Jahreszeit ist ihre große Zeit. Sie ernähren sich von Sanderlingen, die sich hoch in den Bäumen außerhalb ihrer Reichweite Nester gebaut haben. Inzwischen nicht mehr. Um diese Jahreszeit beschützen Sanderlinge ihre Jungen, und wenn sie die Überschwemmungen und Monsunregen überleben, bleiben sie auf den umgestürzten Bäumen – die sich jetzt innerhalb der Reichweite der Schlammkatzen befinden. Haben Sie eine gesehen?«

»Ich glaube, ja. Aber ich wußte nicht, was es war. Rundlich, pelzig, ungefähr so lang wie mein Arm, mit wilden Augen und einem staksenden Gang?«

»Das sind sie.«

»Ich vermute, das ist der Grund, weshalb sie nicht in die Bäume hochklettern können, solange diese leben, gesund sind und aufrecht stehen.«

Sie nickte, entzog ihm ihr Haar. »Obwohl ich immer noch nicht weiß, weshalb sie sich im Laufe der Evolution nicht an das Klettern angepaßt haben – wo doch ihre Nahrung oben ist.«

»Anscheinend sterben sie auch ohne die Fähigkeit zu Klettern nicht aus.«

Sie nickte erneut. »Das ist der springende Punkt. Aber in Biologie habe ich oft gefehlt.«

»Damit müssen wir also arbeiten.« Reubin glättete ihr Haar, gab ihr die Bürste zurück und ging zum Feuer, um kleine Äste nachzuschieben.

»Perfekt. Mann, das ist das erste Mal seit Wochen, daß sich mein Haar halbwegs ordentlich anfühlt.«

»Mein erster Eindruck«, sagte er schnodderig, »man sollte sich ein paar Kudzu besorgen und hier freisetzen.«

»Was sind Kudzu?«

»Eine schnellwachsende Kletterpflanze, die Mutter Erde einmal beinahe aufgefressen hätte. Hören Sie, warum sind wir keinen Farmern, Holzfällern, Holzsammlern oder wem auch immer begegnet?«

Tique stand auf und streckte sich. »Die Wurmholzbäume in diesen Wäldern werden selektiv gefällt. Weiter draußen auf der Ebene, wo die Überschwemmungen wirklich zuschlagen und sich weit ausbreiten, gibt es künstlich angepflanzte Wurmholzbestände, wie riesige Obstplantagen, viele Meilen lang und breit.« Sie straffte ihre Kiefermuskeln. »Das sind die ersten von der Gesellschaft angepflanzten Plantagen, die reif werden. Eines Tages wird es auf dem größten Teil des Planeten so aussehen.«

Reubin wendete Fleischstreifen der Sonne zu. »Wir werden in diese Richtung weiterwandern, wenn das

Trockenfleisch fertig ist.« Sie waren übereingekommen, mit ihren Aktivitäten im Herzen des Wurmholzlandes zu beginnen.

»Was machen wir, wenn wir da sind?«

»Ich weiß es nicht genau«, sagte er. »Aber ich habe noch keinen Schwachpunkt entdeckt, den man sich zunutze machen könnte. Ich dachte an Sabotage – der Ausrüstung, der Maschinen, der Verarbeitungseinrichtungen.«

»Das klingt gefährlich.«

»Wir befinden uns nicht auf einem Sonntagsausflug.« Reubin zwickte sich in die Nasenspitze. Es half nicht gegen den zunehmenden Druck in seinem Kopf.

9

Tique

»DAS SIEHT SCHON EHER DANACH AUS«, sagte Reubin.

Sie standen auf einer Klippe mit Blick auf die kultivierte Wurmholzebene. So weit Tique sehen konnte, erstreckten sich Wurmholzbäume bis zum Horizont. Im Zentrum all der Hektar Wurmholz kauerten die einzigen Hinweise auf Menschen. Sie wirkte dort beinahe fehl am Platze, die menschliche Siedlung. Ein großer Fluß zog sich durch die riesige Wurmholzpflanzung und schlängelte sich in der Ferne um die Siedlung herum. Die Gebäude und Kuppeln der Siedlung bildeten die einzige Abwechslung in der einheitlich grünen Ebene dort unten.

»Der Selby«, sagte Tique, »benannt nach einem der frühen Pioniere auf Snister. Sie würden es nicht glauben, wieviel Wasser der Selby mit sich führt.«

»Ich glaube alles«, sagte Reubin.

Geheimnisvoll, aber ernstgemeint.

»Abseits des Flusses liegen die Bewässerungskanäle, sehen Sie? Wie kleine Arterien.«

»Diese Siedlung. Von hier aus sieht es so aus, als würde dort der größte Teil der Ausrüstung aufbewahrt.«

»Soviel ich weiß.« Sie roch Regen in der Luft.

Reubins Haar war gewachsen, und sein Bart wurde allmählich voll. Er sah dem Mann in der Arena nicht mehr ähnlich. Tief in ihrem Innern hatte sie immer noch Fragen. Ihre gegenseitige Vertrautheit hatte ihr die anfängliche Angst jedoch genommen. Sie wäre sogar so weit gegangen, sie als gute Freunde zu bezeichnen.

»Das fertige Holz wird über den Fluß abtransportiert, nehme ich an«, sagte Reubin.

»Ja. Abgesehen von der schlimmsten Zeit des Monsuns, wenn für gewöhnlich nicht geerntet wird. Schlepper treiben sozusagen große Mengen Schnittholz flußabwärts zum Golf. Dort wird es behandelt und zugeschnitten, wie Sie sich denken können.«

»Ein ziemlich großer Brocken, der verdaut werden will«, sagte er.

Als sie dies alles überblickte, wurde ihr die Größe ihres Unterfangens bewußt. »Wir gegen das alles? Zwei Leute können etwas ausrichten?« Sie hoffte es. In Wahrheit hätte sie liebend gern eine Lanze für die Natur gebrochen.

Er trat zurück und drückte ihre Schulter. »Individuen haben immer schon etwas bewirkt. Nehmen Sie Tom Jefferson. Lincoln. Silas Swallow. In der Geschichte gibt es genügend Beispiele.«

»In Geschichte haben Sie offenbar nicht gefehlt«, sagte sie vorwurfsvoll.

»Verdammt, ich habe sie *gelebt*.«

»Stimmt. Aber. Wir sind zu zweit und ganz auf uns gestellt. Reubin. Unmengen von Hektar von Wurmholz. Was können *wir* tun?«

»Eine Menge.« Er ließ seinen Arm herabfallen. »Als erstes ›befreien‹ wir ein mobiles Funkgerät. Es wäre nett, über ihre Schritte Bescheid zu wissen, wenn sie sich an uns schadlos halten. Das nennt man ›Vermeidung von Feindberührung‹ oder so. Zweitens erkunden wir das Gelände und wählen unsere Ziele aus. Wenn wir zuschlagen, dann in großem Stil. Ich bin mir im Moment nicht sicher, aber aller Wahrscheinlichkeit nach werden wir als erstes ihre Luftflotte sabotieren, eine kleine Vorsichtsmaßnahme. Ich möchte, daß Sie sich etwas ganz Besonderes einfallen lassen, denn ich werde Ihnen kein Terminal besorgen können, und ich möchte, daß Sie soviel Chaos wie möglich anrichten.«

»*Das* würde funktionieren.« Sie nickte beifällig. Ein paar ausgewählte Programme ruinieren. Sich Zugang zur Steuerzentrale verschaffen, die Bewässerungspläne verändern – jawohl, *das ist es!* »Reubin, ich kann versuchen, sämtliche größeren Bewässerungskanäle zu öffnen und die Ebene zu überfluten.« Und somit einen Beitrag dazu leisten, das normale Erscheinungsbild der Welt wiederherzustellen.

»Oder etwas in der Art. Dazu müssen wir Pläne machen. Können Sie außerdem ins Datensystem hineinkommen?«

»Weltweit?«

»Ja«, sagte er. »Ich möchte, daß Sie die Arbeitspläne, oder wie man im Krankenhaus von Cuyas dazu sagt, ausfindig machen und die Operation eines Mannes namens Grant verschieben. Können Sie das tun?«

»Sicher. Worum dreht sich's?«

»Eine Maßnahme zur Rückversicherung, die ich arrangiert habe.«

Wie hatte er das angestellt? Tique begriff jedoch das Geniale an diesem Plan.

Er studierte das unterhalb von ihnen gelegene Flußbett. »Sie rechnen nicht damit, daß Sie alle Kanäle öffnen können?«

»Das könnte ich tun, aber ich weiß nicht, ob der Fluß genug Wasser führt, um eine ausreichend große außerplanmäßige Überschwemmung zu bewirken.« Sie dachte einen Moment lang nach. »Ich *kann* es hinbekommen, daß sich das Wasser ins Land ergießt. Vielleicht wird das genügend Schaden anrichten.«

»Nun, man kann nicht alles haben«, sagte Reubin. »Gehen wir.«

»Wohin?«

»Zur Siedlung.«

»Oh.« Sie zuckte die Achseln.

»Hat der Ort einen Namen?«

»Fehlanzeige. Alle nennen ihn bloß ›die Siedlung‹.«

»Das wundert mich gar nicht«, sagte er. »Unterwegs können Sie mir erzählen, was Sie über die Anlage wissen und wieviele Menschen dort leben und arbeiten und so.«

»Ich bin nur ein paarmal hier gewesen.«

»Gibt es Unterkünfte für Besucher?«

»Gibt es.«

»Jetzt kochen wir mit Gas.«

Es war nach Mitternacht, und die beiden Monde waren einander über den Himmel nachgejagt. Tique wartete allein in zwei Kilometern Entfernung von der Siedlung. Sie hatte Reubin nicht dazu überreden können, sie auf seinen Erkundungsgang mitzunehmen.

Sie begann sich Sorgen zu machen. Dann erinnerte sie sich an Reubin, wie er sich einen Weg durch die Wurmholzwälder gebahnt hatte. Er hatte sich geringfügig verändert. Kein leichtfertiges Geplänkel mehr. Er bewegte sich geschmeidig, seine Augen wanderten ständig umher. Sein ganzer Körper wirkte irgendwie knochiger, wachsamer, nun, vor Erwartung und Bereitschaft *gespannt*. Sie bewegte die Schultern, als wollte sie einen negativen Gedanken abschütteln. Reubin Flood war verschwunden; ein umsichtiger, wachsamer, nicht ganz gesunder Mensch war an seine Stelle getreten.

Sie hatten sich der Siedlung bei Einbruch der Dunkelheit genähert. Sie hatte in den Boden geritzt, was sie vom allgemeinen Grundriß der Siedlung und dem Standort der Dienstgebäude, Wohnhäuser und Garagen noch wußte. Als die Nacht über den Wald hereinbrach, war er verschwunden, gerade eben noch sichtbar, im nächsten Moment mit den vordringenden Schatten verschmolzen. Sie schauderte, als sie sich daran erinnerte. Sie war froh, daß sie auf seiner Seite stand.

Obwohl sie das Ausmaß der bevorstehenden Aufgabe überwältigte.

Sie verfluchte, was immer all das ausgelöst hatte. Dann fiel ihr ein, daß ihre Mutter aus einem Grund, den sie nicht begriff, gestorben oder umgebracht worden war, und Entschlossenheit kehrte in ihren zweifelnden Geist zurück.

Es machte ihr nichts mehr aus, von den Erzeugnissen des Landes und in der Wildnis zu leben. Sie erzeugte und formte keinen Nebel mehr; sie schwebte zu ihrem Schutz in seiner Mitte.

Gerade noch saß sie alleine da, mit dem Rücken gegen einen Wurmholzschößling, im nächsten Moment kauerte Reubin neben ihr.

»Wach?«

»Reubin! Sie haben mich erschreckt.«

»Sehen Sie, was ich gefunden habe.« Ein trüber, breitgefächerter Lichtstrahl breitete sich aus. Er schien wieder normal zu sein – nicht daß seine ›Normalität‹ der irgendeines anderen entsprochen hätte.

»Hm. Was riecht da so köstlich?«

»Essen.«

»Toll. Wo haben Sie das her?«

Er kicherte. »Vom gleichen Ort, wo ich diese Flasche Sourmash herhabe. Von den Besucherunterkünften, aus dem VIP-Bereich. Diese Orte sind immer mit allem ausgestattet, was man braucht. Diese Notlampe eingeschlossen. Und diese echten Wormwood-Overalls.«

Sie nahm das Paket und zog die Heizlasche, öffnete es und schnüffelte. »Ah, richtiges Essen, von keinem Feuer verkohlt, nicht tot und trocken, nicht getrocknet, nicht voller Sand, nicht roh, nicht unbekannt. Mein Gott, Reis und Braten. Jesses, ich bin gestorben und in den Himmel gekommen.«

»Es gab dort auch Shampoo.«

Kein anderer Mann wäre darauf gekommen. »Super.«

»Das Beste ist das Funkgerät. Scanner und alles. Ich hab es schon ausprobiert, und es empfängt die Leitzentrale der Siedlung, die Polizeikanäle und die Kanäle, die speziell für den Wurmholzanbau bestimmt sind.«

»Wo haben Sie das her?« Ihr kam der Gedanke, daß jemand das Funkgerät vermissen und sie vorzeitig verraten könnte.

»Regierungen sind alle gleich. Behördenfahrzeuge sind immer zu einem großen Teil kaputt und warten auf Ersatzteile. Dieses Gerät wird nie vermißt werden. Oder falls doch, wird man glauben, jemand von der Fahrbereitschaft habe es für ihr kaputtes ausgeschlachtet.«

Tique schaufelte sich Nahrung in den Mund. Frische Pilze in Bratensoße.

»Was zu trinken?«

Sie hätte beinahe ja gesagt. »Nein. Ich möchte den Geschmack nicht beeinträchtigen. Äh... Reubin? Ich muß leider fragen, was wir mit offiziellen Gesellschaftsuniformen anfangen werden.«

Er zog die Heizlasche an seiner Mahlzeit. »Hoffe, es ist Brathähnchen mit Gemüse. Herrgott, ist das lang her.«

Es war kein Brathähnchen mit Gemüse, weil er sonst das Etikett gelesen gehabt und nicht gesagt hätte: ›Ich hoffe.‹ »Mögen Sie Brathähnchen mit Gemüse?«

»Klar. Bin damit aufgewachsen.«

»Als Kind?« fragte sie.

»Ja. Ist lange her.« Sie sah, wie er vor dem Hintergrund der Sterne die Flasche ansetzte.

»Auf der Alten Erde?«

Sein Kopf ruckte einmal auf und ab. »In Westmoreland County, im alten Virginia.«

»Wie lautet Ihr Name? Ich meine, der, mit dem Sie angefangen haben.«

Ein trauriges Auge starrte sie aus der Dunkelheit an. Er nahm noch einen Schluck. »Ich schätze, es kommt nicht mehr drauf an. Bob Ed Lee, so hab ich geheißen.«

»Also, Robert, sagen Sie mir…«

»Nennen Sie mich nicht so«, sagte er mit Nachdruck. »Ich bin Reubin Flood.« Er trank erneut.

»Lindert der Alkohol den Druck in Ihrem Kopf?«

Er gab keine Antwort, sondern trank weiter.

Tique roch den starken Geruch des Getränks. Sie hoffte, sie befänden sich hier nicht in Gefahr, entdeckt zu werden, denn er goß das Sourmash in sich hinein wie ein Mann, der am Verdursten war. »Essen Sie etwas, das hilft, den Alkohol zu absorbieren.«

»Ja, mein Schatz.« Das Aufblitzen eines Grinsens. Er stellte die Flasche ab, setzte sich auf den Hintern, anstatt weiter zu kauern. Er begann zu essen.

»Ich wollte es nicht riskieren, in einem unbewohnten Raum an einem Terminal zu arbeiten. Ich hätte gern den Ausdruck einer Karte der näheren Umgebung. Bestimmt gibt es ein Update der Arbeitsvorgänge, das wir auf dem Monitor aufrufen und ausdrucken könnten. Was sie in diesem Gebiet tun und wo sie als nächstes ernten wollen.«

»Das kann ich machen.« Sie beendete ihre Mahlzeit. Der Salat in der Packung war nicht so frisch, wie sie es vom freien Landleben gewohnt war. Bestimmt aber voller Inhaltsstoffe, die ihrem Gaumen vertrauter waren.

Sie beobachtete im Lichtstrahl tanzende Insekten.

Die Flasche gurgelte wieder, sie hielt ihre Zunge jedoch im Zaum. Bisher hatte sich sein Urteilsvermögen als gut erwiesen. Sein Gehirn mußte jedoch von den Schmerzen, die der Druck mit sich brachte, in Mitleidenschaft gezogen werden. Tique erinnerte sich nicht besonders gut an ihren Einführungskurs in die Technik der Lebensverlängerung, doch es gab einige unangenehme Nebenwirkungen, mit denen man rechnen mußte, wenn man mit der nächsten Behandlung zu lange wartete. Der Druck und die Schmerzen verbanden sich mit dem Absterbeeffekten der Hormonkomponenten. Außerdem gab es einen kumulativen Effekt aufgrund der im Laufe der Jahrhunderte sich wiederholenden Behandlungen. Man ging mit der Umwandlung Risiken ein. Viele Menschen lehnten die Behandlung wegen der Gerüchte über Nebenwirkungen ab. Viele Menschen fanden das Abnutzungsstadium unerträglich und begingen Selbstmord, wenn der Druck zuzunehmen begann.

»Ich wußte, daß man all diese schwere Arbeit nicht ohne mechanische Hilfsmittel durchführen kann«, sagte Reubin. »Die Elektronik kann nicht alles machen.«

Sie standen im Schatten einer gigantischen Maschine, eine Anlage, die so groß war, daß Tique sie aus dieser Nähe nicht als Ganzes übersehen konnte. Es war spät in der Nacht, und Reubin hatte sie zu dem gegenwärtigen Erntegebiet geführt.

Sie hatten das Gelände zweimal umrundet und keine Arbeiter oder Wachposten entdeckt. »Im Grunde brauchen sie ihre Ausrüstung gar nicht bewachen zu lassen«, sagte Reubin. »Es ist niemand da, vor dem man sie beschützen müßte...«

»Bis jetzt«, sagte Tique.

»Stimmt. Lassen Sie mich mal sehen. Diese Dinger müssen pneumatisch arbeiten, das ist die einzige Möglichkeit.«

»Wovon sprechen Sie?« fragte Tique.

»Von komprimierter Luft, Hydraulik, Flüssigkeitsdruck. Wenn man so etwas benutzt, gibt es Flüssigkeitsbehälter, Spannvorrichtungen, Akkumulatoren und dergleichen, die alle plötzlich und knirschend zum Halten kommen, wenn zum Beispiel Sand ins Getriebe gegeben wird. Passen Sie auf.«

Reubin drehte an einer großen Flügelmutter. »Der Nachfüllhahn eines Hydraulikbehälters. Würden Sie eine Handvoll Sand hineinwerfen?«

Sie bückte sich und schaufelte Sand in ihre Hände.

»Genau das Richtige. Er wird die Filter verstopfen und durch das System wandern, bis die Maschine stillsteht und kaputt geht. Das wird sie eine Menge kosten, von der Ausfallzeit ganz zu schweigen.«

Wie üblich drohte Regen.

Tique blickte wieder zu den gigantischen Maschinen empor. Sie mußten so riesig sein, dachte sie, um Äste von hundert Meter hohen Bäumen abzusägen, um die Bäume zu überragen, sie zu fällen und den gefällten Baum anschließend festzuhalten.

Reubin entfernte sich, eine undeutliche Gestalt vor dem Hintergrund des düsteren Himmels.

Tique schloß zu ihm auf. Sie war dankbar dafür, daß das Ökosystem im Umkreis der Wurmholzbäume einen Großteil des Unterholzes am Wachsen hinderte, was den Wäldern einen parkähnlichen Charakter verlieh. Darum fiel es ihnen leicht, sich zwischen den Bäumen fortzubewegen, sogar bei Nacht.

»Ich hatte Visionen«, sagte Reubin leise, »wie wir Bäume spicken und Maschinen sabotieren...«

»Spicken?«

»Zum Beispiel einen Stift aus Metall oder Keramik ins Holz treiben, der die Sägeblätter der Verarbeitungsanlage zerstört. Aber wahrscheinlich benutzen sie Laserschneider. Und auf dieser Ebene gibt es bestimmt Hunderttausende von Bäumen in unterschiedlichen Wachstumsstadien. Ganz gleich, was wir machen, es wäre, als umschwirrte eine Mücke eine Herde Büffelschafe.«

Tique hatte sich von Anfang an gedacht, daß ihre Anstrengungen nutzlos sein würden. Sie sagte es ihm.

»Das weiß man erst, wenn man am Ort des Geschehens ist und die Situation einschätzen kann«, erwiderte Reubin.

Tique dachte über ihr Problem nach. »Ich bin mir ganz und gar nicht sicher, ob ich Ihren nächsten Schritt billige.«

»Wie mein alter Sergeant immer zu den Soldaten sagte: Ihr hättet daran denken müssen, bevor ihr euch gemeldet habt.«

»Ich hab's gewußt«, sagte sie, bereits darum bemüht, sich damit abzufinden. Sie wußte nicht, ob sie fähig dazu war, nachts um die Siedlung herumzuschleichen, ein unbenutztes und sicheres Terminal zu suchen und sich die Zeit zu nehmen, die erforderlich wäre, um das Nötige herauszufinden und zu tun.

Reubin griff in seinen Rucksack und holte eine Flasche heraus. Er hatte von seinem Ausflug in die Siedlung zwei Flaschen Sourmash mitgebracht. Die zweite Flasche hatte er zur Hälfte geleert.

»Vielleicht können wir ein Schmerzmittel organisieren, wenn wir uns einschleichen«, sagte sie.

Er trank erneut. »Saufen hilft immer. Außerdem schmeckt es.«

In der übernächsten Nacht näherten sie sich, bekleidet mit den Overalls der Wormwood Inc., der Siedlung. Tique war nervös. Die feuchte Luft war auch nicht hilfreich. Schweiß rann ihr am Körper hinunter. Sie hatten ihre Rucksäcke und das tragbare Funkgerät versteckt. Sie wollten nicht auffallen.

Reubin schritt lässig aus, als gehörte er hierher und hätte die Siedlung tausendmal betreten und wieder verlassen.

Die letzte Nacht hatten sie mit Proben und Planen

verbracht – weil viel von ihrer Fähigkeit abhängen würde, sich Zugang zu den richtigen Systemen zu verschaffen.

Tique schätzte die Bevölkerung der Siedlung auf vielleicht dreitausend. Genug, hoffte sie, daß nicht jeder jeden kannte. Die Siedlung selbst war entlang der Nord-Süd- und der Ost-West-Achsen ausgerichtet, von Ingenieuren auf höchste Zweckmäßigkeit hin angelegt. Die Hauptstraßen mündeten auf den Platz im Zentrum der vier Himmelsrichtungen. Nebenstraßen, Gassen und Wege führten in die Gebäudeansammlungen hinein, wo immer es zwischen den Gebäuden Platz dafür gab.

Einige Teile der Siedlung waren überkuppelt, jedoch viel weniger, als sie in dem regnerischen Klima erwartet hätte. In einem dieser geschlossenen Gebiete befanden sich die Unterkünfte.

»Kommen Sie«, drängte Reubin.

Sie hatten solange gewartet, bis der Regen unmittelbar bevorstand und über die Ebene fegte. Die Dunkelheit und die Regenmassen würden ihre Aktivitäten verdecken helfen – abgesehen davon, daß weniger Leute unterwegs sein würden. Obwohl sie sich eine nicht zu späte Zeit ausgesucht hatten, in der ihre Anwesenheit vielleicht nicht allzu sehr auffallen würde.

Vom Haupteingang der East Avenue aus gingen sie an Lagerhäusern entlang, überquerten die North Avenue und hielten auf die Wohnkuppel zu. Ein einzelner Wartungswagen kam an ihnen vorbei, der Fahrer gelangweilt und müde. Als sie sich der Kuppel näherten, war das Gelände stärker erhellt als der Lager- und Wartungsbezirk, den sie soeben durchquert hatten.

Reubin blickte sich über die Schulter um. »Da kommt er.«

Tique schaute ebenfalls zurück. Ein Regenvorhang

glitt über die Siedlung, verdeckte die Sicht, trübte hinter sich die Lichter.

»Rennen Sie zur Kuppel«, sagte Reubin und begann zu laufen.

»Reubin!« flüsterte sie scharf, doch er befand sich nicht mehr in Hörweite. Sie lief ihm mit federnden Schritten nach. Sei bloß natürlich, dachte sie. Herrgott, Reubin hatte Mumm.

Tique legte einen Spurt ein und holte Reubin am Eingang ein. Der Eingang glitt auf, und sie stürmten hindurch.

Das erste, was Tique sah, war eine Frau, die einen Regenmantel anzog und sich für draußen fertig machte.

»Du machst Scherze«, sagte Reubin vorwurfsvoll. Er schwenkte seine Hand durch die Luft und wandte sich ihr zu, indem er seinen Körper zwischen die Frau und Tique brachte.

Tique lachte und fand, es klänge, als werde sie gewürgt. Es war mit das Schwerste, was sie je hatte tun müssen. Nicht das Schwerste, setzte sie in Gedanken hinzu. Das war die Konfrontation und das Sichabfindenmüssen mit dem Tod ihrer Mutter gewesen. Ihre Entschlossenheit kehrte zurück, sie ging weiter und blickte sich verstohlen um. Die Frau wandte gerade den Kopf und begab sich nach draußen. Tique unterdrückte einen Seufzer der Erleichterung, denn abergläubisch, wie sie war, nahm sie an, er werde die sichere Entdeckung nach sich ziehen.

Sie folgte Reubin durch ein Barackengebiet hindurch zu einem an die Kuppelwand angrenzenden Abschnitt am Rande der Siedlung. Auf dieser Seite gab es ebenfalls einen Eingang, wo mit weniger Fußgängern zu rechnen war, aber Reubin hatte gemeint, daß es sicherer wäre, die East Avenue zu benutzen. Tique räumte ein, daß sie in der Zeit, die sie zum Durchqueren der

Siedlung gebraucht hatte, ihre Nervosität unter Kontrolle hatte bringen können.

Hier gab es ein- und zweistöckige individuelle Wohneinheiten, nichts architektonisch Innovatives, bloß vorgefertigte Gebäude, die man in die Wildnis gestellt hatte, um Leute darin unterzubringen. Die Einzelgebäude waren für Gesellschaftsfunktionäre und hochrangige Besucher.

Reubin führte sie zu der abgelegensten der geduckten, hüttenartigen Gebäude, einer felsgrauen Konstruktion, deren Tür mit ›VIP #8‹ beschriftet war. Er hatte erklärt, daß die Wahrscheinlichkeit, daß es bewohnt war, hier am geringsten sei, da es am weitesten von der Wohnungsvermittlung für Besucher entfernt läge.

Während er für den Fall, daß jemand zu Hause war, den Klingelknopf drückte, beobachtete Tique den Regen, der dicht hinter der Hütte auf die Kuppel prasselte. Sie konnte ihn in ihrem Kopf trommeln hören; ihr Blut kreiste jetzt rascher, pulsierte im Gleichtakt mit dem Regen. Niemand meldete sich, darum öffnete Reubin einfach die Tür und trat ein.

Reubin bedeutete ihr, an Ort und Stelle zu bleiben. Sich lautlos fortbewegend verschwand er nach drinnen. Sein Verhalten wirkte in dieser harmlosen Umgebung irgendwie bedrohlich. Er kam zurück, gab ihr ein Alles-klar-Zeichen und wandte sich wieder ins Innere.

Tique folgte ihm.

Reubin schloß die Tür, ging zu den Fenstern und stellte sie auf ›Volle Verdunkelung‹. Kein Licht würde hinausdringen. Als es im Raum so dunkel war, daß Tique absolut nichts mehr sehen konnte, hörte sie Reubin sich zielstrebig fortbewegen, und eine indirekte Beleuchtung ging an.

Zwei Schlafzimmer, eine Eßküche und ein Wohnzimmer. Wenn es auch nicht spartanisch war, stellte es doch bestimmt nicht den Gipfel des Luxus dar.

An einer Wand stand die Konsole. Tique ging hinüber, indem sie ihr Vorgehen bereits im Geiste durchspielte.

Reubin war in die Küche gegangen und kehrte nun mit einer Flasche Schnaps zurück. »Angestelltendiebstahl«, sagte er und hob die Flasche.

»Suchen Sie Schmerztabletten«, sagte Tique und legte Nachdruck in ihre Stimme.

Das ließ ihn kurz innehalten, aber sie beachtete ihn nicht und setzte sich an die Konsole.

Ihren eigenen Code konnte sie jedenfalls nicht benutzen. Das hätte im ganzen System Aufmerksamkeit erregt.

Sie tippte auf ein Folienfeld, und das Gerät erwachte zum Leben. Sofort tippte sie NEFF 696969 FFEN. Ein weiterer Grund dafür, spät hierher gekommen zu sein, war die äußerst geringe Wahrscheinlichkeit, daß Josephine Neff ihr Gerät zu dieser Nachtzeit benutzte. Tique wußte nicht, wie sich das System verhalten würde, wenn der gleiche Code und darum die selbe Person gleichzeitig an zwei verschiedenen Orten aktiv waren. Darüber hatte sie sich einfach noch keine Gedanken gemacht.

Sie wählte NUR BILDSCHIRMANZEIGE, da sie glaubte, daß die Sprachausgabe sie ablenken würde.

ERWARTE IHRE BEFEHLE, NUMMER 2.

Gut, Zugang gewährt.

DIESE ARBEITSSITZUNG NICHT SPEICHERN. KEINEN ANDEREN ZUGRIFF GESTATTEN. JEDE ÜBERWACHUNG AUSSCHLIESSEN. Sicherheit über, alles, dachte Tique.

BESTÄTIGT, antwortete der Rechner. VERZICHT AUF SPEICHERUNG ERFORDERT HÖCHSTE PRIORITÄT.

HÖCHSTE PRIORITÄT. KEIN PROTOKOLLEINTRAG.

BESTÄTIGT. ERWARTE IHRE BEFEHLE, NUMMER 2.

Hier sind sie, dachte Tique und befahl: SCHICKE FOLGENDE CODIERTE NACHRICHTEN MIT ROUTINEMÄSSIGEN DATENBANK/INFORMATIONSERSUCHEN NACH WEBSTER'S CENTRAL. Sie tippte eine lange Zahlenreihe ein, die Reubin ihr gegeben hatte. GELDEINZUGSERMÄCHTIGUNG FALLS NÖTIG. Sie gab die gleichen Zahlen ein wie Josephine Neff, als sie von ihrem Gleiter aus die Nachforschungen auf Webster's wegen Reubins Schlangenzeichnungen autorisiert hatte.

Reubin weigerte sich, ihr zu sagen, was der Code bedeutete und die Nachrichten enthielten. Sie fügte seine Nachrichten in die Routineanfragen ein, um sie für den Fall, daß irgend jemand oder ein Aufpasserprogramm etwas davon mitbekam, zu verstecken. Falls doch, würde es Wochen dauern, bis es seinen Weg durch die Bürokratie gefunden hatte. Dann, und nur dann, würden sie die Nachrichten entschlüsseln müssen. Reubin hatte ihr versichert, daß dies unmöglich war.

NACHRICHTEN EINGEFÜGT, teilte ihr der Rechner mit.

ERBITTE MELDUNG ÜBER STAND DER SUCHE NACH TEQUILLA SOVEREIGN UND/ODER NACH REUBIN FLOOD.

ALARM STUFE 1 UND VERHAFTEN. LETZTER AUFENTHALTSORT VERMUTLICH PARKPLATZ 67 STADTZENTRUM CUYAS.

Reubin beugte sich über ihre Schulter und brummte. Seine Finte hatte funktioniert.

Sie tippte: INFO ÜBER ALEXANDRA SOVEREIGN ANZEIGEN, EHEMALIGE MINISTERIN FÜR WURMHOLZ.

Personalakten erschienen auf dem Bildschirm und wurden weitergeblättert.

Reubin berührte ihre Schulter. Er roch nach Sour-mash. »Ich werd mich draußen ein bißchen umsehen.«

»Ist gut.« Sie schluckte. Als er ihr gesagt hatte, daß er dies wahrscheinlich tun werde, hatte sie Angst bekommen.

»Ich werde draußen sein, für den Fall, daß jemand vorbeikommt, um nachzuschauen, wer verbotenerweise Geräte benutzt oder in eine Hütte eingebrochen ist«, sagte er. »Wie ein Wachposten.«

Dann war er weg, das Licht wurde kurzzeitig abgeschaltet, und die Tür ging leise auf und wieder zu. Sie berührte die Tastatur ihrer Konsole, und die Beleuchtung ging wieder an. Sie vertraute ihm. Tatsächlich nahm in ihrem Geiste verschwommen ein Plan Gestalt an.

Sie tippte ›Schneller blättern‹, bis die Daten über den Bildschirm flogen und sie ihnen kaum noch zu folgen vermochte.

Das Info über ihre Mutter endete mit der Autopsie. Sonst nichts.

Aus einer Ahnung heraus tippte sie: BERICHT BEZÜGLICH BEFRAGUNG VON ALEXANDRA SOVEREIGN.

BEFRAGUNGSFILES GELÖSCHT kam augenblicklich die Antwort.

Tique ließ sich gegen den Stuhl zurückfallen, und er rutschte ein Stück weit weg.

Sie wußte genau, was passiert war. Irgend jemand, der sich mit den Details des Computersystems nicht auskannte, hatte ungeschickt eine Datei zu löschen versucht. Tique hatte das schon einmal erlebt. Man löscht eine Datei, aber die Einträge des Dateinamens in Indices, Inhaltsverzeichnissen und so weiter vergißt man. Was alles zusammengenommen auf die oberen Etagen der Wormwood Inc. hindeutete. Nichts, worauf sie und Reubin nicht schon gekommen wären. Ein untergeordneter Angestellter hätte über das technische Fachwissen verfügt, die Löschung gründlich vorzunehmen.

KRANKENHAUSRESERVIERUNGEN IN CUYAS ÄNDERN.

NAME/ADRESSE EINTRAGEN.

Sie tat es und veränderte ›Grants‹ Reservierung für einen beliebigen ›kleineren operativen Eingriff‹.

DEM BEFEHL WURDE FOLGE GELEISTET.

Tique fragte sich, wer wohl festgelegt hatte, mit welchen Formulierungen das System auf Befehle reagierte. Bestimmt irgend so ein verwirrter Bürokrat.

Sie bemerkte, daß sie schwitzte, und stellte die Klimaanlage so ein, daß sie die Luftfeuchtigkeit halbierte und die Temperatur senkte. Warum es sich nicht bequem machen? Sie hoffte, Reubin war draußen auf der Hut. Natürlich war er das. Hatte er die Flasche mitgenommen? Sie blickte zur Theke und sah sie dort stehen, der Pegel war merklich gesunken.

ANZEIGE DER AKTUELLEN WURMHOLZPLÄNE FÜR DIESEN ORT, tippte sie.

Der Bildschirm füllte sich, farbig markierte Symbole sprenkelten die Landkarte.

AUSDRUCK UND LEGENDE ANFERTIGEN, befahl sie dem System.

Der Schlitz an der linken Konsolenseite spuckte augenblicklich ein großes Blatt Papier aus.

»Reicht jedenfalls«, sagte sie und blickte sich schuldbewußt um, weil sie mit sich selbst gesprochen hatte. »Los, ans Werk«, sagte sie lauter und machte sich wieder an die Arbeit.

Sie teilte den Bildschirm, und es erschien eine Großdarstellung der unmittelbaren Umgebung des Flusses. Darauf waren die Schleusen, Dämme und Bewässerungskanäle abgebildet. Sie waren durchnummeriert. Den Querverweisen ließ sich leicht folgen. Festzustellen, welche Schleusen die Wassermenge in diesem Gebiet regelten, war leicht. Sie stellte fest, an welchen Stellen sich die Erntegeräte befanden, und tippte Ziffern ein. Außerdem beschloß sie, diejenigen Gebiete zu überfluten, wo alte Wurmholzbäume die kürzlich geernteten ersetzten. Sie konnte auch Bäume zerstören, nicht bloß teure Maschinen. Endlich konnte sie sich an der Gesellschaft wegen deren Verwüstung der Welt rächen.

Sie wies den Computer an, ihre Befehle in der folgenden Nacht zu aktivieren. Um zu verbergen, was sie getan hatte, programmierte sie ein Schutzprogramm, das den Kontrolleuren in der Schaltzentrale falsche Anzeigen auf die Monitore bringen würde. Sie würden es trotzdem bald merken, denn jede Schleuse verfügte für den Fall eines Stromausfalls über einen mechanischen Durchflußdetektor. Im allgemeinen schenkte jedoch niemand den Ersatzsystemen Beachtung, solange die Elektronik ihnen die Überwachungsarbeit abnahm.

Sie arbeitete weiter und legte an zahlreichen Stellen, wie dem Energiebedarf von Cuyas, logische Zeitbomben aus, indem sie die Zuweisungen um zwanzig Prozent reduzierte. Sie hatte vorgehabt, in die Gehaltsdateien einzudringen und dort ein wahres Chaos anzurichten, aber Reubin hatte gewarnt: »Meiner Erfahrung nach ist das die Stelle, wo die Wahrscheinlichkeit am größten ist, daß die Sicherheitsprogramme von *wirklichen* Experten programmiert wurden. Es gibt immer jemanden, der meint, er könne das System überlisten und hier und da ein wenig unterschlagen.« Tique hatte darüber nachgedacht und ihm beigepflichtet.

Sie wies das System an, bei den Exportaufträgen jede tausendachthundertdreiundzwanzigste 9 gegen eine 6 auszutauschen.

Ihre Einfälle machten Spaß und waren lohnend, jedoch ohne größere Auswirkungen auf das Wachstum oder die Ernte des Wurmholzes. Sie wollte die Wormwood Inc. an der Wurzel ihrer Existenz treffen. Keine Streiche spielen.

Sie drang in die Wurmholz-Datenbank ein und veränderte geringfügig die Ernährungsbedürfnisse der Bäume, so daß das System von veränderten Daten ausgehen würde, wenn sich die Ingenieure nach den passenden Düngemitteln und Behandlungsmethoden erkundigten.

Sie entdeckte eine Datenbank für die Seuchenbekämpfung und veränderte die Bekämpfungsmethoden mehrerer Insektenarten und Parasiten. Sie löschte die Notwendigkeit für die Bekämpfung anderer.

In einer Fußnote entdeckte sie, daß eine derartige Behandlung niedrige Dosen eines Giftes erforderte, das sie nicht aussprechen konnte und das sich für den Sanderling als tödlich erweisen würde. Obwohl sie sich dafür haßte, veränderte sie sämtliche Hinweise, die sie finden konnte, und verdoppelte die Dosis.

Sie lehnte sich zurück und bemerkte, daß sie schwer geatmet hatte und angespannt gewesen war, während sie sich mit solcher Konzentration über die Konsole gebeugt hatte.

Sie schüttelte den Kopf. Sie wollte immer noch nicht, daß unschuldige Menschen ihren Job verloren, und genau das würde geschehen.

Reubin hatte sie getadelt. »Was Sie vorhaben, wird neue Jobs *schaffen*. Man wird mehr Leute einstellen müssen, die sich um die von Ihnen geschaffenen Probleme kümmern. Sie werden das nicht einfach abschreiben, dazu ist es zu lukrativ.« Vielleicht hatte er recht.

Eine halbe Stunde lang arbeitete sie hart an einem neuen Fehlerprogramm, das jeden dritten großen Vertrag über Wurmholz stornierte. Sie sorgte dafür, daß es jedesmal von neuem ablaufen würde, wenn sich das

System aktualisierte oder veränderte. Sie würden die ganze Arbeit von Hand tun müssen, wenn sie es herausgefunden hatten, solange, bis sie ein neues System aufgebaut hatten. Es würde die Gesellschaft eine erhebliche Menge an Geld und Zeit kosten.

Sie entdeckte die Kalibrierungsdaten der Schnittlaser und Präzisionsmeßinstrumente in den Holzverarbeitungszentren, die überwiegend im Mündungsgebiet des Selby lagen. Sie veränderte wahllos Ziffern, so daß das Holz nach dem Schneiden geringfügig anders sein würde, als der Käufer es bestellt hatte.

Inzwischen in Fahrt gekommen, drang sie in die Herstellungsdaten ihres eigenen Arbeitsbereichs ein. Sie veränderte die Vorschriften für die Herstellung von Wasserpropellern, Steuerventilen, alle Arten von mechanischen Geräten, so daß sie anfällig wurden für Ausfälle, Beschädigungen oder Fehlfunktionen. Das war vielleicht eine Stelle, deren Überprüfung niemand in Erwägung ziehen würde – sobald sie erst einmal angefangen hatten, das System nach ihren Manipulationen zu durchsuchen.

Sie kam sich wie eine Verräterin vor. Enttäuschung breitete sich in ihr aus. Sie zerstörte ihr eigenes Lebenswerk. Sabotage. Nein, sag besser Habutage dazu. Ja, das trifft es schon eher.

Sie schmuggelte mehrere Viren ein, Programme, die dazu gedacht waren, sich eigenständig zu vermehren und Speicherplatz und Rechenzeit zu verbrauchen. Sie hoffte, daß sie helfen würden, ihre übrige Arbeit zu verbergen.

Bald würde es hier dämmern. Sie fragte sich, wo Reubin war. Er hätte zurückkommen und nach ihr sehen sollen.

Tiques Augen huschten über die Konsole. Die Datenreihe mit dem Datum, der Temperatur und Uhrzeit erregte ihre Aufmerksamkeit.

Plötzlich wurde ihr bewußt, daß es bereits dämmern mußte. Sie löschte das Licht und stellte das der Sonne zugewandte Fenster von vollkommen dunkel auf transparent.

Der Regen hatte aufgehört, die Sterne waren zu sehen. Abgesehen davon, daß es am Horizont merklich heller war. Das konnte sie deutlich erkennen.

Wo war Reubin?

Sie löschte die Konsole und schaltete sie aus. Sie vergewisserte sich, daß sich alle Schalter in der Stellung befanden, in der sie sie bei ihrer Ankunft vorgefunden hatte. Sie stellte die Flasche Sourmash in den Küchenschrank zurück. Sie vermutete, daß nur volle, ungeöffnete Flaschen aufbewahrt wurden, darum füllte sie drei Zentimeter Wasser nach, schüttelte die Flasche, befeuchtete das zerrissene Etikett mit der Zunge und versuchte, es wieder unversehrt aussehen zu lassen. Nicht sehr erfolgreich, aber eine oberflächliche Überprüfung mochte es überstehen.

Sie löschte das Licht und machte die Fenster wieder normal transparent.

Ängstlich spähte sie aus einem Fenster nach dem anderen. Sie konnte nichts sehen, aber der Morgenhimmel fraß das Nachtdunkel wie ein phantastisches Monster.

Beeil dich, Reubin!

Sie schlüpfte ins Freie. Sie blickte umher, ob Leute in der Nähe waren. Keine Bewegung im Umkreis der VIP-Unterkünfte. Sie überprüfte den nahegelegenen Kuppelausgang. Nichts zu sehen. Sie hätte ihn benutzt, wenn sie gemußt hätte – obwohl es aufgrund seiner Lage gut sein konnte, daß eine Kontrolleuchte in der Steuerzentrale anzeigte, wenn er benutzt wurde. Man konnte nie wissen.

Plötzlich wurde Tique bewußt, daß es nicht mehr dunkel war. Noch keine Sonne, aber sie konnte scharf und deutlich sehen – nicht bloß die Umrisse der Gebäude.

Sie eilte in das Haus zurück, das sie benutzt hatte.

Tique war inzwischen äußerst beunruhigt.

Reubin hätte draußen sein, sie vor dem Entdecktwerden beschützen sollen. Sie hatte sich wohl und sorglos gefühlt, weil sie gewußt hatte, daß er dort draußen war. Sie hatte sich sicher gefühlt.

Jetzt nicht mehr.

Sie wanderte in der Hütte umher, spähte aus jedem Fenster. Sie ging auf die Toilette. Sie verspeiste eines der Fertiggerichte und konnte sich anschließend nicht erinnern, was sie gegessen hatte.

Vielleicht spielte er Habu und ging einer anderen Beschäftigung nach. Wie zu töten, beispielsweise.

Es war inzwischen taghell, und über dem Horizont ging die Sonne auf.

Zeit, sich zu entscheiden. Noch ein paar Minuten, und die Wahrscheinlichkeit, entdeckt zu werden, würde zu groß sein. Sollte sie weiter auf Reubin warten? Sie konnte den Nebeneingang der Kuppel benutzen und in den Wurmholzwald gehen, dorthin, wo sie ihre Rucksäcke versteckt hatten. Reubin würde keine Probleme haben, sie zu finden.

Aber angenommen – angenommen, ihm war etwas passiert? Vielleicht brauchte er Hilfe. Vielleicht verließ er sich darauf, daß sie in der Hütte war.

Immer noch aus einem der Fenster schauend, sah Tique einige Männer aus einer der Baracken kommen.

Wenn sie die Siedlung verlassen wollte, mußte sie es *jetzt* tun.

Wie sollte sie sich entscheiden?

10

Reubin

REUBIN LIESS TIQUE IN DER HÜTTE ZURÜCK. Er durchstreifte die unmittelbare Umgebung, um sich zu vergewissern, daß sie immer noch sicher waren. Aus der Hütte drang kein Licht.

Niemand hielt sich im Freien auf. An den Baracken und dem, was er als Cafeteria in Erinnerung behalten hatte, flammte gelegentlich ein Licht auf. Wie immer verursachte es ihm ein eigenartiges Gefühl, den Elementen ausgesetzt zu sein und von der Kuppel beschützt zu werden. Er hatte das Gefühl, der Regen müsse ihn treffen, und sein Körper wartete und erwartete ihn, aber der Regen floß einfach an der Kuppel ab.

Habu kam ein Stück näher an die Oberfläche heran.

Er entfernte sich. Er hatte Tique zwar gesagt, er werde den Wachposten spielen. Dafür bestand jedoch keine Veranlassung. Sie hatte lange genug gearbeitet, daß die Leitzentrale die Sicherheitsabteilung zum Nachsehen losgeschickt haben würde, *wenn* sie den unerlaubten Gebrauch der Hütte oder der Konsole bemerkt hätte. Also gehörte dies nicht zu den Punkten, die überwacht wurden.

Tique war einstweilen in Sicherheit. Er hatte jedenfalls andere Pläne.

Ein Schatten unter anderen Schatten, huschte Reubin weiter. Als er zum Haupteingang der Wohnkuppel gelangte, streifte er die Kapuze des Wormwood-Overalls über. Das Material des Kleidungsstücks selbst war wasserdicht. Mit angezogener Kapuze, im Dunkeln, machte er sich keine Sorgen, entdeckt zu werden.

Ungezwungen verließ er die Kuppel und ging hinaus in den Regen. Jede Armee, jede Organisation, in der er je Mitglied gewesen war oder mit der er zu tun gehabt hatte, war groß genug gewesen, ihre eigene Fahrzeugflotte zu unterhalten, deren Abfertigungs- und Wartungsabteilung ›Fahrbereitschaft‹ genannt wurde – auch wenn der Begriff ›Fahren‹ nicht mehr zutraf. Reubin fand, dieser archaische Ausdruck gehöre zum Wesen des Menschen, ebenso wie manche Religionen: sie paßten sich den herrschenden Bedingungen an, schlugen jedoch eine Brücke zur Vergangenheit und behielten denselben alten Glauben bei.

Natürlich arbeitete niemand in der zweiten Nachtschicht – zumindest nicht draußen im Regen.

»Mist«, sagte Reubin leise. Der Druck nahm wieder zu. Er schüttelte den Kopf, um ihn frei zu machen, und sehnte sich nach einem Schluck Sourmash.

Ursprünglich hatte er vorgehabt, die Mehrzahl der Gleiter in der Fahrbereitschaft oder alle funktionsunfähig zu machen. Doch ebenso wie er und Tique beschlossen hatten, hier oder in der Nähe der Siedlung nichts Auffälliges zu unternehmen, damit sie nicht bemerkt und gejagt wurden, hatte er sich entschlossen, die Luftflotte nicht zu sabotieren. Wenn sich jedes Fahrzeug als beschädigt herausstellte, wäre kein Genie erforderlich, um herauszufinden, welche Personen aus Snisters Gesamtbevölkerung ein Motiv für eine solche Tat hatten. Was geradewegs auf Reubin und Tique hindeuten würde. Was die Gendarmerie mobilisieren würde, mit genügend High-Tech-Geräten, um sie mühelos in den Wäldern ausfindig zu machen. Er glaubte, daß er es allein vermeiden könnte, aufgespürt zu werden – oder die Verfolger abschütteln oder ihnen ausweichen könnte; aber nicht sie beide zusammen. Tique war weder so mobil, noch so belastbar wie er. Ihm kam der Gedanke, daß er sie möglicherweise unterschätzte.

Darum, aus Gründen der persönlichen Sicherheit, würde er die Luftflotte nicht sabotieren. Er beschädigte lediglich einen Gleiter.

Er überquerte die North Avenue und ging weiter Richtung Süden, als gehörte er hierher. Er bog nach rechts zur Fahrbereitschaft ab.

Als er das Gelände der Fahrbereitschaft betrat, ließ der Regen nach und hörte auf. Er mußte jetzt vorsichtiger sein, da ihm der Regen keinen wirksamen Schutz mehr bot.

Augenblicklich hatte er sich mit der Fahrbereitschaft wieder vertraut gemacht. Die eine Seite der Fahrbereitschaft diente der Wartung, und auf der anderen Seite befand sich die sogenannte ›Bereitschaftslinie‹.

Dorthin wandte er sich.

In Schatten gehüllt, huschte er an der Bereitschaftslinie entlang. Es gab schlanke, anscheinend schnelle Gleiter, speziell für den Personentransport bestimmt. Mittelgroße Fahrzeuge konnten kleine Lasten befördern. Große, breite Luftlaster und Leichter für größere Frachten, die nicht auf billigere und stärkere Bodentransporter warten konnten, standen zurückgesetzt und bildeten ihre eigene Skyline. Als er die Leichter betrachtete, empfand er einen Anflug von Bedauern. Er dachte an seine erste Begegnung mit Alex. Was für eine wundervolle Zeit sie miteinander verlebt hatten; und die Zukunft hatte versprochen, noch besser zu werden.

Reubin wünschte, er hätte sich mit den verschiedenen Modellen besser ausgekannt. Die Funktion ist etwas Universelles, dachte er, aber Stil und Form sind eine Frage des lokalen Designs und der jeweiligen Fertigungsmethoden. Er dachte an die ferne Vergangenheit zurück, als die Form der Funktion zu folgen hatte; das war heutzutage nicht mehr nötig.

Er wählte eines der mittelgroßen Fahrzeuge aus, weil es möglicherweise die größte Reichweite hatte.

Reubin kletterte ins Cockpit, und ein Licht ging an. Er verfluchte sich dafür, die Grundlagen vergessen zu haben. Rasch schloß er die Tür und schaltete das Licht aus. Er saß da und hielt durch die Kuppel nach Hinweisen darauf Ausschau, daß jemand das Licht bemerkt hatte.

Nichts.

Er stellte den Lichtstrahl auf möglichst enge Bündelung und schwächte ihn so weit ab, daß er selbst kaum noch etwas sehen konnte. Er klappte das Armaturenbrett auf und studierte die Schaltungen. Mal sehen – welches Teil konnte er zerstören, wofür keine Ersatzteile vorrätig sein würden? Eine Nulljustierung oder Störungsanzeige. Er dachte eine Weile nach und überprüfte das Schaltdiagramm auf der Rückseite des Armaturenbretts. So viele Luftfahrzeuge er auch geflogen war, noch nie hatte er es mit einem Geschwindigkeitsproblem zu tun gehabt. Er fand die entsprechende gedruckte Schaltung und entfernte sie.

Wenn jemand dieses Fahrzeug zu benutzen versuchte, würde die automatische Selbstdiagnose anzeigen, daß der Geschwindigkeitsregler ausgefallen war, und man würde es in die Werkstatt bringen. Die das Ersatzteil bestellen würde, hoffte Reubin. Dann kam ihm der Gedanke, daß man einfach nur eine Schaltung aus einem anderen Gleiter zu nehmen brauchte, der bereits ausgefallen war. Darum mußte er sich noch etwas anderes einfallen lassen.

Er hob den Vordersitz an und versteckte die gedruckte Schaltung für den Geschwindigkeitsregler in der Schaumpolsterung.

Es war seine Absicht, ein Fahrzeug zu haben, in das er auf Anhieb hineinkommen, es unverzüglich starten, abheben und damit losfliegen konnte. Er hatte immer gern einen oder mehrere Pläne im Rückhalt. Dieser Gleiter würde ihm zur Verfügung stehen, auch wenn alle anderen Gleiter in Gebrauch waren – ob sie nun für eine großangelegte Suche nach ein paar Gesetzlosen vorgesehen oder bereits damit beschäftigt waren.

Zu guter Letzt beschloß er, das Diagnosesystem zu zerstören. Das würde den Gleiter für lange Zeit am Boden festhalten, und der Techniker würde tatsächlich Reparaturen vornehmen müssen, anstatt lediglich gedruckte Schaltungen auszuwechseln.

Er fuhr mit dem Finger über das Schaltdiagramm auf der Innenseite des Armaturenbretts, wobei er sich vergewisserte, daß er keine lebenswichtige Funktion des Fahrzeugs zerstörte. Er fand den winzigen Chip, der die Selbstdiagnose überwachte. Mit dem Messer durchtrennte er die zu dem Gerät führenden Leitungen. Der Gleiter würde funktionieren, der Selbsttest jedoch nicht, und die Maschine würde einem Techniker auch nicht sagen können, was kaputt war. Wenn man entdeckte, daß der Geschwindigkeitsregler fehlte, würde man einfach keine Erklärung dafür haben. Es war nichts, was man mit Sabotage in Verbindung bringen würde.

Reubin war zuversichtlich, daß ihnen *dieser* Gleiter zur Verfügung stehen würde. Falls sie ihn brauchten.

Er fragte sich, was Tique wohl gerade machte.

An der Innenseite des Armaturenbretts war ein kleiner Beutel mit Werkzeug befestigt, das ein Techniker für die Arbeit an den elektronischen Systemen brauchen würde. Reubin steckte es in die Tasche.

Leise stahl er sich aus der Fahrbereitschaft hinaus.

Er hatte vor, jetzt die gefährlichere Aufgabe in Angriff zu nehmen, die er sich gestellt hatte.

Eine Waffe zu stehlen.

Eine knifflige Aufgabe. Laser und andere Waffen waren keine Geschwindigkeitsregler. Man würde automatisch Verdacht schöpfen. Reubin hatte sich noch nicht entschieden, ob er einen Gendarmen überwältigen und ihm die Waffe abnehmen, oder ob er versuchen sollte, sich eine aus der Sicherheitsabteilung zu verschaffen. Es würde von den Umständen abhängen. Außerdem würden Waffen auf einer Welt, welche die Wormwood Inc. samt ihrer Bewohner kontrollierte, nicht frei zugänglich sein.

Er wünschte sich, es würde noch regnen.

Er durchquerte den Lagerbezirk in Richtung der Zentrale und der Sicherheitsabteilung. Seine früheren Erkundungen hatten ihm einen guten Überblick über die Siedlung verschafft.

Er rief sich in Erinnerung, daß die Sicherheitsabteilung und die Leitzentrale auf der gegenüberliegenden Seite des Verwaltungsbezirks lagen. Er überquerte die West Avenue und ging parallel neben der South Avenue her, bis er fand, daß er weit genug gegangen war. Gerade als er sich anschickte, die South Avenue zu überqueren, raste ein Bodenfahrzeug vorbei, dessen Gebläse einen feinen Nebel erzeugten.

Indem er zwei großen Pfützen auswich, überquerte Reubin die Straße. Er versteckte sich hinter einem kleinen Gebäude, auf dem QUALITÄTSKONTROLLE stand.

Gegenüber der ARBEITSPLANUNG lag die STEUERZENTRALE. Unmittelbar dahinter, umgeben von einer ausgedehnten gepflasterten Fläche, lag die SICHERHEITSABTEILUNG. Gesellschaftsfahrzeuge, einige signalgelb bemalt, standen davor.

Reubin umkreiste das Gebäude. Wer würde schon ein Gebäude der Werkspolizei bewachen? Besser, er vergewisserte sich. Er ging ein Risiko ein und durchsuchte jedes einzelne Fahrzeug nach Waffen. Nichts. Der Sicherheitsdienst und die Gendarmerie der Wormwood Inc. unterwarfen sich einer strengen Disziplin.

Er kehrte zur Gebäuderückseite und der Tür zurück, die er dort gesehen hatte.

Aller Wahrscheinlichkeit nach würde sie sich auf eine Berührung hin öffnen. Bei einem Gebäude mit hoher Besucherfrequenz bestand kein Grund, die Türen zu verschließen. Abgesehen vom Waffenschrank vielleicht.

Er wünschte sich, er hätte den Grundriß der Sicherheitsabteilung gekannt, berührte das Schaltfeld und beobachtete, wie die Tür zur Seite glitt.

Er ging hinein, als gehörte er hierher. Und befand sich in einem langen, leeren Korridor.

Wo war der Kontrollraum? Dies würde der gefährlichste Teil des Gebäudes sein, der häufiger von Leuten betreten und verlassen wurde.

Vorsichtig und geräuschlos huschte er über den Korridor. Die Türen waren beschriftet, wie es bei militärischen oder polizeilichen Einrichtungen üblich war: TOILETTE, MÄNNER, SPIND, LAGER. TREPPE, NOTAUSGANG. PERSONAL. Natürlich kein WAFFENSPIND. Er würde sich woanders auf dieser Etage befinden, in einem Keller oder Kellergeschoß, das mehr Sicherheit böte. Vielleicht war er oben im ersten Stock – das Gebäude konnte nicht mehr als zwei Stockwerke beherbergen. Die menschliche Natur, wußte Reubin, würde ein Minimum an Waffen erforderlich machen.

Der Korridor bog nach links ab, und er spähte um die Ecke.

Es haute hin.

Ein großer, offener Raum. Computerterminals, elektronische Funkausrüstung. Zwei Männer an einer Konsole spielten ein Computerspiel, um die langweiligen Nachtstunden herumzubringen.

Reubin zog sich zurück und dachte nach. Damit war der Grundriß des Gebäudes klar. Er haderte mit sich, weil er es versäumt hatte, es von Tique vorher ausspionieren zu lassen. Andererseits hätte sie Einwände erheben können, wenn sie seine Pläne gekannt hätte. Jetzt war es jedenfalls zu spät.

Da der Kontrollraum eine hohe Decke besaß, bedeutete dies, daß die erste und zweite Etage um den Zentralbereich herum angelegt waren. Es mußte Korridore geben, die in einem Außenring um das Gebäude herumliefen – oder zumindest ein oder zwei Flure, die anderswo hinführten und den Kontrollraum mieden.

Er riskierte einen weiteren raschen Blick. Die beiden Männer waren immer noch mit ihrem Spiel beschäftigt. Seine Augen katalogisierten rasch. Nichts, was zum Aufbewahren von Waffen dienen konnte. Es konnte sein, daß es hier in der Siedlung so wenige Waffen gab, daß sie in einen kleinen, in den Boden des Kontrollraums eingelassenen Kasten paßten.

Er zog sich zurück, bis er die Tür zum Treppenhaus entdeckte. TREPPE, NOTAUSGANG. Dort angelangt, zögerte er. Kein Geräusch. Eine Treppe, die nach oben führte, keine nach unten. Was Sinn ergab. Die Siedlung war als Basislager für den Anbau von Wurmholz und dessen Ernte geplant worden; man würde wenig Interesse daran haben, im Boden herumzugraben – diese Fertigbauten konnten auf alle möglichen Arten zusammengesetzt werden, aber keines von ihnen war unterkellert.

Leise stieg er die Treppe hoch. Die Tür oben machte beim Öffnen nur wenig Geräusch. Er spähte in einen weiteren Flur hinaus. Niemand da.

Genau gegenüber befand sich eine mit WAFFEN. VORSICHT, SPRENGSTOFFE beschriftete Tür.

Sein Interesse war geweckt, und Habu regte sich.

Es wurde allmählich Zeit, daß bei ihm etwas klappte. Er erkundete den Korridor, lauschte an Türen. Offenbar war dieser Teil den Beamten der Sicherheitsabteilung vorbehalten. Reubin vermutete, das ›Sicherheit‹ mehr umfaßte als nur die Wahrnehmung von Polizeifunktionen, darum würden zusätzlich zu den wenigen Gendarmen Sicherheitsleute anwesend sein.

Am innen gelegenen Ende endete der Korridor an einer Kuppel mit Blick auf die Steuerzentrale. Andere Gänge zweigten davon ab, so daß alle Teile des Obergeschosses miteinander verbunden waren.

Reubin kehrte zum Waffenschrank zurück. Es war anzunehmen, daß sich der Beamte oder die Kommandostelle in der Nähe befanden.

Er untersuchte die Tür. Metall. Ein mechanisches Schloß, entweder als Rückversicherung für den Fall eines Stromausfalls oder als zweite Sicherheit. Das elektronische Schloß wirkte jedenfalls harmlos.

Reubin sagte sich, daß er zu lange aus der Übung sei und vielleicht einen Notausgang brauchen würde. Er überprüfte die angrenzenden Korridore. Keine Treppe. Wahrscheinlich gab es noch eine auf der gegenüberliegenden Seite des Kontrollraums. Zu weit, als daß er es hätte riskieren können. Er wollte die Bürotüren nicht ausprobieren, um zu sehen, ob sie sich öffnen ließen, weil die beiden Männer unter ihm das Kommen und Gehen in den Büros vielleicht über Monitor überwachen konnten – und sei es nur, um mitzubekommen, wann die hohen Tiere anwesend waren. Eine raffinierte Standleitung würde dafür ausreichen, zumal während der Nachtschicht, wenn nichts geschah und man im Dienst ein kleines Nickerchen machen konnte.

Ein kleiner Aufzug auf der gegenüberliegenden Seite des Kontrollraums würde ihm nichts nützen. In dem Treppenhaus, das er benutzt hatte, befand sich eine Klapptür.

Sonst nichts.

Reubin kehrte zu der Waffentür zurück und betrachtete sie eingehend. Er suchte nach verborgenen Kontakten, nach Stellen, die nicht Teil des Verschlußmecha-

nismus waren, sondern Signale an Alarmgeräte weiter-
leitete.

Erneut verfluchte er sich dafür, nicht klar denken zu
können. Überwachungskameras. Er schritt den Korridor in beide Richtungen ab. Gut. Keine Kameras.

Er suchte ein Werkzeug aus der Reparaturaus-
rüstung heraus, das mehr aus Drähten bestand als aus
irgend etwas sonst. Er öffnete das mechanische Schloß
innerhalb von Minuten. Er ging den Korridor hinunter
und blickte durch die Kuppel: kein Alarm. Dieser Ausguck kam ihm gelegen.

Er kehrte in den Waffenraum zurück. Mit dem Messer schnitt er die Isolation von der Stromzuführung
ab und befestigte eine Klemme daran, um eine Über-
brückung zur Erdleitung herzustellen. Wieder eilte er
zur Kuppel. Immer noch kein Alarm.

Wieder am Schloß angelangt, holte er tief Luft und
entfernte behutsam die Abdeckung. Vom Mechanismus
führte eine Leitung zu einem kleinen Gerät, das in die
Tür hineinragte. Nicht so gut.

Reubin ging mit den Fingern gerade Drähten nach,
als das Zucken in seinem Kopf wieder einsetzte, diesmal schlimmer als eine Migräne. Seine Hand rutschte
aus.

Zur falschen Stelle.

Er wußte es in dem Moment, als es geschah.

Er taumelte zur Kuppel.

Die beiden Männer gingen von einer Konsole zur anderen. Ein rotes Lämpchen blinkte.

Nur noch Sekunden.

Falls es Hinweise darauf gab, daß jemand in den
Waffenschrank einzubrechen versucht hatte, würde
man die Siedlung durchsuchen und Tique finden.
Sollte er sich festnehmen lassen?

Fieberhaft arbeitend, drückte er die Kappe wieder
auf das elektronische Schloß und entfernte die Über-

brückung. Sein Kopf pochte, während er das mechanische äußere Schloß wieder versperrte.

Wegen des Adrenalins war Habu jetzt vollkommen wach und auf dem Posten.

Er vergeudete keine Zeit damit, noch einmal zur Kuppel zu gehen. Er probierte einige Bürotüren aus, um seine Theorie zu testen.

Abgeschlossen.

Als erste Maßnahme mußte man eine Totalsperrung durchgeführt haben – sämtliche Eingänge und Innentüren waren auf einen Knopfdruck hin verschlossen worden.

Zum Glück hatten Sicherheitserwägungen Vorrang, und die Tür der zum Notausgang führenden Treppe ging auf.

Reubin konnte beinahe spüren, wie Füße, von einem anderen Gebäudetrakt kommend, den Flur entlangpolterten.

Im Treppenhaus sprang er nach dem Griff der Tür, die zum Dach führte. Er verfehlte ihn, und seine Kopfschmerzen wurden noch schlimmer. Er konnte sich nicht die Zeit nehmen, den Schmerz zu dämpfen. Er sprang erneut und bekam den Griff zu fassen. Er quietschte und gab nach. Während er dies tat, verlagerte Reubin seinen Halt zu einem Festhaltebügel daneben. Er stieß die Tür nach oben und krabbelte hinter ihr hinauf. Er drehte sich um und schloß die Klappe.

Es war klar, daß dieser spezielle Dachzugang die ganze Zeit über verschlossen sein sollte und darum nicht mit dem elektrischen Sperrsystem des restlichen Gebäudes verbunden war.

Kühle Luft überschwemmte ihn, und er atmete sie schon beim Klettern tief ein.

Wie die meisten Fertigbauten, die entweder für Kuppeln oder für draußen bestimmt waren, war dieses flach und bot Zugang zu den Klimasystemen und sanitären Installationen, um diese warten und instandsetzen zu können.

Erneut wünschte sich Reubin, es möge regnen. Verdammter Planet, es regnete, wenn man es nicht wollte. Aber wenn man es wollte...

Er gab sich einen Ruck. Vorsichtig bewegte er sich zum Rand des Gebäudes und spähte darüber. Ein Pflaster, und gegenüber das Gebäude der Steuerzentrale.

Während er zur anderen Seite des Gebäudes hinüberwechselte, schätzte er, daß es nur etwa eine Minute her war, daß er den Alarm ausgelöst hatte. Da seine Gedanken abschweiften, war es schwer, das genau zu sagen.

Wenngleich beleuchtet, war die Rückseite des Sicherheitsgebäudes weniger gefährlich als die Vorderseite. Ein innerer Druck trieb ihn an. Tique könnte für seinen Fehler bezahlen müssen.

Kein Seil, keine sichtbaren Sprossen, die als Leiter dienen konnten.

Mist. Er glitt über die Kante, ließ sich möglichst tief herunterhängen, stieß sich kraftvoll ab und ließ los.

Der Schwung des Stoßes erlaubte es ihm, sich in der Luft zu drehen. Er traf auf den Boden auf, wie er es häufig mit dem Fallschirm getan hatte: mit angezogenen Knien und die Schultern in der klassischen Haltung eingezogen. Er rollte sich ab und kam sofort wieder hoch, vom Sprung unverletzt. Vor dem Gebäude vernahm er eine Art von Tumult, darum hielt er sich unmittelbar hinter dem Sicherheitsgebäude. Er flitzte an ein paar anderen Fertigbauten vorbei und rannte über die South Avenue Richtung Norden.

Lichter schienen ihm entgegenzukommen, darum tauchte er hinter der QUALITÄTSKONTROLLE unter, wobei er seinen ursprünglichen Weg zum Sicherheitsgebäude beinahe exakt zurückverfolgte.

Er schalt sich einen Narren. Er hatte eine Waffe nicht

so dringend gebraucht, um das Risiko einer Entdeckkung einzugehen – und genau das hatte er nun getan.

Überall flammten Lichter auf, und er hatte das Gefühl, in der Falle zu sitzen. Sie mußten entweder eine schnelle Eingreiftruppe haben – oder einen harten Kommandanten, der Disziplin und bei Alarm schnelles Reagieren verlangte.

Überlaß mir die Kontrolle. Ich kann dem Feind entkommen.

– Nein. Noch nicht. Reubin wollte in aller Stille durch das Sicherheitsnetz schlüpfen; Habu würde angreifen oder sich den Weg freikämpfen. Obwohl er, von Habu unterstützt, ein schnelles Tempo vorlegte, konnte er trotzdem entdeckt werden. Vielleicht verfügten sie über mobile Ortungsgeräte – obwohl MOGs nicht zur Standardausrüstung gehörten und ein Außenposten wie die Siedlung nicht unbedingt welche brauchen würde.

Sein Instinkt führte ihn um die ARBEITSPLANUNG herum, und das war die STEUERZENTRALE. Er fühlte sich bedrängt. Sie hatten ein Netz ausgeworfen und zogen es allmählich zu.

Einer der Gründe, warum er so lange überlebt hatte, war, daß er das Unerwartete zum richtigen Zeitpunkt getan hatte. Er kämpfte gegen das Brennen in seinem Kopf und sprintete auf die STEUERZENTRALE zu. Der unwahrscheinlichste Ort, an dem sich ein Eindringling verstecken würde, denn das war das belebteste Gebiet, wo ein ständiges Kommen und Gehen herrschte.

Er rannte um die Rückseite der ZENTRALE herum.

Nun war er also hier, und was jetzt?

Keine Zeit.

Reingehen, zu gefährlich. Das ganze Außengelände durchsucht, die Wahrscheinlichkeit zu groß, daß man ihn abfangen würde. Runter ging nicht. Blieb noch der Weg nach oben.

Die ZENTRALE war ein zweigeschossiger Fertigbau, der, soweit er erkennen konnte, mit der SICHERHEITS-ABTEILUNG identisch war. An der gegenüberliegenden Seite des Gebäudes lehnten einige Wandteile, was bedeutete, daß man im Begriff war, das Gebäude zu erweitern.

Reubin rannte diese Teile hoch und sprang nach dem Rand des Gebäudes. Er zog sich mit einem Klimmzug hinauf.

Das gleiche wie beim anderen Gebäude. Rohrleitungen und Belüftungsvorrichtungen. Wenngleich zwischen den Rohren und dem Kühlaggregat Platz war, um sich zu verstecken, war es naheliegend, daß man hier nachsehen würde. Darum hockte er sich neben die große Maschine und betrachtete die aufs Dach führende Türklappe.

Sein Gesichtsfeld war eingeschränkt, aber gelegentlich sah er Leute eilig das erhellte Gelände zwischen der STEUERZENTRALE und der SICHERHEITSAB-TEILUNG betreten und es wieder verlassen. Er hörte das Geräusch von Fahrzeugen vor dem Sicherheitsgebäude. Einmal hob ein Gleiter ab, und er duckte sich zwischen den Gerätekasten und die Rohre. Der Gleiter leuchtete das Gebiet mit einem Scheinwerfer ab, dann verschwand er in der Nacht.

Er hatte es tatsächlich geschafft. Er wußte, daß er seinen Fehler dem zunehmenden Schmerz, dem Druck und der Desorientierung zuschreiben konnte. Doch das änderte nichts. Er hatte den Fehler gemacht. Er selbst. Die mildernden Umstände zählten nicht. Der wahrscheinliche Preis würde in Menschenleben bezahlt werden müssen, mit seinem und Tiques.

Er kehrte wieder zu seiner Wartestellung zurück.

Gerade noch rechtzeitig, denn die Klapptür knarrte und sprang auf.

Reubin rückte hinter das Metallgehäuse.

Ein bärtiger Mann kletterte herauf. »Ich seh mal nach«, sagte er zu jemandem hinter sich.

Der Mann schritt das Dach im Uhrzeigersinn ab.

Reubin desgleichen, wobei er sich so bewegte, daß sich ständig das Gehäuse und die Rohre zwischen ihnen befanden, und er gleichzeitig die Klapptür beobachtete, für den Fall, daß ein weiterer Wächter herauskam.

Der Mann bewegte sich weiter im Kreis und leuchtete mit einer Lampe in das Kabuff zwischen dem Gehäuse und den Rohrleitungen. »Nix.« Er setzte seinen Rundgang fort, und Reubin desgleichen. Bald war er wieder an seinem Ausgangspunkt angelangt, mit dem Gehäuse zwischen ihm und dem Mann und der Klapptür. Der Mann setzte sich auf das Dach und streckte die Beine durch die Tür. »Die Leute von der Sicherheit sehen wieder mal Gespenster.« Er verschwand, und die Klappe ging zu.

Reubin ließ sich in die geschützte Position zurücksinken und wehrte den Schmerz ab. Die ständigen Schmerzen dämpften Habus Anwesenheit. Er wünschte, er hätte die Schmerztabletten aus dem Medizinschränkchen der VIP-Unterkunft mitgenommen. Jetzt hätte er sie brauchen können. Außerdem schwebte Tique in Gefahr, und er war daran schuld.

Nach einer Weile ließen die Aktivitäten nach. Vielleicht hatte er seine Spuren gut genug verwischt. Vielleicht glaubte man, bei dem Alarm handele es sich nur um einen elektronischen Defekt. Selbst wenn er ein paar kleinere Kratzer an der Tür oder den Sperrvorrichtungen zurückgelassen hatte, würde niemand sagen können, daß diese von einem Einbrecher stammten. So etwas konnte jederzeit vorkommen, beim normalen Gebrauch oder bei der Wartung des Systems.

Wenn man keinen unumstößlichen Beweis entdeckte, dann, hoffte er sehnsüchtig, würde man die Wahrscheinlichkeit eines Einbruchs für gering halten. Anderseits, wenn die Wormwood Inc. ihre Angestellten so behandelte, wie sie ihn behandelte, dann würde sie eine Menge Feinde haben, und die Sicherheitsabteilung und die Gendarmerie würden zäh, gut ausgebildet und wachsam sein. Und diesen Eindruck hatte Reubin.

Er drängte den Schmerz in den Hintergrund zurück und überdachte seine Lage.

Bis zum Morgengrauen war es nicht mehr lange. Er hatte keine Uhr, um es genau sagen zu können. Er hätte in der Arena eine mitnehmen sollen, als er die Kleider und das Geld an sich genommen hatte. Aber die meiste Zeit über war er Habu gewesen und hatte unter Drogen gestanden und nicht klar denken können. Ein weiterer Fehler, der ihm plötzlich bewußt wurde: das gestohlene Funkgerät. Immer noch in seinem Rucksack, draußen in den Wurmholzwäldern versteckt. Jetzt im Moment hätten Tique und er es dazu benutzen können, einander mitzuteilen, wenn sie Schwierigkeiten hatten. Er verfluchte sich selbst. Dieses Funkgerät hätte sein momentanes Problem gelöst, nicht zu wissen, was der Sicherheitsdienst dachte *und* was er wegen des Alarms unternahm. Die mentalen Probleme beeinträchtigten sein Urteilsvermögen erheblich.

Und es würde noch schlimmer werden.

Er lehnte sich zurück, um das Zucken in seinem Kopf zu bekämpfen. Es kam und ging. Er konnte es mit keiner anderen Erfahrung vergleichen, da er noch nie so nahe an seine Grenzen herangekommen war. Im allgemeinen ließ er sich mit der Umwandlung mehrere Jahre Spielraum – wenn nicht mehr. Er fragte sich, ob er umso stärker alterte, je häufiger er die Behandlung brauchte. Das konnte ihm kein Wissenschaftler sagen, da Reubin einer der letzten Erdgeborenen war und darum zur Vorhut des Programms zur Lebensverlängerung gehörte.

Seine Gedanken wandten sich in eine andere Richtung. Wenn die Suchaktion zu keinem Ergebnis führte, dann würde sie sich hoffentlich totlaufen, ihren Schwung verlieren, bevor sie die Außenbezirke und die Besucherquartiere der VIPs erreichte.

Die Ruhe tat ihm gut.

Als er sich sagte, daß dieser Zeitpunkt so gut wie jeder andere sei, stand er auf und erkundete von allen vier Seiten des Daches der Steuerzentrale aus das Gelände.

Zusätzliche Beleuchtung. Ein Mann, der vor der Eingangstür des Sicherheitsgebäudes stand und offenbar als Wachposten diente. Zur Seite hin war das Planungsgebäude so hell erleuchtet, daß Reubin eine Gruppe von Männer erkennen konnte, die sich einen Weg zwischen den Gebäuden hindurch bahnte.

Verdammt. Sie waren hartnäckig, suchten nach irgendeinem Hinweis. Er hatte den Eindruck, daß sie konzentrische Kreise zogen. Ein zu großes Risiko, jetzt hinunterzuklettern.

Er war bereit, es einzugehen, als er umherstreifende Patrouillen ausmachte. Gendarmerieuniformen.

O je.

Das Morgengrauen lugte über den Horizont.

Reubin legte sich flach hin und beobachtete den Eingang und den Parkplatz des Sicherheitsgebäudes, denn wenn Tique gefaßt wurde, würde man sie bestimmt zur Sicherheitsabteilung bringen.

Ehe er eine passende Gelegenheit erwischt hatte, hinunterzuklettern und sich zur Hütte durchzuschlagen, war es vollkommen hell geworden. Trotzdem wollte er es versuchen, aber im Umkreis der Gebäude herrschte ein ständiges Kommen und Gehen. Dort befand sich das Zentrum der Aktivität.

Und wegen des erhöhten Alarmzustandes wollte Reubin nicht versuchen, sich unter das Personal der

Wormwood Inc. zu mischen. Das konnte funktionieren, die Chancen standen jedoch gegen ihn.

Er dachte an Tique. Würde sie in der VIP-Hütte bleiben? Wenn sie nur etwas Verstand hatte, wäre sie bereits auf dem schnellsten Wege verschwunden und wartete bei ihren Rucksäcken auf ihn.

Als die Tagesgeschäfte aufgenommen wurden, versteckte Reubin sich wieder in dem Kabuff zwischen dem Gehäuse und den Rohren. Zuviele Gleiter.

Er würde bis zum Abend warten müssen.

Es sei denn, es käme ein heftiges Unwetter, und Wind und Regen erlaubten es ihm, den Kopf mit der Kapuze verhüllt, sich wirksam zu verkleiden.

Während Snister rotierte und die Sonne allmählich höher stieg, begann die Tageshitze herabzubrennen. In der näheren Umgebung bildeten sich keine Wolken.

Seine Sorge um Tique nahm zu. Allein konnte sie möglicherweise entkommen. Einen Gleiter stehlen, die Verfolger im Schutz der riesigen Wurmholzbäume abhängen. Flußabwärts schwimmen. Irgend etwas.

Doch er bezweifelte, daß Tique über die gleiche Ausdauer und angeborene Gerissenheit verfügte wie er. Von der jahrhundertelangen Erfahrung des Fliehens und Sichverbergens ganz zu schweigen.

Machte er sich zuviele Sorgen um sie? Er leugnete nicht, daß er sich mehr und mehr zu ihr hingezogen fühlte. Eine einfache Erklärung dafür mochte sein, daß sie die Tochter ihrer Mutter war. Intelligent, aufgeweckt, klug, attraktiv. Und noch wichtiger: mit gutem Urteilsvermögen, Humor, den richtigen Eigenschaften, und einer individuellen Weltanschauung.

Herrgott noch mal. Er konnte diese Komplikationen nicht brauchen. Er mußte die nächste ILV-Niederlassung finden, sich behandeln lassen und zur entferntesten Grenze fliegen.

Der Druck in seinem Kopf nahm wieder zu, doch er

trübte nicht den Gedanken, daß er vor allem Alexandras Mörder finden mußte. Um dies zu erreichen, würde er Snisters Wirtschaft ruinieren müssen. Sein Verlust war nicht der einzige Grund, warum er sich rächen wollte. Er tat es auch für Alex, die etwas Besseres verdient hatte. Und für die Menschheit, die ohne sie ärmer war. Jesus, dachte er, der Brei in meinem Kopf macht meine Gedanken rührselig und weich.

Gegen Mittag gab ihm ein kurzer Regenschauer Hoffnung und löschte seinen Durst, reichte jedoch nicht aus, um zu fliehen.

Er wünschte, er hätte den Eingang des Sicherheitsgebäudes sehen können.

Weil er wußte, daß man ihm, ihrem Komplizen, eine Falle stellen würde, wenn man Tique in der VIP-Hütte festnahm. Das würden sie als erstes versuchen.

Bei Einbruch der Dunkelheit drohte seine Blase zu platzen, doch er wollte nicht auf das Dach gehen, weil es eine Spur von ihm hinterlassen würde, einen erstklassigen Beweis, auch wenn die Wahrscheinlichkeit einer Entdeckung während der Nacht äußerst gering war.

Als es vollständig dunkel geworden war, beobachtete er von der Dachkante aus. Nichts Ungewöhnliches, soweit er erkennen konnte. Keine übermäßigen Sicherheitspatrouillen. War man zu dem Schluß gekommen, es handele sich um keinen wirklichen Einbruch? Er hoffte es.

Dann kam der Regen, Gott sei Dank, und Reubin vergeudete keine Zeit und kletterte nach unten. Er eilte über die South Avenue in Richtung der Wohnkuppel.

Sollte er in die Wurmholzwälder hinausgehen und zunächst an ihrem Treffpunkt nach Tique Ausschau halten?

Nein, der Regen bot ihm die beste Gelegenheit, die Hütte zu überprüfen. Falls nötig, würde er um die

Kuppel herumgehen und sie durch den äußeren Eingang nahe der Besucherhütte Nr. 8 betreten.

Er ging in raschem Tempo, wobei er sich dachte, daß er genug von der Siedlung habe. Dieser Ort gefiel ihm weniger als eine Menge andere Orte. Seine Gedanken gingen seltsame Wege.

Er umrundete die Wohnkuppel aus der Nähe im Regen, überprüfte die Hütte von außen. Er kehrte zum Haupteingang zurück, ohne irgendwelche Hinweise auf Beobachter bemerkt zu haben. Er hatte das Tier in sich losgelassen, damit es einen Hinterhalt wahrnahm, bevor es die menschlichen Sinne vermochten.

Indem er eine andere, längere Route nahm, gelangte er zur Hütte. Im Innern der Kuppel brauchte er die Kapuze nicht mehr und war darum ohne Schutz. Sein Haar wuchs gut nach, desgleichen sein Bart. Schon aus diesem Grund wollte er nicht gesehen werden. Aber wenn sie darauf warteten, ihn zu fangen, dann sollte es eben sein.

Das Messer ans Handgelenk gelegt und die Finger bereit, es mit einem Ruck hervorzuziehen, umkreiste er die mit ›VIP #8‹ beschriftete Hütte. Nichts.

Aber diese Leute hatten ihm bewiesen, daß sie tüchtig waren. Natürlich drang kein Licht aus den Fenstern heraus.

Er näherte sich der Tür.

Der Schmerz traf sein Gehirn wie ein Torpedo. Er wäre beinahe gestürzt. Die Desorientierung verursachte ihm Übelkeit. Seine Augen stellten sich nicht mehr scharf. Der Boden unter ihm schwankte.

Er sackte gegen die Tür.

Sie glitt auf.

Irgendwo tief in seinem Innern fragte er sich, ob dies wohl eine Falle war.

Er taumelte hinein.

II

Tique

TIQUE ARRANGIERTE DAS BETT und einen kleinen trag-
baren Tisch in dem kleinen Schlafzimmer so, daß sie
auf dem Boden liegen konnte und vor einem flüchtigen
Blick in den Raum geschützt war. Sie blieb im Vorder-
zimmer, wo sie sich von einem Fenster zum anderen
bewegte und ständig Ausschau hielt. Sie hatte die Fenster auf Einwegsicht gestellt.

Da irgend etwas passiert sein mußte, entschloß
sie sich, nicht wieder an die Konsole zurückzukehren. Es wäre das Risiko nicht wert gewesen – obwohl
es ziemlich verlockend war, sich in das Sicherheitsnetz einzuschleichen und herauszufinden, was vor
sich ging.

Sie durfte jedoch nicht riskieren, entdeckt zu werden.

Reubin brauchte sie vielleicht. Er konnte verletzt
sein. Sie machte sich Sorgen um ihn, trotz seiner außer-
gewöhnlichen Tapferkeit.

Schließlich, nach einem nicht endenwollenden Tag,
wurde es Nacht. Sie beraubte den Medizinschrank seiner Erste-Hilfe-Bestände – einschließlich der Schmerztabletten. Sie legte alles in das Paket, in das sie sämtliche Fertiggerichte getan hatte, die sie in der Küche gefunden hatte. Sie steckte die Tabletten in die Tasche,
um ihm eine zu geben – falls er zurückkam.

Sie beschloß, Reubin noch eine Stunde zu geben und
dann aufzubrechen.

Diese Stunde dauerte so lange wie der ganze öde
Tag. Sie verfluchte sie beide zum neunmillionsten Mal.
Dafür, daß sie das Funkgerät draußen im Wald gelas-

sen hatten. Sie hätte jetzt den Luftverkehr überwachen und *wissen* können, ob etwas nicht in Ordnung war.

»Mist, verdammter«, sagte sie laut und schulterte den provisorischen Rucksack – ein Kissenbezug mit dem Schriftzug WORMWOOD INC. und dem Logo darauf.

Sie überprüfte die Fenster ein weiteres Mal, um sich zu vergewissern, daß sich niemand in unmittelbarer Nähe aufhielt.

Entschlossen streckte sie die Hand aus und öffnete die Tür.

Reubin Flood torkelte herein, völlig durchnäßt, das Gesicht von Schmerzen gezeichnet.

Während er an ihr vorbeitaumelte, schob sie die Tür hinter ihm zu.

Er ging geradewegs zur Hausbar in der Küche und trank aus einer hochkant gestellten Flasche.

Als er, um Luft zu schnappen, innehielt, sagte er: »Du hast alles erledigt?«

»Soviel ich konnte. Hier.« Sie holte die Schmerztabletten heraus. Sie reichte ihm eine. »Gegen deine Schmerzen.«

Er nahm sie und spülte sie mit einem Schluck Whisky hinunter. Dann ging er zum Wasserhahn und trank lange. »Hat sich in der Umgebung irgendwas getan?«

»In letzter Zeit, nein.« Eine Menge Leute hatten das Gelände betreten, waren jedoch abgebogen, ehe sie die Hütte erreicht hatten.

»Warum bist du hier?« Seine Stimme klang heiser.

»Warum warst *du* nicht hier?« Es gefiel ihr nicht, daß ihr Urteilsvermögen in Frage gestellt wurde. »Ich dachte, du wärst vielleicht verletzt und bräuchtest Hilfe.«

»Oh.« Er trank erneut. Dann nahm er noch einen Schluck aus der Whiskyflasche. »Noch irgend etwas Eßbares da?«

Sie brachte eine Mahlzeit zum Vorschein und zog für ihn die Heizlasche. »Was ist passiert?«

»Ich wurde aufgehalten.«

»Wo? Du solltest draußen diese Hütte bewachen. Zumindest hast du mich das glauben gemacht.«

»Ah.« Dampf stieg von dem Gericht auf, während er hungrig aß. »Ich… äh… hatte ein paar Dinge zu erledigen.«

»Und dafür hast du mehr als achtzehn Stunden gebraucht?«

»Wie ich schon sagte, ich wurde aufgehalten.« Er berichtete ihr kurz, was geschehen war. »War wirklich dumm von mir. Ich weiß es besser, als ein so hohes Risiko bei so kleinen Chancen einzugehen.«

»Ist ja kein großer Schaden entstanden.« Sie hatte Schuldgefühle wegen ihrer Vorwürfe.

»Da bin ich mir nicht so sicher«, sagte er, indem er die Überbleibsel seiner Mahlzeit in den Wandschlitz stopfte. »Aber ich hatte das Gefühl, daß …«

Tique wartete, doch er redete nicht weiter.

»Gehen wir«, sagte er. Er ging zur Hausbar und nahm die verbliebene Flasche heraus – Wodka diesmal. Er fügte sie zu der, aus der er getrunken hatte, hinzu und reichte sie Tique. Sie steckte die Schmerztabletten schweigend in die Tasche und den Alkohol in den Kissenbezug der Wormwood Inc. »Nach der neuesten Mode, oder?«

Reubin betrachtete einen Moment lang die Karte, die sie ausgedruckt hatte. »Gute Arbeit.«

Sie entfernten alle Spuren ihrer Anwesenheit. Das Fehlen des Essens und des Alkohols konnten sie nicht verbergen, aber es war möglich, daß die Leute vom Aufsichtsdienst annehmen würden, irgendwelche niederen Ränge hätten in der Hütte eine Partie gefeiert.

Als sie ins Freie traten, sagte Reubin so leise, daß es kaum zu hören war: »Ich habe die Absicht, durch diesen äußeren Ausgang zu gehen, gegenüber dem Eingang an der East Avenue, durch den wir hereingekommen sind. Es ist noch früh, und es sind Leute unterwegs.«

Tique nickte, während Angst in ihr hochstieg.

Reubin hakte sich bei ihr ein und schritt zügig aus. Sie schöpfte wieder Mut.

Eine heftige Regenbö wehte heran, als sie sich der Kuppel näherten. Da dies kein Schaltfeld mit Personenidentifizierung war, drückte Reubin den Schalter fürs Öffnen. Sie setzten ihre Kapuzen auf und gingen hinaus.

Ein Regenschauer traf sie, und Tique fragte sich, ob der Monsun dieses Jahr nicht ein bißchen früh käme. Er würde die Überschwemmung, die sie programmiert hatte, sicherlich beschleunigen. O je…

Reubin hielt immer noch ihren Arm, und sie beugte sich hinüber und sprach ihm ins Ohr. »Es ist anzunehmen, daß sich die Schleusen öffnen werden – in einer Stunde. Ich habe auch die um die Siedlung herum auf Fehlbetrieb gestellt, weil ich dachte, es würde diesen Ort abschneiden und die Reparaturarbeiten behindern.« Vom Fluß zurückgesetzt, lag die Siedlung in einer Art von großer Flußbiegung. Zwischen der Siedlung und dem Fluß befand sich ein ausgedehnter Wurmholzwald, in idealer Lage für die jährliche Überschwemmung.

Nach zwanzig Metern spürte Tique ein Kribbeln. Ein weiterer Schritt, und das Gefühl war verschwunden.

»Mist«, sagte Reubin. »Schnell!« Er rannte.

Sie legte einen Sprint ein, um ihn einzuholen, und der Regen fegte über sie weg. »Was ist denn?«

»Ein Detektorfeld. Jemand war nicht überzeugt davon, daß der Alarm vergangene Nacht eine elektronische Störung war.«

Sie keuchte. »Können wir zurück?«

»Zu spät.«

Kurze Zeit später erreichten sie den Wurmholzwald. Tique wurde bewußt, daß sie vom Fluß eingeschlossen werden würden.

Der im Begriff war, über die Ufer zu treten.

Reubin wußte dies jedoch ebenfalls. Sie hatten einfach keine andere Wahl.

Ihr Laufvermögen überraschte sie. All diese Wochen in der Wildnis, in denen sie ihre Füße und Beine gebraucht hatte, hatten sie gestärkt, ihr größere Ausdauer und Kraft verliehen, als sie jemals gedacht hätte, nötig zu haben.

Sie wurde von Erleichterung erfaßt. Die Bäume würden sie beschützen.

Reubin rannte jedoch höchstens noch schneller.

Gleich darauf fand sie heraus, warum.

Zwei Flugmotorräder näherten sich unter den tieferen Ästen der Wurmholzbäume. Sie sah, wie sich ihre Scheinwerfer und Blinklichter auf sie zu schlängelten.

Reubin hielt an. »Wir können sie nicht abhängen. Wir machen gerade ein Picknick.« Er nahm den Kissenbezug. »Mit den Wormwood-Overalls können wir sie vielleicht täuschen.«

Unmöglich, dachte sie. So naiv war Reubin nicht, oder etwa doch?

Sie wandten sich um und warteten auf die sich nähernden Motorräder. Die Maschinen erreichten die beiden, kreisten und erfaßten sie mit ihren Scheinwerfern.

In Licht gebadet, winkte Reubin, dann gestikulierte er wütend. »Stellt diese verdammten Scheinwerfer ab, klar? Ihr blendet uns.«

Eines der Motorräder landete neben ihnen. Das andere schwebte unmittelbar über ihnen, mit geringfügig abgeblendetem Scheinwerfer.

In der Ferne wurde ein weiteres Licht sichtbar, das in ihre Richtung kam. Ein Bodenfahrzeug.

Reubin wandte sich ihr zu. »Man hat uns bereits gemeldet. Das wird die Verstärkung sein, die hierher unterwegs ist. Gute Organisation.« Er wandte sich an den Mann, der gerade von dem Flugmotorrad absaß. »He. Können ein Mann und ein Mädchen nicht mal mehr einen Nachtspaziergang machen?«

»Jawohl, Sir«, lautete die Antwort. Gelbe Rangabzeichen bedeuteten Gendarmerie. Die Stimme des jungen Mannes klang höher, als Tique von seinem muskulösen Körperbau her erwartet hätte. »Aber wir möchten einen Ausweis sehen.«

»Schon gut, schon gut«, sagte Reubin, indem er undeutlich sprach und die Whiskyflasche schwenkte. »Wie wär's erstmal mit was zu Trinken?«

»Nein, Sir. Den Ausweis bitte.«

Reubin torkelte zu dem Mann hinüber.

Tique hatte Angst. Sie wußte nicht, wie ihr Gesicht in der künstlichen Beleuchtung aussah, war sich jedoch sicher, daß ihre Augen geweitet waren, die Nasenflügel flatterten und ihr Mund nach Luft schnappte. Dennoch stand sie da, zwang sich, entspannt auszusehen.

Reubin wirbelte herum und schleuderte die Flasche auf das über ihnen verharrende Flugmotorrad. Sie krachte gegen den Helm des Fahrers. Er schlingerte, und die Maschine glitt seitwärts in die Nacht davon. Tique konnte nicht erkennen, ob der Schlag ausgereicht hatte, den Mann kampfunfähig zu machen.

Sie wandte ihre Aufmerksamkeit wieder Reubin und dem Gendarmen zu. Sie konnte jedoch nichts mehr ausrichten.

Reubins Messer war blutig, und der muskulöse junge Mann sackte zu Boden.

»Komm«, befahl Reubin. Er setzte sich auf den Sattel des Flugmotorrads.

Tique machte Anstalten aufzusitzen, als ein Laser die Nacht von oben durchstrahlte, am Motorrad abprallte und den Sattel versengte, auf dem Reubin soeben noch gesessen hatte. Er taumelte auf die Leiche des Gendarmen zu.

»Runter!« brüllte er.

Tique warf sich zu Boden und rollte ins Unterholz.

Reubin drehte den Gendarmen um und tastete ihn ab. Während des Sichaufrichtens feuerte er einen Laser ab, gerade in dem Moment, als ein weiterer Todesstrahl über den Boden auf ihn zuschoß. Der Strahl verschmorte augenblicklich das Steuer des gelandeten Motorrads und hielt weiter auf Reubin zu. Er rollte sich ab, ununterbrochen feuernd, den Tod auf seinen Spuren.

Funken und brennende Farbe sprangen knisternd von dem inzwischen nutzlosen Motorrad ab.

Das Bodenfahrzeug hatte sie beinahe erreicht.

Der Fahrer des verbliebenen Flugmotorrads kehrte nun zurück, um zu töten, offenbar ohne die Absicht, Gefangene zu machen. Tique vermutete, daß er gesehen hatte, wie es seinem Kollegen ergangen war.

Reubin landete einen Treffer auf den Mann. Tique konnte nicht erkennen, wo. Die Bahn des Lasers wackelte jedoch und schwenkte ab, und Tique dachte erleichtert, daß sie Reubin verfehlen werde. Er rollte sich bereits aus dem Weg – aus der ursprünglichen Schußlinie des Todesstrahls heraus.

In eine neue Schußlinie hinein.

Tique sah schreckensstarr zu.

Reubin rollte, und der lange Lichtpfeil schien seinen Nasenrücken seitlich zu streifen, und an der Seite des Nasenrückens und am Wangenknochen erschien eine schwarze Linie.

Das Flugmotorrad hielt ihn in Bewegung und rammte einen Baum, begann dagegenzustoßen.

Reubin war auf den Knien, wandte ihr das Gesicht zu. »Tique?« Er hielt ihr einen Laser hin.

Sie rappelte sich auf und nahm ihn.

»Wenn der Wagen nahe genug ist, schieß auf ihn.«

»Sofort«, sagte sie, von ihrer eigenen Stimme überrascht. Sie war ruhig und beherrscht. Sie ignorierte den Geruch nach verbranntem Fleisch. Reubin mußte ebenfalls Schmerzen haben.

Sie hob die Waffe, zielte und preßte den Finger auf den Auslöser. Wenigstens war es eine der kleinen Handfeuerwaffen und keine mit Nachtsichtgerät und elektronischen Augen und all dem anderen Zeug, von dem sie nichts verstand.

Sie belegte das Bodenfahrzeug mit vernichtendem Feuer. Während sie den Auslöser gedrückt hielt, die Waffe am Fahrzeug entlangschwenkte, fragte sie sich, was wohl Reubin im Augenblick machte. Anscheinend war das erste Flugmotorrad zerstört.

Der Wagen änderte die Richtung, raste zwischen einer Reihe von Wurmholzbäumen hindurch und daran vorbei und bremste, weit außer Schußweite. Sie wußte nicht, ob sie getroffen hatte. Wenigstens hatte sie ihre Aufmerksamkeit auf sich gelenkt.

Sie wandte den Kopf, um zu sehen, was Reubin vorhatte, stolz darauf, einen wesentlichen Beitrag geleistet zu haben, einen aktiven Beitrag. Einen Kampfbeitrag, setzte sie im stillen hinzu.

Ihr Stolz fiel in sich zusammen.

Reubin stand da, ohne etwas zu tun. Den Blick in die Ferne gerichtet, nicht auf das Bodenfahrzeug, weder auf sie, noch auf das zerstörte Flugmotorrad, noch das Motorrad in der Luft, das sich tiefer in den Wald hatte hinunterfallen lassen und mit seinem Scheinwerfer und seiner Suchleuchte und dem Blaulicht das ganze Terrain bestrich.

Ihr Inneres verwandelte sich in Wasser. »Reubin?«

»Sag mir, was passiert ist«, verlangte er. Seine Stimme war heiser, enthielt aber immer noch dieses befehlende Element.

»Sie haben sich zwischen die Bäume und außer Schußweite zurückgezogen, und im Moment haben sie angehalten. Im Kielwasser der Scheinwerfer kann ich keine Aktivitäten erkennen.« Sie zögerte. »Ist mit dir alles in Ordnung?« Dann sah sie die Bewegung. »Jemand – zwei, nein, drei Männer steigen aus dem Wagen aus.« Oben auf dem Wagen flammte ein Scheinwerfer auf und richtete sich auf sie. Tique wandte den Kopf, damit sie nicht geblendet wurde.

Reubin stand immer noch da, mit weit geöffneten Augen, und starrte in den Scheinwerfer, ohne auch nur zu blinzeln.

»O nein«, flüsterte sie.

»Keine Zeit, Mädchen. Machen wir, daß wir wegkommen.«

Sie schluckte den Klumpen in ihrer Kehle und sagte: »Wohin?« Ihre Stimme hatte im oberen Bereich um eine Million Dezibel zugelegt.

»Weg von der Siedlung. Dort sind wir im Moment nicht sicher.«

»Reubin, wie ...?«

»*Mach schon*«, sagte er in drängendem Ton.

Sie trat vor, und er packte sie am Ellbogen. »Die Männer schwärmen aus«, teilte sie ihm mit.

»Geh geradeaus, weg von ihnen. Im Laufschritt, denn es liegt ein weiter Weg vor uns, und wir müssen mit unseren Kräften haushalten. Panik bringt mehr Leute um als Verfolgung.«

Sie schritt weit und rhythmisch aus, versuchte sich ihm anzupassen. »Kannst du überhaupt etwas sehen?«

»Nein.«

Zum ersten Mal empfand sie wirkliche Angst.

»Befinden wir uns schon in Flußnähe?«

»Soweit ich sehen kann, nein. Die Wolken sind fast verschwunden, aber ich kann immer noch nicht sehr weit sehen.«

»Dann laufen wir durch Wasser«, sagte er, »das hier nicht sein sollte.«

Reubin hatte recht. Sie wateten unmittelbar im Wurmholzwald durch knöcheltiefes Wasser.

Die Schleusen hatten sich geöffnet, und pro Minute strömten Tonnen von Wasser vom Selby herein. Vom kürzlichen Regen ganz zu schweigen.

»Guck dich mal um«, sagte er und brachte sie zum Stehen.

Sie blickte sich um und entdeckte nichts. »Nichts zu sehen.«

»Sie haben angehalten, um den anderen dort hinten zu helfen«, sagte Reubin. »Sie vertrauen darauf, daß sie uns mit Infrarot und Gleitern aufspüren und eine Bodentruppe direkt zu uns hinführen können. Gehen wir.«

»Wir können sie nicht abhängen«, sagte Tique. Sie wunderte sich über sein klares Urteilsvermögen. Er hatte das Augenlicht nicht wiedererlangt. Kein Selbstmitleid, nichts. Vollkommen geschäftsmäßig. Und sie hatte Angst und machte sich Sorgen. Viel schlimmer konnte es nicht mehr werden.

»Nein, das können wir nicht.« Er nahm ihren Arm, und sie gingen in raschem Tempo weiter. »Darum müssen wir etwas finden, das schneller ist als wir.«

Wovon redete er? Er hörte sich an, als hätte er einen Plan...

Dann hörte sie den Fluß. »O nein.«

»Doch«, sagte er. »Kannst du schwimmen?«

»Nicht sehr gut«, sagte sie. Vor einem Augenblick hatte sie noch geglaubt, es könne nicht mehr schlimmer kommen.

Unmittelbar hinter einem riesigen Wurmholzbaum lag der Fluß, eine abfallende Böschung, die zum schnell fließenden Wasser hinabführte.

»Durch die Regenfälle muß der Fluß angeschwollen

sein«, sagte sie. »Der Monsun muß dieses Jahr früh einsetzen.«

»Durch die offenen Schleusen, die das Volumen und die Gewalt des Flusses vermindern, müßte es besser geworden sein«, sagte er.

»Klingt vernünftig«, pflichtete sie ihm bei. Wie auch immer, dieser verdammte Fluß war *schnell*. Sie sagte es auch.

»Je schneller, desto besser.«

Sie hielten an.

»Geh flußabwärts«, wies er sie an, »bis wir einen großen Zweig oder etwas anderes finden, woran wir uns im Wasser festhalten können, etwas das schwimmt.« Sein Griff um ihren Oberarm wurde fester, und sie setzte sich stromabwärts in Bewegung.

»Sieht so aus, als fände man hier nur schwer Halt«, sagte sie. »Achtung, eine Wurzel.« Sie wurde langsamer.

Er hob den Fuß und setzte ihn zu früh wieder auf. Er stolperte über die Wurzel. Anstatt sich an ihr festzuhalten, ließ er los und fing sich mit den Händen auf dem nassen Boden ab. Er befand sich bis zur Hüfte im Wasser.

Das schwache Licht zeigte Schmerz in seinem Gesicht.

»Noch eine Tablette?« fragte sie.

»Jetzt nicht.«

Die Wirkung der ersten hatte rasch nachgelassen. Sie mußte jedoch zugeben, daß sie große körperliche Anstrengungen hinter sich hatten, was wahrscheinlich dazu führte, daß der Stoffwechsel die Arznei rascher abbaute.

Plötzlich wurde ihr bewußt, wie erschöpft sie war. Ohne daß Aussicht auf eine Atempause bestanden hätte.

Sie gingen weiter. Kurze Zeit später stießen sie auf

Holzstücke, die sich in der Krümmung einer engen Flußbiegung festgesetzt hatten.

»Treibholz«, erklärte sie. »Ein Teil davon abgestorben, der Rest mit Blättern und allem.«

»Stoßen wir es alles raus und sehen, was davon am besten schwimmt. Meiner Meinung nach bleibt uns nicht mehr viel Zeit.«

Sie schauderte. »Übersetzt bedeutet das, daß wir einfach ins Wasser springen und selber schwimmen sollen?«

»Richtig. Uns treiben lassen, irgendwie.«

»Hier«, sagte sie und führte ihn eine abrutschende Böschung hinunter. »Ein dicker Stamm von irgendeinem Baum. Ein paar große, abgestorbene Äste...«

»Such etwas aus, das uns Deckung gibt, falls wir sie brauchen sollten.«

»Klar. Der hier.« Sie führte seine Hände zu dem riesigen Ast. Er hatte den Durchmesser eines durchschnittlichen Baums.

Er drückte dagegen, und sie kam ihm zu Hilfe. Sie standen bis zu den Knien im Wasser, als das Ding in die Strömung hinausglitt.

»Warte«, sagte sie und versuchte, es festzuhalten, überhaupt nicht sicher, ob sie sich ihm anvertrauen wollte.

»Schwimmt er gut?«

»Es scheint so«, sagte sie.

»Dann drück fest dagegen und halt dich daran fest.«

Gemeinsam schoben sie den großen Ast in die Strömung hinaus. Die Gewalt des Flusses packte ihn und zog sie mit ihm fort.

Tique schauderte in der Kälte. Jedenfalls war sie nicht lebensgefährlich. Hoffte sie. Obwohl der Overall wasserdicht war, lief dennoch Wasser hinein und durchnäßte ihren Körper im Innern des Anzugs.

»Paddle mit den Beinen, bis wir in der Mitte sind«,

sagte Reubin. »Wir wollen nicht, daß er irgendwo hängenbleibt.«

Sie paddelten lange Zeit, Tique wußte nicht, wie lange. An dieser Stelle war der Selby etwa einen Kilometer breit. Sie wußte, daß er weiter flußaufwärts viel breiter war und sich flußabwärts in der Breite mindestens verdreifachte. Da dies eine Engstelle war, bewegten sie sich schneller als wie mit der normalen Strömungsgeschwindigkeit fort. Sie erklärte es Reubin. »Der Düseneffekt«, sagte sie.

»Ist mir egal, wie's genannt wird«, sagte er. »Je schneller, desto besser.«

»Glaubst du, wir werden entkommen?«

Sie spürte sein Achselzucken mehr, als daß sie es sah. »Ich hoffe. Aber vergiß nicht, daß jemand in der Siedlung als Vorsichtsmaßnahme das Detektorfeld aufgestellt hat. Es wird einen Aquadynazeuten...«

»Aquadynamiker.«

»Was auch immer. Es wird einen, wie sagt man noch gleich, nicht in die Lage versetzen, die Richtung zu bestimmen, in die wir gegangen sind, wenn sie uns bei einer Intensivsuche nicht finden.«

»Du willst mir erzählen, es gäbe Kategorien für Suchaktionen?«

»Für alles gibt es Kategorien«, sagte er. »Es gibt Routineüberprüfungen, Spurensuche, Absperrketten, Luftüberwachung...«

»Ist schon gut, Reubin, wirklich. Ich glaube, wir sind weit genug draußen. Rechts von dir ist ein kleiner Ast. Setz dich rittlings auf unser... äh... Boot und lehn dich dagegen.«

Er kletterte hinauf.

Sie tat dasselbe und lehnte sich ausgelaugt an einen kleineren Ast. Sie war so müde.

»Beschreib mir den Himmel«, sagte er.

»Dunkel.«

»Mehr, Klugscheißer.«

»Vereinzelte Wolken. Hier und da gucken Sterne hervor. Die Monde im Westen und Süden sind noch verdeckt.«

»Irgendwas von Luftfahrzeugen aus der Richtung, aus der wir gekommen sind, oder von der Siedlung zu sehen?«

Sie suchte den Himmel ab. »Hinter uns tauchen ab und zu Lichter auf. Sie scheinen nicht in diese Richtung zu kommen.«

Er nickte. »Sie suchen dort, wo wir waren.«

Wasser spülte über ihr rechtes Knie. »Was werden wir anfangen?« Sie konnte die Besorgnis nicht aus ihrer Stimme heraushalten.

»Du hast nicht zufällig diesen Kissenbezug mit dem ganzen Zeug mitgebracht, oder?«

»Nein.«

»Ich schätze, damit fällt die Party ins Wasser.«

»Was machen deine Augen?«

»Ausgefallen.«

»Tun sie weh?«

»Nein, aber mein Nasenrücken. Der Strahl ist knapp über mein Gesicht geschrammt, aber nah genug, um mich zu blenden.«

»Möchtest du eine Schmerztablette?«

»Ja.«

Sie steckte ihm eine in den Mund und fühlte seine Zunge gegen ihre Finger stoßen.

»Vielen Dank«, sagte er.

»Ach, Reubin…« begann sie.

»Laß es gut sein, Mädchen. Wir werden's schon schaffen.«

»Nimmst du Wetten entgegen?« Sie atmete tief und versuchte sich zu entspannen. »Was kommt als nächstes?«

»Wir fahren den Fluß hinunter, so weit es geht, solange bis… tja, ich weiß auch nicht. Sie werden dahinterkommen und einen Gleiter flußabwärts schicken, der ständige IR-Messungen durchführt. Wir werden ihn niemals abhängen können. Sollen sie sich austoben. Damit wir sie bald los sind. Einstweilen ruhen wir uns aus und lassen uns treiben, wie Huck und Jim.«

»Wer?«

»Zwei Wasserratten, von denen ich gelesen habe.«

Sie blickte sich um. Noch nichts. Gott, war sie müde. Wie hielt Reubin bloß durch? Geblendet, erschöpft, von Schmerzen gepeinigt. Sie bezweifelte auch, daß er geschlafen hatte.

Sie hatte einen Einfall. Sie schlängelte ihre Hand in ihre mit Wasser gefüllte Tasche. Der Ausdruck der Wurmholzverarbeitung, alles, was sie besaß, war Brei. Während sie die Schweinerei ins Wasser fallen ließ, sagte sie es Reubin.

»Nun, wir haben den Kerlen einen Schlag versetzt«, sagte er. »Wir haben ihnen erhebliche Probleme gemacht.«

Sie nickte, und dann bekam sie deswegen ein ungutes Gefühl. »Es wird sie ebenfalls eine Masse Geld kosten.«

»Gut. Ich habe mir jedenfalls schon Gedanken über einen neuen Versuch gemacht.«

Ohne etwas zu sehen? Er gab einfach nicht auf. »Hast du das Augenlicht für immer verloren?«

»Ich hoffe nicht.«

»Vielleicht könnten wir uns jetzt auf unsere Flucht konzentrieren. Der Anfang war gar nicht schlecht. Du mußt zur nächsten Institutsniederlassung. Dort kannst du neue Augen bekommen, wenn sich deine nicht reparieren lassen.«

Er spitzte sich Wasser ins Gesicht.

»Ist es schlimm?« fragte sie.

»Ich bin nicht zum erstenmal verwundet worden.«

»Das habe ich nicht gemeint. Der Druck. Der Schmerz.«

»Sieh mal, Tequilla Sovereign. Ich habe eine Aufgabe zu erfüllen, und, bei Gott, ich werde es tun, komme, was da wolle...« Er plantschte mit der Hand im Wasser. »Sie haben ein Leben aus dem Universum ausgelöscht. Ein zerbrechliches Leben. Ein Leben, das keine Feindseligkeit hegte gegenüber denen, die seinen Tod verschuldet haben.«

»Man könnte auch den Standpunkt einnehmen, daß man verzeihen sollte.«

»Aber sie könnten das gleiche mit anderen Leuten machen, mit Leuten, die, wie sie herausgefunden haben, bei der Gründung des ILV eine bedeutende Rolle spielten.«

Sie zuckte die Achseln. »Es ist noch mehr daran, nicht wahr?«

Mit leeren, blinzelnden Augen starrte er lange auf ihren Mund. »Das ischt möglich.« Er sprach leise. »Das Tier in mir wird nicht zulassen, daß ich aufgebe.«

Sie meinte, Leben in seinen Augen wahrzunehmen, doch er sah nichts. Sogar bei Nacht war sie ihm so nahe, daß sie seine Augen beobachten konnte. Sie fröstelte, und nicht nur wegen des kalten Wassers.

»Ich glaube, es dämmert allmählich«, sagte Tique.

»Es wird auch Zeit, zum Ufer zu paddeln.«

Sie glitten ins Wasser, Tique an der einen, Reubin an der anderen Seite. »Reubin?«

»Hier rüber, wir paddeln besser zu der Seite, wo die Siedlung liegt.«

Das klang plausibel. Vielleicht würden sie den schäumenden, über die Ufer tretenden Fluß aus irgendeinem Grund später überqueren müssen. Jetzt zu diesem Ufer zurückzukehren war besser, als eine ganze Überquerung zu einem späteren Zeitpunkt.

Sie kletterte über den großen Ast, und sie begannen Seite an Seite Wasser zu treten.

»Der Fluß kommt mir hier langsamer vor«, sagte Reubin.

»Das kommt daher, daß er breiter ist, viel breiter. Ein paar Kilometer breit.«

»Wir werden lange paddeln müssen.«

»Wir sind nicht in der Mitte. Wir müssen vielleicht einen Kilometer weit paddeln.«

»Schau nach Norden«, sagte er. »Falls ein Gleiter angesaust kommt, knapp über dem Fluß, sind wir tot – wenn wir das Ufer noch nicht erreicht haben. Sie sind überfällig.«

Tique stieß fester mit den Beinen. »Wie weit reichen ihre Infrarotgeräte?«

»Ich weiß nicht. Das hängt vom Modell ab. Ich bezweifle, daß sie sie oft brauchen, darum werden sie keine besonders raffinierten Geräte haben. Sagen wir, einen Kilometer, abhängig von der Suchhöhe. Einen halben Kilometer nach jeder Seite, vielleicht weniger. Je weiter von der Mittellinie entfernt, desto weniger verläßlich und präzise sind die Messungen. Vielleicht im umgekehrten Verhältnis dazu.«

»Also müssen wir uns mindestens einen Kilometer außerhalb ihrer Flugbahn befinden.«

»Ja, wenn sie nicht sehr hoch sind. Wir würden vielleicht registriert werden, aber nur undeutlich; vielleicht würde man unsere IR-Anzeige irrtümlich für die eines Tieres halten.«

Tique bemerkte, daß sie am Verhungern war. Ihre Rucksäcke hatte die Flut bestimmt fortgespült. Außerdem befanden sie sich sowieso weiter flußaufwärts. Ihr wurde klar, daß Reubin offenbar keine Nahrung mehr hervorzaubern konnte. *Sie* war diejenige, die sehen konnte.

Das den Morgen ankündigende Licht verlieh der Flußoberfläche einen gespenstischen Farbton. Während sie mit den Beinen paddelte, ließ Tique den Blick umherschweifen.

Plötzlich ragten hinter ihnen Ungetüme auf, die allmählich näherkamen. Sie schienen sich im Nebel, der vom Fluß aufstieg, zu drehen, hinter Tique und Reubin und ihrem Baumschiff herumzuschwenken.

»Reubin.« Ihr Tonfall verriet Bestürzung.

»Was ist los?«

»Da ist etwas. Etwas greift uns an, hetzt uns nach.«

»Menschen?« fragte er. »Laß dich ins Wasser gleiten, bedecke den Kopf und laß deine Augen und deine Nase draußen. Laß den Ast allein weitertreiben.« Er duckte sich seinerseits.

Sie studierte noch einmal die Lage, ließ sich dabei Zeit. Endlich hatte sie es erkannt.

Sie schüttelte Reubins Schulter. Er spuckte Wasser, und sein Gesicht war eine einzige Frage.

»Es sind Baumstämme«, sagte sie. »Wurmholzstämme.« Sie tauchten aus der Nacht auf in das trübe Licht des dämmernden Morgens und griffen die beiden Menschen auf ihrem provisorischen Floß an. »Irgendwo flußaufwärts, möchte ich wetten. Der anschwellende Fluß und die Monsunregen. Das alles hat die Strömungsgeschwindigkeit gesteigert und eine Wurmholzladung losgerissen. Hunderte von ihnen.« Sie nahm an, daß es wahrscheinlich das letzte vor der Regenzeit geerntete Los war und man es nicht mehr geschafft hatte, es unter der Aufsicht von Schleppern den Fluß hinuntertreiben zu lassen.

Reubin kletterte auf ihr Floß. »Also, wir sind vor ihnen. Wir sind in Sicherheit. Das müßte uns zusätzlichen Sichtschutz geben.«

»Du begreifst nicht«, sagte sie. »Es sind gefällte, riesige Wurmholzbäume. Sie sind Tonnen schwerer als wir. Sie sind länger und gefährlicher. Es sind *behauene* Stämme. Ihr c_w-Wert ist niedriger als unserer...«

»Ce-we? Was versuchst du mir zu sagen?«

»Strömungswiderstand«, erklärte sie. »Die Äste und sogar unsere Beine werden im Wasser nachgeschleppt und machen uns langsamer. Wir wirken wie ein Schleppanker. Die dort schleppen nichts durchs Wasser nach. Sie sind glatt und viel schneller als wir.« Ein großer Stamm stieß gegen die äußerste Spitze ihres Floßes, wirbelte es herum. Tique verlor den Halt und stürzte ins Wasser. Unbeholfen paddelte sie zurück.

»Können wir einen von ihnen packen?« fragte Reubin. »Es wäre sicherer, wenn wir uns mit den dicken Brocken treiben ließen.«

»Nein. Sie drehen sich im Wasser. Nichts sorgt dafür, daß eine Seite oben bleibt.«

Reubin sagte nichts.

Tique entdeckte zwei Stämme, die von einem dritten abprallten. »Reubin. Laß dich flußabwärts ins Wasser ab. Schnell jetzt.« Noch während sie sprach, kletterte sie über den Ast. Reubin schlängelte sich sogar noch schneller darüber.

Einer der Stämme prallte gegen ihr Floß. Der Ast rollte im Wasser, drückte Tique und Reubin nach unten.

Tique wurde unter Wasser gedrückt und spürte eine starke Hand an ihrem Arm, die sie wieder an die Oberfläche zog. Sie löste sich aus dem Wasser, hustend, spuckend und nach Luft schnappend.

»Benutz deine Augen«, verlangte Reubin.

Das Drängen in seiner Stimme brachte sie wieder zur Vernunft. Sie wischte sich das Wasser aus den Augen.

»Was siehst du?«

Sie suchte die Oberfläche ab. Um sie herum schwammen riesige Baumstämme, einige ruhig, andere schwankend, einige gegeneinander prallend.

»Klingt interessant«, sagte er im Plauderton.

»Im Moment sind wir in Sicherheit.«

»Steuern wir dieses Floß auf das Ufer zu und aus diesem Schlamassel heraus«, sagte Reubin.

Ihr Ast schwenkte vom Ufer weg, aber sie schafften es, ihn Wasser tretend zentimeterweise wieder in diese Richtung zu bringen.

Tique blickte flußaufwärts. O Gott. »Reubin? Etwa eine Million Baumstämme sind hinter uns. Sie kommen genau auf uns zu.«

»Das hat uns gerade noch gefehlt. Zeit, daß wir uns absetzen.« Ihr Ast schaukelte im Wasser. »Halt dich an meinem Overall fest. Nicht hier. An der Schulter. Halt dich hinter mir und paddele mit den Beinen.« Er stieß sich aus der Sicherheit des Astes ab. »Dirigier mich zum Ufer – und um Baumstämme herum, die uns eventuell im Weg sind.« Er begann in die ungefähre Richtung des Flußufers zu schwimmen. Indem sie ihn dirigierte, schaffte sie es, um die Stämme herumzusteuern und der Gefahr aus dem Weg zu gehen. Aber das brauchte Zeit, kostbare Zeit, und vergrößerte die Wahrscheinlichkeit, auf dem Fluß entdeckt zu werden.

Endlich, Stunden später, kämpften sie sich an Land.

Reubin lag im Wasser und hielt sich mehrere Minuten lang an einer Wurmholzwurzel fest. Dann erhob er sich erschöpft. »Wir müssen los. Wir haben Zeit verloren.«

Sie krochen die Böschung hinauf. Wegen der Überschwemmung war es keine Kletterpartie mehr. Der Fluß trat bereits über die niedrigeren Uferstellen. So weit sie sehen konnte, stand das Wasser bis zu den Wurmholzbäumen.

»Ich spüre beinahe an den Beinen, wie es steigt«, sagte Reubin. »Am besten machen wir, daß wir vom Fluß wegkommen, denn das Wasser wird weiter steigen.«

Sie nickte unwillkürlich. Er nahm ihren Arm, und sie plantschte los.

Die Luft war voller Insekten, die wie wahnsinnig summten, aber sonst waren keine Tiere zu sehen.

»Die Überschwemmung hat alle Tiere landeinwärts getrieben«, sagte sie.

»Das könnte bedeuten, daß es noch erheblich schlimmer kommt, bevor es besser wird. Wie lange, schätzt du, wird es dauern, bis man die Schleusen repariert hat, die du geöffnet hast?«

»Wenn sie hinter ein paar raffinierte Tricks kommen, die ich in die Programme eingebaut habe, im Laufe des Vormittags. Wenn nicht, müssen sie Leute dorthin schicken und jede einzeln schließen.«

»Das mit der ›höchsten Priorität‹ würde nicht funktionieren?«

Tique grinste bei der Erinnerung. »Die Nummer Zwei, Josephine Neff, ist an allem schuld. Man kann keinen übergeordneten Befehl außer Kraft setzen.«

»Ist mit dir alles in Ordnung?« fragte er.

»Bloß schwindelig vor Hunger und Erschöpfung.«

Sie spürte, daß sich sein Körper straffte. »Höre ich etwas?«

Sie hielt an und suchte den Himmel durch die flußwärts gelegenen Bäume ab. »Vielleicht. Ich sehe nichts.«

»Es wird allmählich Zeit, daß sie jemanden flußabwärts schicken. Das war unser wahrscheinlichster Fluchtweg.«

»Da«, sagte sie. »Über dem Fluß, im Norden. Es bewegt sich langsam.«

»Schnell jetzt«, sagte er. »Renn, renn wie der Wind. Nimm den einfachsten Weg. In einer Minute halt an. Unsere vereinte Körperwärme am gleichen Ort könnte ausreichen, um uns zu verraten. Wenn wir uns nicht bewegen, hält man uns vielleicht für rastende Tiere. Los!«

Sie lief los, bevor ihr klar wurde, daß sie ihn blind

und allein zurückgelassen hatte. Sie pflichtete seiner Logik jedoch bei.

Bald darauf hielt sie an und warf sich hinter einem Baum zu Boden – und fluchte. Überall Wasser, und sie war beinahe schon getrocknet. Sie spähte um den Baum herum und versuchte Reubin auszumachen. Er war nirgends zu sehen.

Sie wandte ihre Aufmerksamkeit dem Himmel zu und versuchte den Suchgleiter zu lokalisieren. Da. Beinahe auf gleicher Höhe mit ihnen. Zwischen den Wipfeln der Wurmholzbäume abwechselnd auftauchend und wieder verschwindend.

Bald darauf entdeckte sie die Maschine weit südlich von ihnen, mit der gleichen Geschwindigkeit in der gleichen Höhe dahinfliegend. Daran erkannte sie, daß sie nicht entdeckt worden waren.

Sie rappelte sich auf und drückte das Wasser aus ihrem Overall.

Als sie zu der Stelle gelangte, wo sie sich getrennt hatten, konnte sie ihn nicht finden.

Sie blickte umher. Nichts.

»Reubin?«

»Hier«, sagte er.

Da war er. Fünf oder sechs Meter hoch in einem Wurmholzbaum, wie eine Spinne an den Stamm geklammert. Langsam kletterte er herunter. Man hätte meinen können, er sei gar nicht blind, dachte Tique.

Als er unten war und neben ihr stand, rieb er sich die Oberschenkel. »Ich dachte, wenn auf ihrem Monitor ein Wärmefleck über dem Boden erschiene, würden sie ihn eher für ein Tier als für einen Menschen halten.«

Sie gingen weiter, schleppten sich landeinwärts.

Die Zeit bewegte sich noch langsamer voran als sie selbst. Tique kam es wenigstens so vor.

Sie war schwach vor Hunger und Erschöpfung. Sie sehnte sich sogar nach einem Stück von Reubins getrocknetem Gnurlfleisch. Doch sie beklagte sich nicht. Die Sonne war noch nicht untergegangen.

Es hatte geregnet, aufgeklart und erneut geregnet. Eindeutig der Monsun. Jetzt, wo sich der Tag neigte, war es trüb.

Reubins Schätzung zufolge hatten sie zehn bis zwölf Kilometer zurückgelegt. »Es wäre mehr gewesen, wenn wir nicht die meiste Zeit über hätten waten müssen.«

Inzwischen befanden sie sich auf ›trockenem‹ Land, ein weiterer Teil des unendlichen Wurmholzwaldes, der von den sintflutartigen Regenfällen durchnäßt worden war.

»Wie lange sollen wir noch weitergehen?« fragte Tique.

»So lange wir können. Ihre Suche wird in breiten Streifen über die Flußufer hinaus ausgeweitet werden. Wir brauchen eine Menge Kilometer zwischen uns und dem Fluß.«

»Das heißt also, die ganze Nacht.«

»Wenn wir können«, sagte er. »Sie werden mehr als nur diesen einen Gleiter einsetzen. Dieser Schlaukopf dort oben in der Siedlung wird die Geschwindigkeit des Selby berechnen und ungefähr die Stelle bestimmen, wo wir an Land gegangen sind. Von dort werden sie ausschwärmen.«

»Das ist auch der Grund, weshalb wir nach Norden gehen?«

»Genau.«

Reubin hatte ihr schon früher erklärt, daß niemand damit rechnen würde, daß sie sich zurück zur Siedlung wandten.

»Wir brauchen Nahrung, um unseren Energieverlust zu ersetzen«, sagte er. »Siehst du irgend etwas Eßbares?«

Reubin stand ruhig da und hielt seine Taschenlampe gerade vor sich.

Es war vollkommen dunkel, und Wolken verdeckten die Sterne. Tique dachte, daß sie möglicherweise zum erstenmal, seit sie aus der VIP-Hütte Nr. 8 getreten war, tatsächlich trocken sei.

Wider besseres Wissen ging sie leise am steinübersäten Ufer eines Baches entlang.

Die Schlammkatze saß auf den Hinterbeinen, ganz in Anspruch genommen von dem Licht, beinahe so, als wäre sie auf den Fleck gebannt. »Mit Licht ködern«, hatte Reubin diese Technik genannt. Der Strahl fesselt die Aufmerksamkeit des Tieres, als wäre es hypnotisiert. Er war sich nicht sicher gewesen, ob der Plan funktionieren würde, aber den Versuch war es wert. Tique erspähte das Tier, und Reubin richtete nach ihren Anweisungen die Lampe aus und hielt sie in Position.

Nun hielt sie einen Stein hoch über ihren Kopf, schloß die Augen und schmetterte ihn auf den Kopf der Schlammkatze hinunter. Es gab ein übelkeiterregendes Geräusch, und sie spürte die Erschütterung durch den Boden hindurch in den Füßen. »Ich hab sie«, sagte sie ruhig.

Sie trug das fette Pelztier zu Reubin zurück. Es war überraschend schwer. »Und jetzt?«

Er hielt ihr sein Messer hin. »Weide sie aus, und dann essen wir.«

»Ich soll *was* machen?«

»Nimm die Innereien heraus, ihre Eingeweide.«

»Wie wär's, wenn du einfach etwas Fleisch abschneiden würdest?«

»Tique, du wirst zu guter Letzt doch nicht überempfindlich geworden sein?« Sie spürte sein Grinsen mehr über den Schein der Lampe hinweg, als daß sie es sah. »Außerdem«, fuhr er fort, »stellt die Leber in der Geschichte des Verzehrs von Tieren die begehrteste Delikatesse dar. Im allgemeinen ist sie am nahrhaftesten von allen Körperteilen.«

Er hielt die Taschenlampe, während sie die Schlammkatze zu zerlegen begann.

»Taste nach dem Fleisch unter dem Fett«, wies er sie an.

»Uäh.« Dann hatte sie eine Idee. Sie legte das Messer weg und holte ihren Bleistiftlaser heraus. Er erfüllte den gleichen Zweck.

Reubin sagte nichts, offenbar über ihre Fortschritte auf dem laufenden. Kurze Zeit später sagte er: »Nicht schlecht gedacht. Aus dir wird noch eine Hausfrau. Ich hoffe nur, sie haben gerade keine Energiedetektoren eingeschaltet.«

»Meinst du, das haben sie?«

»Nicht unbedingt«, sagte er, »abgesehen von diesem Schlaukopf. Er weiß, daß wir den Laser dieses Gendarmen haben.«

»Aber dieser Laser ist nicht so stark.«

»Richtig. Deshalb glaube ich, geht das in Ordnung. Außerdem hilft er, die Mahlzeit zu braten.«

Sie setzten sich auf das, was Tique Reubin als Steingarten beschrieben hatte: eine Ansammlung glatter Flußsteine an einem Bachufer. Sie hatten ihre Mahlzeit soeben beendet.

»Ziemlich fett«, sagte sie, »aber stillt den Hunger.«

»Am Morgen werden wir etwas Grünzeug finden.«

Tique lehnte sich gegen ihren Stein zurück. Automatisch suchte sie den Himmel ab.

Und sah, was sie nicht sehen wollte.

Die Positionslampen von Luftfahrzeugen.

»Sie kommen«, sagte sie matt. Sie hatte geglaubt, es könnte nicht mehr schlimmer werden. Nun setzte die Verzweiflung ein.

»Wie weit?«

»Zwei Stück, vielleicht einen halben Kilometer auseinander. Nicht weit weg, aber von uns wegfliegend.«

»Sie haben uns also bei diesem Durchgang verfehlt. Aber sie werden bald zurückkommen.« Reubins Tonfall wurde aufgeregt und befehlend. Die Erschöpfung war von ihm abgefallen. »Hatten sie die Scheinwerfer an?«

»Nein.«

»Paß auf, wir werden folgendes tun. Erhitze etwa sechs von diesen Steinen mit deinem Laser. Mach sie nicht richtig heiß, aber gut warm. Dann mach ein paar von denen im Bach heißer als die ersten.«

Sie beeilte sich, seinen Anweisungen Folge zu leisten. »Fertig.« Ein rascher Blick nach Süden. »Die Gleiter kommen hierher zurück.«

»Roll dich um einen dieser Steine zusammen«, sagte er, sich zu einem Flußstein tastend. »Bedecke uns erst mit Sträuchern oder Zweigen oder irgendwas. Schnell jetzt!«

Sie tat es. Sie waren unter Blättern und Zweigen versteckt und umklammerten warme Steine. Diejenigen, die sie am Bachrand erhitzt hatte, waren heißer, und es dampfte Feuchtigkeit von ihnen ab.

»Hab's kapiert«, flüsterte sie überflüssigerweise. »Eine heiße Quelle. Vielleicht sind schlafende Gnurle in der Nähe. Oder einfach von unterirdischen Quellen erwärmte Steine. Was unser IR-Signal tarnt.«

»Richtig«, sagte Reubin, »ganz zu schweigen von dem Dampf, der ebenfalls seine Wirkung tun wird. Ihre Anzeige wird ein Durcheinander unterschiedlicher Rottöne wiedergeben.«

»Oh. Da sind sie. Einer ist beinahe über uns.«

Der Gleiter zischte über sie hinweg. Tique beobachtete seinen Vorbeiflug, wobei sie sich mit jedem Moment sicherer fühlte, solange, bis er herumschwenkte und zurückkam.

Ein Scheinwerfer flammte auf und schwenkte im Zickzack über den Steingarten. Er verweilte über der näheren Umgebung und schoß umher. Tique hielt den Atem an.

Nach etwa einem Jahrhundert setzte sich der Gleiter langsam wieder in Bewegung, dann raste er davon, um seinen Kollegen einzuholen.

Reubin war wieder auf den Beinen. »Zeit zum Aufbruch.«

»Im Augenblick sind wir hier in Sicherheit«, sagte sie.

»Angenommen, der Bordcomputer vergleicht beim nächsten Durchgang die erste Messung mit der zweiten. Die Muster werden sich unterscheiden, und zwar erheblich. Wir können nicht die gleiche Erwärmung sicherstellen. Und die Anordnung der Wärmequellen wird sich erheblich verändern, wenn du und ich uns auch nur einen Zentimeter bewegen, und wir haben uns bereits bewegt.«

»Gehen wir«, sagte sie enttäuscht.

»Es ist grün«, sagte sie zwei Tage später. Sie marschierten an einer Hügelkette entlang.

»Es schmeckt grün«, sagte Reubin. »Wie Seetang. Aber das einzige, was ich erkennen kann, sind Hell und Dunkel.«

»Wenigstens etwas.«

Sie hatten über ihre Pläne gesprochen. Vor allem kam es darauf an zu vermeiden, daß sie gefangengenommen wurden. Dann mußten sie warten, bis sich seine Augen erholten – falls sie das jemals tun würden. Und sich schließlich auf den Weg nach Cuyas machen. Reubin weigerte sich standhaft, an Flucht zu denken, bevor er die offenstehende Rechnung nicht beglichen und herausgefunden hatte, wer ihm das angetan hatte und warum.

»Ich bin mir über unseren Standort nicht im klaren«, sagte Reubin, »aber ich glaube, wir sollten weiter vom Fluß abschwenken. Bloß so ein Gefühl, verstehst du.«

Sie hatte gelernt, daß seine Gefühle, Urteile und Ahnungen selten trogen.

»Es wird uns mehr Zeit kosten«, erklärte sie.

»Davon habe wir eine Menge«, erwiderte er.

»Ich schon. Du nicht. Versuch dich zu entspannen. Nimm diese Tablette.«

»Danke.«

Seine Anfälle dauerten inzwischen länger, und dazu kam die Desorientierung.

Und die Schmerztabletten wurden allmählich knapp.

Sie schliefen die Nacht durch.

Diesmal war Reubin noch nicht auf den Beinen, als Tique erwachte.

Er lag, wo er geschlafen hatte, auf dem Lager, das sie sich zwischen einigen erhöhten Wurmholzwurzeln bereitet hatten. Sie hatten die Vertiefung mit weichen Pflanzen und Ballen ausgestopft, den baumwollartigen Früchten des Baums. In der Nacht hatte es nur leicht geregnet, und zur Abwechslung hatte ihnen einmal der Baum selbst Schutz geboten.

Reubin ruckte mit dem Kopf und drehte sich von einer Seite auf die andere. Tique überlegte, ob sie ihn wecken sollte, entschloß sich jedoch, ihn weiterschlafen zu lassen – obwohl sie sein Schlaf an einen Menschen in einem quälenden Koma erinnerte.

Nach zwei Stunden wurde sie unruhig. Sie betrachtete ihn eingehend, dann entschloß sie sich, ihn zu wecken.

Sie konnte es nicht. Sie versuchte es, doch er wollte nicht aufwachen.

Er hatte Fieber. Er schlief nicht, sondern mußte bewußtlos sein.

Sie befeuchtete seine Stirn.

In seiner Betäubung murmelte er: »Laß mich in Ruhe.« Sein Kopf rollte hin und her. »Nein. *Ich* habe die Kontrolle. Nicht du.«

Er schien zu erstarren. »Das *ischt* meine Aufgabe.« Sein Tonfall unterschied sich so sehr von dem Reubins, daß Tique unwillkürlich zurückzuckte. Habu? In Reubins Innerem tobte irgendein Kampf, und Tique wollte dort eindringen und Reubin helfen. Selten hatte sie sich so ausgeschlossen und hilflos gefühlt.

Starb Reubin? Befand er sich im letzten bewußtseinszertrümmernden Koma, das dem Tod vorausgeht? Sie war überrascht, daß er dem Ende so nahe war und trotzdem hatte funktionieren können. Seine Umwandlung war lange überfällig.

Wenn sie nicht irgend etwas unternahm, würde er sterben.

Was, in aller Welt, sollte sie tun?«

Sie ging zum Bach und sammelte einige grüne Wasserpflanzen, die sie zuvor gegessen hatten. Sie wollte Reubin nicht allein lassen, um Nahrung zu jagen. Am Ufer fand sie einige Beeren, dann kehrte sie zu Reubin zurück.

Keine Veränderung.

Sie befeuchtete erneut seine Stirn. Sie steckte ihm mehrere Schmerztabletten in den Mund und drückte zwei Stückchen Wasserpflanzen hinterher.

Er würgte und hustete. Sie hielt ihm jedoch den Mund zu, und er schluckte die Mischung. Als sie seinen Mund losließ, stieß seine Zunge heraus und zuckte in ihre Richtung, als wäre sie ein eigenständiges Wesen, schnellte einen Moment lang hierhin und dorthin.

War dieses Ding Habu?

Sie dachte an ihre Mutter.

Nein, sie würde sich nicht damit abfinden.

Sie befeuchtete wieder seinen Kopf. »Reubin? Ich bin's, Tique. Tequilla Sovereign.«

Keine Antwort.

»Mister ... Habu? Ich weiß nicht, was mit euch beiden vorgeht, aber ich würd's verdammt gerne wissen.« Sie dachte einen Moment lang nach. »Ich würde gerne glauben, daß Habu den Wahnsinn abwehren hilft, der Reubin überwältigt.« Warum hatte man keine bessere, wirksamere Methode zur Lebensverlängerung entwickkelt?

Sein Gesicht zeigte keine Veränderung.

»Das würde ich gern glauben.« Sie kam sich tölpelhaft vor.

Er lag im Sterben, und Mutter würde nicht gerächt werden. Der verrückte Plan, den sie ein ums andere Mal durch ihren Kopf gewälzt hatte, verfestigte sich endlich. Ein Plan, der ihrer Mutter würdig gewesen wäre.

»Wenn du stirbst«, sagte sie zögernd, »wäre das schrecklich. Du hast für die Toten noch eine Rechnung zu begleichen; aber du hast nichts, das dich in die Zukunft tragen kann. Die Zukunft, die du mitgestaltet hast, du und alle anderen Erdgeborenen.« Sie versuchte, nicht allzu rührselig zu werden.

»Robert Edward Lee, denk an die Alte Erde. Kannst du mich dort drinnen hören?« Ihre Handfläche sagte ihr, daß das Fieber nachgelassen hatte. Die Schmerztabletten mußten zusätzlich zu dem schmerzstillenden Analgetikum ein Antipyretikum enthalten, welches das Fieber senkte. »Denk an Virginia. Mutter war aus Vancouver, und sie hat immer von dessen Schönheit geschwärmt. Verdammt, denk an Mutter. Alexandra. Deine Frau. Du hast eine Aufgabe zu erfüllen.«

Würde sie denn niemals zu ihm durchdringen?

Seine Augen blinzelten und richteten sich auf ihr Gesicht. Konnte er sehen? Wie auch immer, diese Augen waren nicht menschlich.

Tique schluckte ihre Angst hinunter. »Gib mir Reubin zurück.« Sie wußte, daß sie ihr Ziel ohne ihn niemals erreichen würde. »Reubin?«

Sein Körper krümmte sich und versteifte sich eigenartig.

Sie glaubte, ihr Plan werde funktionieren, wenn sie nur die Chance dazu bekäme. Sie würde es für Mutter tun, nicht für sich oder Reubin oder aus einem anderen Grund. Er durfte nicht sterben.

Sie schüttelte seine Schultern. »Reubin! Wach auf. Es ist Zeit. Du kannst nicht mehr schlafen.«

Nichts.

»Ich bin's. Tequilla. Mutter hat mich so genannt, entweder dieser Name oder tätowiert werden, hat sie immer gesagt. Sie hat *mir* die Strafe an ihrer Stelle auferlegt. Sie muß damals ein rechter Satansbraten gewesen sein. Hast du sie deshalb so gern gehabt? Weil sie so anders war? Weißt du, was ich mit diesem gottverdammten Namen alles durchgemacht habe? Ich glaube, nicht. Ich habe für Mutters wilde Zeit bezahlt, und wenn du denkst, ich hätte ihr deswegen keine Vorwürfe gemacht, dann irrst du dich. Ich habe mein ganzes Leben für ›Tique‹ gekämpft. Aber ich habe sie geliebt. Komm schon, Reubin, lebe. Wir haben eine Aufgabe zu erfüllen. Du als Erdgeborener wärst bestimmt nicht so boshaft gewesen, deine Nachkommen so zu nennen. Hättest du mit Mutter für euer Kind einen derart miesen Namen ausgesucht? Hast du Kinder, Reubin?« Sie biß sich auf die Zunge. Er hatte ihr erzählt, er habe ein Kind gehabt, das zusammen mit seiner Frau auf Tsuruga getötet worden war. Hatte er noch weitere Kinder? Es war wichtig, daß sie es wußte.

»Komm schon, verdammt noch mal! Besinn dich und erheb dich aus diesem Sumpf.«

Die starrenden Augen umwölkten und schlossen sich. Sein Körper entspannte sich.

»Reubin. Benutze deine Wut. Sie haben Alex umgebracht. Rache. Haß. Benutze alles, was dir einfällt. Komm einfach wieder zu Bewußtsein.«

Sie schüttelte erneut seine Schultern, heftiger diesmal. »Gib nicht auf. Du bist stark genug, darüber hinwegzukommen; das hast du schon die ganze Zeit gemacht, seit du hier bist. Hör jetzt nicht auf.«

Sie schlug ihm ins Gesicht.

Er stöhnte.

»Gib nicht auf. Kämpfe, Robert Edward Lee, Reubin Flood, wer du auch sein magst.«

Er verlor seinen flachen Atemrhythmus und holte tief Luft.

Tique hielt den Atem an.

Sie löste das Oberteil seines Overalls und befeuchtete seine Brust mit dem nassen Stoff. Er wurde wach und schaute sie an. Seine Augen bewegten sich nicht, folgten nicht der Bewegung ihrer Hand. Er war immer noch blind. War er bei Bewußtsein? Wenn ja, war er Reubin Flood? Habu? Oder, was nicht unwahrscheinlich war, ein hirntoter lallender Idiot?

»Reubin?« Ihre Stimme war ein hoffnungsvolles Flüstern.

Er verzog vor Schmerzen das Gesicht und lehnte sich zurück. »Ja.«

»Bist du es?«

»Isch bin's. Ja.«

»Reubin Flood? Robert Lee? Habu? Wer?«

»Ich.«

»Habu.«

Er blinzelte, dann schloß er die Augen. »Nein.« Seine Stimme wurde zu einem Flüstern. »Nicht mehr.« Er fiel in einen natürlichen Schlaf.

Nach einer Stunde war er wach und aß Beeren.

»Weißt du, was passiert ist?« fragte sie ruhig.

Er nickte und räusperte sich. »Ich habe mit der Lebensverlängerung zu lange gewartet. Mein Verstand wird ständig von sich selbst angegriffen, von innen heraus, von der Natur, die unter diesen veränderten Bedingungen nicht weitermachen will.«

»Du hast mit Habu gekämpft, nicht wahr?«

Seine Augen blieben geschlossen. »Ich erinnere mich nicht mehr. Habu überlebt. Ich bin sicher, er hat dieses Miasma von Schmerz und absterbendem Geist durch-brochen und uns irgendwie zurückgebracht.«

Tique wußte instinktiv, daß dies jederzeit wieder passieren konnte. Er würde sterben. Mitten im Angriff auf die Wormwood Inc. Er würde nicht solange leben, um das Ende mitzuerleben. Aber sie wußte ebenfalls, daß es ihr, ganz gleich, was aus ihrer Rache wurde, nicht gleichgültig war, ob er weiterlebte oder starb. Sie wollte, daß er lebte, um seinetwillen. Und um ihret-willen. Um Mutter willen. »Also ist Habu gar nicht so schlecht.« Er hatte sie bisher getäuscht.

»So würde ich es nicht ausdrücken.«

»*Was* ist Habu?« fragte sie, indem sie ihren Mut zusammennahm. Bisweilen hatte Habu ihr wirklich Angst eingejagt.

Er lehnte sich gegen die Wurzel. Seine Augen be-wegten sich, schienen jedoch nichts zu sehen. »Ich bin mir nicht sicher. Er könnte eine Einbildung von mir sein, ausgelöst durch eine Psychose. Manchmal betrachte ich ihn als Alter ego, das eingreift, wenn ich daran gehindert bin; aber das ist ziemlich stark vereinfacht. Dann wiederum schreit er auf eine ur-sprüngliche, primitive Art auf, und ich glaube, er ist ein seltsames fremdes Wesen, das in meinem Geist Zuflucht gesucht hat. Dem entspricht seine Stärke und Reaktionsschnelligkeit. Er könnte ein Wesen sein, das seit seiner Entstehung in diesem Uni-versum gestrandet ist. Oder der Geist dieses Wesens. Er hat mich gefunden, und ich habe etwas geöffnet,

oder etwas in mir ist zerbrochen, und er ist einge-
drungen.«

»Auf Tsuruga?«

»Richtig.«

»Und du erinnerst dich nicht, wie oder wann es passiert ist?«

Reubin machte ein zerquältes Gesicht, und Tique
fühlte sich schuldig dafür, ihm all das zugemutet zu
haben. Sie mußte die Antwort jedoch wissen. Für den
Fall, daß sie sie eines Tages weitergeben mußte.

»Nein. Ich erinnere mich nicht mehr an die Zeit oder
die Umstände. Ich weiß nur noch, daß ich verrückt
wurde und lange, lange Zeit wie ein wahnsinniger Berserker wütete. Ein Jahr lang. Drei Jahre, nach Tsuruga-
Ortszeit. Nach und nach erlangte ich mein *normales* Bewußtsein zurück und stellte das Töten ein...«

Sie wartete. Als er den Gedankengang nicht beendete, sagte sie: »Also warst du nicht unbedingt bei klarem Verstand, als du gemordet hast.«

Er änderte seine Haltung, lehnte dann den Kopf wieder gegen die Wurzel. »Nein. Ja. Sie... Also, die Sache
passierte, und ich drehte durch. Lange Zeit tötete ich
sie. Von Hand. Mit Guerillataktiken, in den Dschungel
hinein und wieder heraus. Indem ich wie ein Tier lebte.
Ich erinnere mich bruchstückhaft an die Schlangen. An
teuflisches Gelächter, und es stammte von mir. An noch
mehr Schlangen. Die ganze Zeit über tötete ich Menschen. Ich griff sie an. Ich sabotierte Stromverteiler.
Öffentliche Einrichtungen. Öffentliche Transportmittel.
Kommunikationseinrichtungen. Ich vergiftete Wasser-
quellen. Ich... ich wollte das nur denen antun, die verantwortlich waren. Das wollte ich. Die Schlangen vermehrten sich. Ich glaube, ich erinnere mich daran,
keine Angst vor ihnen gehabt zu haben. Ich war von
ihnen besessen. Ich überlebte zahlreiche Bisse der
Habu, wurde immun...«

»Könnte das vielleicht …?«

Er nickte. »Soweit ich weiß, ergibt es biologisch betrachtet keinen Sinn. Aber die ungewöhnliche Menge des Habugiftes könnte organische Auswirkungen auf meinen Verstand gehabt haben. Darum Habu. Es gibt viele mögliche Erklärungen.«

Er schwieg.

Schließlich sagte sie: »Du hast nicht bewußt und absichtlich Völkermord begangen.«

Er lächelte grimmig. »Bis heute hat noch niemand in der Geschichte, kein menschliches Wesen, von dem wir wissen, einen ganzen Planeten und einen Großteil seiner Bevölkerung vernichtet und sein natürliches Ökosystem ruiniert. Außer mir.«

»Die Schufte hatten es verdient.«

»Viele von ihnen schon.« Er hatte ruhig gesprochen. »Die Schlangen haben sich phantastisch vermehrt. Ich wollte nicht wirklich jeden töten, der umgekommen ist. Ich habe einfach reagiert, und zu Töten war eine Lebensweise. Eine Obsession. Das einzige, was ich kannte. Angriff. Angriff.«

Bei der Heftigkeit seines Tons schreckte sie zurück. »Aber du hast deine geistige Gesundheit wiedererlangt und dich gerettet.«

Er nickte erschöpft. »Abgesehen von dem anfänglichen Trauma, mir darüber klar zu werden … also, jedenfalls war es das Schwerste, was ich je gemacht habe. Mich selbst aus dem Meer des Wahnsinns zu befreien.« Er blies mit gespitztem Mund die Backen auf. »Ich habe ein wissenschaftliches Expeditionsschiff gestohlen. Ich bin ein guter Pilot. Ich ließ es in eine unbekannte Sonne stürzen und flog mit der Rettungskapsel zur Oberfläche eines anderen Planeten. Seitdem bin ich auf der Flucht. Ich bin viele Male vom ILV behandelt worden, habe ihnen meine Zeit verkauft – oder ging meiner Wege, wanderte in der Galaxis herum …«

Er war in Gedanken versunken, darum ergriff Tique die Gelegenheit beim Schopf. »Also wurdest du wieder gesund, und das Leben ging weiter. Hast du ... äh ... wieder geheiratet?«

Seine blicklosen Augen starrten sie an. Tique empfand erneut seine Fremdheit. »Nein. Seit Tsuruga nicht mehr – abgesehen von Alex, natürlich.«

»Oh.« Laß es jetzt mit einfließen. »Aber du warst die Jahrhunderte hindurch doch bestimmt nicht ... äh ... enthaltsam.«

Tatsächlich lachte er fröhlich. Er schüttelte den Kopf. »Wohl kaum. Ein paar hundert Jahre lang hab ich's wild getrieben. War sovielen Frauen hinterher, wie ich nur konnte. Hab viel gefeiert und herumgehurt. Mich mit den großen Tieren rumgetrieben, aber nie was von den dicken Brocken abgekriegt.«

Sie glaubte zu verstehen, was er meinte. Sie hoffte, daß er sie mit ihren Fragen als eine dieser neugierigen Frauen betrachtete, die immer über die Vergangenheit eines Mannes und die von gehegten Erinnerungen ausgehende Konkurrenz Bescheid wissen wollten. »Irgendwelche Kinder?« fragte sie, als wäre es ihr gerade erst eingefallen.

»Das ILV hat das schon bei meiner ersten Umwandlung nach Tsuruga geregelt. Und bei jeder weiteren Umwandlung. Ich brauche keine Kinder. Soviel ich weiß, läßt die Wirkung der Behandlungen aber nach, wenn man zum Ende seines gegenwärtigen Lebens gelangt. Ein Hinweis darauf, daß sich mein Verstand weiter abbaut, während wir miteinander reden.« Er verzog das Gesicht – wie Tique meinte, wegen der wieder einsetzenden Schmerzen. »Wie alles andere auch, läßt die Wirkung der Sterilisationsbehandlungen mit der Zeit nach.«

Und seine letzte Umwandlung war lange her. Das konnte jeder an der Art und Weise erkennen, wie sein Verstand ständig über sich selber herfiel.

»Mein ... äh ... Draufgängertum, das ein oder zwei Jahrhunderte andauerte, verstärkte auch Habus Ruf als Frauenheld. Einer, der die schönsten Frauen bezaubern konnte und es auch tat. Ich habe mich oft gefragt, ob die Schlange in mir diese Aktivitäten nicht irgendwie ihren Absichten entsprechend und zu ihrem eigenen Vergnügen gelenkt hat.« Er verschränkte die Arme. »Vielleicht war ich immer noch verrückt, schlug ich immer noch um mich, bloß in eine andere Richtung. Vielleicht war es Ausdruck eines geheimen Todeswunsches – des Wunsches, überdurchschnittliche Existenzen mit der absichtlichen Demaskierung Habus zu beenden.« Er schauderte.

Was für ein beschissenes Leben er gehabt hatte.

Er fuhr fort. »Nach und nach wurde ich ruhiger, änderte mein Leben. Aber es scheint so, als suchte ich die Gefahr, ob physische oder andere ... In diesem Leben geschieht es immer häufiger, nicht bloß dem Ende zu, als ich für die Umwandlung fällig wurde. Vielleicht mache ich eine weitere Metamorphose durch ...«

Tique schauderte bei der Möglichkeit. Gott, was konnte ihm denn noch zustoßen? Aber ihre Stimmung hob sich. Sie hatte erfahren, was sie wissen mußte. Ihr Plan könnte klappen.

Sie fütterte ihn und gab ihm Wasser.

Sie blieben den ganzen Tag über in ihrem Versteck, während er sich ausruhte und seine Erschöpfung überwand. Er hatte eine enorme Kondition. Natürlich war er ein Mann, der an das harte Söldnerleben gewöhnt war. Entbehrungen waren seine ständigen Begleiter gewesen.

Nach und nach kam er wieder zu Kräften.

Tique schmiedete Pläne. Es war offensichtlich, daß er nicht mehr lange leben würde – zumindest nicht als vernünftiges menschliches Wesen. Wenn er in die dem Tod vorausgehende Bewußtlosigkeit verfiel, würde dann Habu durchkommen und die Kontrolle übernehmen? Sie schauderte. Wenngleich sie verschiedene Facetten von Reubin und sogar von Habu kennengelernt hatte, wußte sie doch, daß sie Habu noch nie in absoluter Herrschaft erlebt hatte. Nicht nach dem, was Reubin ihr erzählt hatte. Sie dachte an ihn auf Tsuruga, jemand, der wenig oder gar keine Ähnlichkeit mit Reubin Flood gehabt hatte.

Am nächsten Morgen setzten sie ihre Wanderung fort.

Drei Tage später kampierten sie nahe einem kleinen Bach.

Tique hatte Reubins Verletzungen untersucht: die von dem Killerroboter zugefügte war verheilt. Die Verbrennung am Nasenrücken war nur noch ein Schatten. Er verfügte über erstaunliche Selbstheilungskräfte. Sie hoffte, daß seine Augen ebensogut regenerierten. Noch mehr hoffte sie, diese Selbstheilungskräfte würden den drohenden Wahnsinn und Tod fernhalten. Obwohl er noch immer geistig litt, ließ er nicht erkennen, daß er wieder in dieses Koma zurückfallen würde.

Sie war es leid, Fallen zu stellen, sich anzuschleichen und Tiere zu töten und mit den Händen zu fischen. Den Laser benutzte sie nur selten, für den Fall, daß jemand den Energieausstoß anpeilen konnte.

Sie litten jedoch keinen Hunger, und abgesehen von seinen Augen waren sie gesund.

Im Moment warteten sie gerade darauf, daß die Suppe zu kochen begann. Sie hatte eine Bodenvertiefung mit dem Fell einer Schlammkatze ausgekleidet. Dort hinein hatte sie Wasser, Grünzeug und Schlammkatzen- und Sanderlingfleisch getan.

Sie legte einen weiteren heißen Stein in die Mischung und nahm den abgekühlten heraus. »Es sieht eklig aus«, sagte sie, »riecht aber himmlisch.« Sie ließ den Stein ins Feuer fallen und lehnte sich zurück.

Reubin hockte im Schneidersitz da, die über den Kopf gezogene Kapuze, die seine Augen bedeckte, sollte es ihnen erlauben, rascher zu heilen. »Fast wie zu Hause, nicht wahr? Demnächst werden wir noch Biskuits backen.«

Nach dem Aufsetzen der Suppe hatte sie sich entkleidet und im Bach ein Bad genommen. Nun saß sie, die Arme um die Beine gelegt, unbekleidet da, während ihre Sachen auf einem Stein trockneten. Es war angenehm in der warmen, untergehenden Sonne – bislang kein Regen. »Wie geht es deinen Augen heute?« fragte sie.

»Ich glaube, sie sind in Ordnung.«

»Siehst du immer noch lediglich Schemen?«

Er nahm die Kapuze ab und öffnete vorsichtig die Augen. Eine Minute lang blinzelte er. »Nicht ganz optimal – noch nicht. Zum Beispiel kann ich die Sommersprossen auf deiner linken Schulter nicht zählen.«

Beiläufig blickte sie auf ihre Schulter, dann begriff sie, was er gesagt hatte.

Sie kreischte und kroch zu seinem offensichtlichen Vergnügen zu ihren Kleidern.

Zwei Stunden später und immer noch verärgert, nippte Tique mittels eines Löffels, den sie mit Reubins Messer geschnitzt hatte, an der warmen Suppe. Sie tauchten ihre Löffel einfach in die ›Suppenhaut‹ vor ihnen am Boden und aßen aus dem ›Topf‹.

Wider Reubins besseres Wissen hielten sie das Feuer in Gang. Sie stellte ihren Kragen auf. Es war schön, trokken zu sein, und das Feuer hielt die Feuchtigkeit fern.

Sie aß ihre Portion und lehnte sich gegen einen Baum. Reubin aß noch immer. Er blickte ständig nach dem Feuer. Die Nacht war angebrochen, und aus Südwesten wehte ein kräftiger Wind.

»Bei Nacht«, sagte er, »kann man ein solches Feuer kilometerweit sehen – wenn es klar ist. Verdammt, sogar ein entsprechend programmierter Satellit kann es anpeilen. Wieviele Lagerfeuer, schätzt du, brennen im Moment hier draußen?«

»Keine Ahnung, aber sie müßten durch die Blätter dieser Wurmholzbäume hindurchsehen.«

»Was ihnen nicht schwerfallen dürfte, Mädchen. Ich sag's dir, irgendein Schlaukopf plant gerade ihre nächsten Schritte.«

Er machte jedoch keine Anstalten, das Feuer zu löschen. Er brauchte dessen Trost und die Trockenheit ebenso sehr wie sie.

Er holte sein Messer heraus und versuchte, einen Fleischbrocken in der Suppe aufzuspießen. Er konnte immer noch nicht gut sehen – und jetzt war es Nacht, und das einzige Licht stammte von einem flackernden Feuer.

Sie würde diese friedliche Szenerie niemals vergessen. Sie war erfreulicherweise satt, zum ersten Mal seit langer Zeit, und das Essen hatte wenigstens aus mehr als nur einer Standardsuppe bestanden. Die heutige Strecke war schwierig gewesen. Sie war jedenfalls müde. Es fiel schwer zu glauben, daß im Universum außer ihnen und den Wurmholzwäldern noch etwas anderes existierte. Zivilisation und Mord waren in so weite Ferne gerückt, daß sie Einbildung zu sein schienen. Sie hatte sich sehr verändert, und zwar zum Besseren. Sie hatte sich jetzt physisch im Griff, wider ihre Natur. Ihr Gewicht hatte sich auf Muskeln und Sehnen verlagert. Sie war überrascht von sich selbst.

Sie dachte, heute sei der richtige Zeitpunkt, um Reubin zu verführen. Ja, bald.

Tique beobachtete, wie er sein Messer reinigte und es wegsteckte – als die Flugmotorräder mit Rückenwind praktisch wie ein Insektenschwarm auf sie herabstießen. Nun, jedenfalls sechs. Ihnen folgten mehrere Gleiter, dunkel vor dem Hintergrund der Nacht, unbeleuchtet.

Licht flammte auf, und Tique verspürte am ganzen Körper ein Kribbeln. Ein Schocker! Sie atmete flach und versuchte sich zu bewegen, schaffte es jedoch nicht. Es war, als wäre sie an dem Baum festgewachsen, während unmittelbar vor ihr die Handlung wie auf einer Bühne ablief.

Reubin rollte, rollte tatsächlich in einem Zickzackmuster. Männer sprangen von ihren Motorrädern. Zwei große Suchscheinwerfer beleuchteten das Gelände von schwebenden Gleitern aus, was ein gespenstisches Schattenrelief erzeugte, da das Licht von den Wurmholzbäumen und deren Zweigen und Blättern durchbrochen wurde.

Reubin bewegte sich auf allen vieren, wobei er den Lichtpfeilen der Männer auswich.

Tiere grunzten und krächzten und schrien auf vor Schreck. Vögel stoben aufgeschreckt davon.

Reubin rollte sich wieder ab, hinter ein Flugmotorrad, und tauchte plötzlich über der Maschine auf, mit dem Messer in der Hand. Sein Arm pumpte, und Blut spritzte aus einem durchtrennten Hals. Er riß dem Toten die Waffe aus der Hand, bevor der Leichnam erschlaffte und zu Boden fiel.

Tique konnte die Geschwindigkeit nicht glauben, mit der Reubin sich bewegte.

Denn jetzt feuerten alle auf ihn. Er war schon einmal zum Tode verurteilt worden, im Corona, also erledigen wir es jetzt, mochten sie denken, und töten wir ihn auf der Flucht, während er Vollstreckungsbeamte angreift.

Sie sollte jedoch gefangengenommen werden, das war offensichtlich.

Reubin sprang im Salto über das Motorrad zurück und rollte unter dem Vorderteil der Maschine hervor, pausenlos feuernd, Lichtbündel versprühend, tötend, hin und her springend, auf der Suche nach Zielen. Drei weitere Männer lagen inzwischen am Boden.

Sie beobachtete, wie Reubin in die Dunkelheit hinter dem Stamm eines Wurmholzbaumes zurückwich. Er prallte gegen eine große Wurzel, woran Tique erkannte, daß Reubin immer noch nicht sonderlich gut sehen konnte. Hatte er sie mit den Sommersprossen auf ihrer Schulter zum Narren gehalten? Das würde ihm ähnlich sehen.

Zwei Männer bewegten sich rasch auf sie zu. Sie kämpfte gegen ihre unsichtbaren Fesseln. Verdammt noch mal, Körper, tu's für mich, nur dieses eine Mal. Komm schon!

Nichts.

Einer der Gleiter hatte sich einen Weg durch Äste und eine unbewachsene Stelle hindurchgebahnt und senkte sich dem Boden entgegen. Bewaffnete Männer stürzten heraus, noch ehe er aufgesetzt hatte.

Licht flammte am Gleiter auf, und das Gelände war nicht mehr in Schatten gehüllt. Tique wollte vor Enttäuschung weinen, konnte es jedoch nicht.

Die beiden Männer hatten sie erreicht.

Reubin trat hinter dem Baum hervor, an dem sie lehnte, streckte die Männer mit dem Laser nieder und griff nach ihr.

Es wurden Befehle gebrüllt, doch jemand hielt die Männer zurück, und keine Laser schossen in ihre Richtung. Statt dessen Lähmstrahlen.

Tique wurde über die Schulter geworfen und stieß mit dem Ellbogen gegen einen Baum, als Reubin herumschwenkte und losrannte.

»Packt sie!«

Tique fühlte einen weiteren Lähmstrahl über ihre Schulter streifen, während sie gegen Reubins Rücken federte.

Einmal aus dem intensiven Lichtkreis hinausgelangt, rannte Reubin genau gegen einen kleinen Baum. Er stieß stöhnend Luft aus und taumelte. Der Zusammenstoß hatte ihn benommen gemacht. Aber er rannte weiter. Diesmal stolperte er über etwas, das Tique nicht erkennen konnte, und sie gingen gemeinsam zu Boden.

»Verdammter Mist«, sagte Reubin beinahe beiläufig.

Er schob Tique von sich herunter und rappelte sich rasch auf. Er hob Tique erneut hoch.

»Da sind sie!«

Scheinwerfer und Schocker suchten nach ihnen.

Reubin warf sie sich wieder über die Schulter und rannte auf das Dunkel zu. Mit seiner freien Schulter streifte er einen Baum.

Tique vermutete, daß er nicht das geringste sehen konnte.

Erneut stolperte er über irgend etwas, taumelte, erlangte das Gleichgewicht zurück.

Tique zwang sich zu einem übermenschlichen Kraftakt, drückte Luft durch ihre Kehle und bewegte ihre Zunge.

»Laß mich.«

Er lief weiter, und ein Schockerstrahl streifte sein linkes Bein unterhalb der Stelle, wo Tiques Kopf neben seiner Hüfte hing.

»Laß mich!«

»Nein.«

Er stieß gegen einen Baum, prallte davon ab, stolperte über einen Stein und stürzte.

Tique schlug hart auf.

Vorübergehend waren sie hinter dem Stein verborgen.

Licht schoß über sie und die Bäume hinweg.

Reubins Gesicht rückte an ihres heran.

Im Streulicht sah sie seine Augen. Schlangenhaft kalt. Gefährlich. Funken sprühend. Sie waren das Tor zu seiner Seele, kein Hinweis darauf, ob er gut genug sehen konnte oder nicht.

Sein Mund arbeitete. »Hab keine Angst.« Er formulierte jedes Wort langsam und deutlich. Die nächsten Worte kamen noch langsamer. »Ich... werde ssss...« Dann nichts mehr.

Sein Blick wurde weicher, und er strich ihr das Haar aus der Stirn. Dann wurde er wieder hart. Und plötzlich war sie allein.

Tiques Gesichtsfeld betrug etwa achtzig Grad und umfaßte die Spitze des Felsens und den Rand eines Baums. Sie wurde von Scheinwerfern erfaßt, und Köpfe spähten über den Felsen.

»Wo ist er?«

»Weg. Man hat uns gewarnt...«

»Vergiß es. Schnapp sie dir!« Der Mann sprach in ein Handfunkgerät. »Er ist nicht da.«

Tique wurde erneut hochgehoben und zwischen den beiden Männern fortgetragen.

Bevor sie das Lager erreicht hatten, brachen Schreie aus der Dunkelheit hervor.

Dann Stille.

Ein Fluch: »Er schlitzt Kehlen auf! Holt...!« Wer immer es war, seine Stimme ging in einem gurgelnden Schrei unter und erstarb.

Als sie den Ort des Geschehens erreichten, rannten Männer in die Dunkelheit, in der einen Hand Scheinwerfer und Laser in der anderen.

»Schießt ihn nieder!«

»Den Schweinehund krieg ich schon!«

Ein weiterer Schrei. Und noch einer.

»Verdammt! Er bewegt sich so schnell, daß ich keinen Schuß anbringen kann.«

Sie trugen Tique zum Gleiter. Als sie hineingereicht wurde, sah sie einen Schatten, der sich von anderen Schatten löste.

Sie sah ihn, weil sich hinter ihm ständig Laserfeuer kreuzte, das einen seltsamen Gegensatz mit dem Hintergrund bildete.

Der Schatten bewegte sich rascher, als es einem Menschen angemessen war. Er ließ sich auf dem am weitesten entfernten Flugmotorrad nieder, und die Maschine hob rasch ab.

»Er hat 'ne Maschine gestohlen!«

Reubin steuerte das Flugmotorrad mit den Knien, während er mit Lasern in beiden Händen feuerte. Lichtblitze bewirkten Chaos, Schreie, Panik. Und Tod.

Als das Flugmotorrad den Wipfel des Wurmholzbaums durchbrach, ließen sie Tique auf den Boden des Gleiters fallen.

Ihr Plan würde niemals Früchte tragen. Und das bedauerte sie am meisten.

12

Cad

»ER IST VIELLEICHT DER GEFÄHRLICHSTE lebende Mensch«, sagte Cad. Er saß zurückgelehnt auf einer Couch und teilte seine Aufmerksamkeit zwischen der Szene an der Wand und der aufsehenerregenden Frau, die wie hypnotisiert wirkte.

Josephine Neff faszinierte ihn. Ihre leise Stimme, so schien ihm, diente dazu, sie noch sinnlicher erscheinen zu lassen – wenn das überhaupt möglich war.

Seine Aufmerksamkeit wurde wieder von der Wand in Anspruch genommen. Dort stand Fels Nodivving und starrte abwesend auf die Szenerie. Der Premierminister erweckte den Eindruck von Primitivität, doch Cad hielt das für Verstellung. Nodivving war breitschultrig und muskulös, doch Cad war sich sehr wohl bewußt, daß er über einen scharfen Verstand verfügte. Cad hatte keine Ahnung, warum der Premierminister von Snister und leitende Geschäftsführer der Wormwood Inc. dies tat. Wenngleich er zugeben mußte, daß gewöhnliche Menschen es vielleicht gar nicht bemerken würden; guten Reportern fiel diese Art von Verhalten sogleich auf.

Der Bildschirm zeigte eine eingefrorene Weitwinkelaufnahme von Reubin Flood in der Arena, die Corona genannt wurde, wie er Hunderttausende von Zuschauern herausforderte und, über Televideo, den ganzen Planeten.

Typisch Habu, dachte Cad. Sie mußten ihn bis an die Grenze getrieben haben, damit Habu so rasch und triumphierend an die Oberfläche gekommen war. Aber immerhin ein aktuelles Bild des Mannes. Er sah nicht so sonderbar aus, wie man es von einem Erdgeborenen erwartet hätte.

»Sie haben den Ort zweimal gesehen«, sagte Fels, indem er sich mit entschlossenem Gesichtsausdruck umdrehte. »Nun erzählen Sie uns von diesem sogenannten ›Habu‹, wären Sie so nett?« Nodivvings Stimme bekam einen versonnenen Klang. »Er macht keinen sonderlich zähen Eindruck auf mich; ich könnte es mit ihm aufnehmen.«

»Des weiteren könnten Sie uns sagen, was für Sie bei der Sache drin ist«, setzte Josephine hinzu.

Cad fragte sich, ob Nodivving und seine Untergebene etwas miteinander hatten. Es gab keine Anzeichen dafür; die Beziehung konnte längst vorüber sein. Josephine Neff machte nicht den Eindruck, als könnte sie ein und denselben Mann lange Zeit ertragen.

Er wandte sich unmittelbar an sie. »Für mich? Madam, ich bin Journalist. Ich habe Habu in den Mittelpunkt meiner Arbeit gestellt. Ich bin ihm durch die ganze Galaxis hindurch gefolgt. Ich bin *der* Experte für Habu.« Er schenkte ihr sein geübtes Lächeln. »Habu finanziert mich sozusagen. Ich lebe von ihm.«

Neff sah etwas in ihm. In seinen Augen? Seiner Haltung? Er konnte es nicht sagen. Vielleicht wurde er zu selbstgefällig.

»Angenommen«, sagte sie langsam, »dieser Habu wird gefangen. Angenommen, er wird getötet. Was fangen Sie dann an?«

Er zuckte die Achseln. »Eine Biographie schreiben, nehme ich an.«

»Und?« half sie nach. Sie war scharfsichtig. Wie er selbst. Und er mochte diesen Charakterzug.

Nodivving beobachtete das Intermezzo mit Interesse. »Erzählen Sie, Abbot, erzählen Sie. Wenn dieser Mann der meistgesuchte Mensch in der Galaxis ist, warum ist dann keine Belohnung auf ihn ausgesetzt?«

Cad hustete. Er zuckte erneut die Achseln.

Nodivvings Gesicht wurde hart. Doch seine Augen funkelten vor Intelligenz. »Könnte es sein, daß es in Wirklichkeit *doch* eine Belohnung gibt? Könnte es sein, daß Sie beabsichtigen, diese Belohnung einzustreichen?«

Cad hustete erneut. Seinen Sponsoren würde es nicht gefallen, wenn er ihre Namen preisgab – er konnte jedoch allgemein über sie sprechen. »Also, einige Mitglieder des Föderationsrates sind daran interessiert und haben... äh... zusätzliche Geldbeträge für die Ergreifung von Habu ausgesetzt.«

»Politik«, sagte Nodivving spöttisch.

»Ja?« Josephine hob die Stimme. »Du würdest ebenso handeln. Hast so gehandelt.«

Nodivving grinste sie zustimmend an. Er wandte sich wieder an Cad. »Die Föderation sucht offiziell nach Habu, habe ich recht?«

Cad nickte. Er hatte die ursprüngliche Stoßrichtung der Frage erfolgreich abgewehrt. Von seinem persönlichen Interesse an dem Fall brauchten sie nichts zu wissen.

Wieder grinste Nodivving wissend. »Vielleicht ist es so, daß Sie die Erlaubnis haben, Habu festzunehmen. Tot oder lebendig?«

Cad unterdrückte eine Reaktion. Die Wormwood Inc. hatte ihre Quellen. Vielleicht war die Muttergesellschaft, die Omend Galactic Operations, ebenfalls interessiert – und unterstützte ihre Tochter.

Er fragte sich, was Flood in Wirklichkeit dazu veranlaßt hatte, Habu auszulösen. Zweifellos hatte er weder von Nodivving noch von Neff die ganze Wahrheit erfahren. Nodivving hatte seine Maske jedoch gelüftet. Er hatte richtig spekuliert, weil er sich bestimmt dachte, daß Cad ohne gute und finanzielle Gründe nicht so rasch so weit gekommen wäre. Er gab dem Premierminister keine Antwort.

Josephine sagte: »Laß ihn auf seine Art erzählen, Fels. Er würde doch bestimmt keine Geheimmission zugeben?« Ihre Augen taxierten Cad.

»Wir haben alle unsere Geheimnisse, über die wir nicht zu reden wünschen«, sagte Cad anzüglich, indem er sich auf den Anlaß von Habus Auftauchen bezog.

»Hintergründe, bitte«, sagte Nodivving in ruhigem Ton.

»Ihr Reubin Flood ist ein legendärer Mann« begann Cad. »Er ist eine *wirkliche* Legende, kein Mythos wie die Geschichte, die sich daraus entwickelt hat. Bei merkwürdigen Gelegenheiten kommt Habu aus dem Mann zum Vorschein und bewirkt Chaos, Tod, Zerstörung.« Er lächelte bitter. »Gewebeproben und Blutanalysen bestätigen seine Identität.« Er hatte Glück gehabt, daß man sie aufbewahrt hatte, damit er sie mit seinen Unterlagen vergleichen konnte.

Josephine stand auf und trat zu der erstarrten Szene auf dem Wandschirm.

»Niemand kennt ihn«, fuhr Cad fort. »Er wechselt häufig den Namen. Er taucht unter. Einige Leute sagen, er sei eine Legende aus der fernen Vergangenheit, andere meinen, er hätte irgend etwas mit dem Institut für Lebensverlängerung zu tun. Niemand weiß es. Es genügt wohl, wenn ich sage, daß die als Habu bekannte Legende vor Jahrhunderten geboren wurde, ihre Wurzeln jedoch im dunkeln liegen – worauf ich gleich zu sprechen kommen werde. Die Umstände waren jedoch einzigartig, die Sache passierte, und die Legende wächst mit der Zeit.«

»Was ist passiert?« fragte Nodivving, der überraschenderweise keine Ungeduld zeigte. »Ich habe von Habu gehört. Ich dachte immer, es handele sich um einen Mythos. Bis wir Ihre Nachricht erhielten und von hier aus Nachforschungen über Habu anstellten. Es liegen nur sehr wenige Informationen vor.«

»Es war auf dem Planeten Tsuruga, in der Ryuku Retto-Gruppe in der Präfektur Fukui. Eine von Orientalen von der Erde bewohnte Gruppe – lange bevor sich die endgültige Angleichung durch die lebensverlängernden Behandlungen auswirkte. Tsuruga war von Japanern und Okinawern besiedelt – die ebenfalls Japaner sind, jedoch mit einer geringfügig anderen ethnischen Abstammung.« Wie ich, dachte er.

»Fahren Sie fort.« Nodivving wurde allmählich ungeduldig.

»Ein Mann namens Robert Edward Lee war der Assistent des Militärattachés an der terranischen Botschaft. Es kam zum Rollback und der folgenden Katastrophe. Unter den Bewohnern von Tsuruga explodierten religiöser und ethnischer Haß. Pogrome, Lynchjustiz, Morde… Der Haß auf die Erde kochte über, und alle, die von der Erde stammten, wurden gejagt und getötet. Zuerst ging man auf die Juden los, dann auf die Schwarzen, dann auf die Europäer. Es war eine verrückte Zeit. Wie jedes Kind in Geschichte lernt, veränderte der Rollback das Erscheinungsbild der Menschheit, überall warfen Planeten das Joch der Erde ab. Als alles vorbei war, gruppierten sich einige Planeten neu, andere harren noch ihrer Wiederentdeckung. Aus der Erde wurde die Alte Erde, und die Föderation wurde allmählich zu dem, was sie heute ist…«

»Lassen Sie die Geschichte beiseite, Abbot, mich interessiert nur dieser Habu.«

»Dieser Mann«, sagte Cad, »brachte seine Frau gerade in ein Krankenhaus. Sie war schwanger, und die Wehen hatten begonnen. Ein Mob zerrte sie aus ihrem Fahrzeug. Der Mob riß Lee und seiner Frau die Kleider vom Leib. Es heißt, die Frau habe an Ort und Stelle, in einem öffentlichen Park auf Tsuruga, ihr Kind zur Welt gebracht.

Irgendwie wurde das Baby zum Symbol des großen Satans, der Erde, und darum zum Kristallisationspunkt des Mobs.«

Cad atmete jetzt rasch. »Vor Robert Lees Augen erwürgten sie seine Frau und schlugen das Neugeborene tot. Das war die Geburt von Habu.« Er hielt inne, dann fuhr er fort: »Auf Tsuruga erzählt man sich Geschichten darüber – Geschichten, mit denen Mütter ihre Kinder erschrecken, wenn sie nicht brav sind – wobei die Einzelheiten mit jeder Generation grausamer werden.«

Lange Zeit schwiegen sie. Dann nickte Josephine bedächtig. »Zweifellos waren diese Morde der Anlaß dafür, daß sich in einem Menschen zwei Persönlichkeiten eingenistet haben.«

Diese Frau ist mit ihrem Urteil rasch bei der Hand, dachte Cad. »Das ist der Moment, in dem der Mann nach Ansicht der meisten Experten wahnsinnig wurde, in dem er überschnappte, wenn Sie so wollen.« Cad seufzte. »Sie schlugen Lee solange, bis er kaum noch wiederzuerkennen war. Sie hielten ihn für tot und ließen ihn mit den zerfetzten und blutigen Überresten seiner Familie einfach liegen.« Cad mußte sich wieder auf seine Aufgabe besinnen. Jedesmal, wenn er die Geschichte erzählte, machten ihn das entsetzliche Drama und die menschliche Tragödie betroffen. Dieser Vorfall, ganz gleich, wie schrecklich er gewesen war, stellte jedoch keine Entschuldigung dafür dar, daß Lee/Habu Millionen von tsurugischen Einwohnern getötet hatte.

Einschließlich sämtlicher Angehöriger von Cadmington Abbot-Pubals Familie, seine Angehörigen und Freunde. Nicht sofort. Doch im Laufe der Jahre waren alle infolge von Lees Aktivitäten gestorben. Cads Erbe war verschwunden, ausgelöscht von einem Mann und aufgrund des zeitweiligen Wahnsinns eines blutgierigen Mobs. Er schalt sich einen Narren. Er verhärtete seinen Geist.

Cad ging um die Couch herum zu der erstarrten Szene an der Wand und betrachtete sie eingehend.

»Wenn wir mit diesem Drama fertig sind, können wir dann vielleicht fortfahren?« Nodivving ließ die menschliche Tragödie offenbar kalt. Wenigstens habe ich mir meine Menschlichkeit noch bewahrt, dachte Cad, während er den Premierminister mit neuen Augen betrachtete.

Cad wandte Nodivving und Neff den Rücken zu. »Lee kam wieder zu Bewußtsein und kroch weg, mit furchtbaren Verletzungen. In ihm war irgend etwas zerbrochen. Er erholte sich in der Wildnis. Er fing an, Bewohner von Tsuruga zu töten. Jahrelang versteckte er sich, zerstörte Felder, Elektrizitätswerke, tötete Menschen. Mit klassischen und neuen Guerillataktiken. Ein Tier, genau das war er. Und so lebte er auch. Manche sagen, er sei vom Geist des abgeschlachteten Kindes besessen gewesen. Er wurde von Experten gejagt und gejagt, schien jedoch irgendeine Art von sechstem Sinn zu besitzen, der ihn warnte, so daß er jedesmal entkam. Dokumentierte Fälle von Tobsucht weisen meistens eine Dauer von Stunden auf, mit ein oder zwei Tagen als oberster Grenze. Sein Amoklauf dauerte jedoch Jahre.«

»Nun zu der Sache mit der Schlange«, sagte Nodivving.

Cad begann auf und ab zu gehen. »*Trimeresurus flavoivurudus*. Eine Schlange aus Okinawa auf der Alten Erde. Die Einwohner von Okinawa nannten sie Habu. Zur Familie der Vipern gehörend. In Zoos gab es nicht viele dieser Spezies. Allerdings eine Schlange, die sich, wie sich herausstellte, auf Tsuruga rasch vermehrte. Und ihr Gift wurde immer stärker. Sofortiger Tod. Die Schlange hatte keine natürlichen Feinde. Lee stahl die

Schlangen aus einer Ausstellung und ließ sie sich fortpflanzen. Er ließ sie in weiter Entfernung von Städten und Siedlungen und der Gefahr des Entdecktwerdens frei. Sie vermehrten sich mit unglaublicher Geschwindigkeit.«

»Wie kam Lee darauf, sich das zunutze zu machen?« fragte Nodivving.

Aus erster Hand. Das war eine von Cads Lieblingstheorien. »Niemand weiß es genau. Aber erinnern Sie sich, daß er Militärattaché war. Er stammte aus einer ländlichen Gegend auf der Alten Erde. Ich glaube, er ist zufällig auf etwas Ähnliches gestoßen, ich weiß es nicht. Aber ich weiß, daß auf der Alten Erde so etwas Ähnliches mal passiert ist. Auf einer Insel namens Guam. Lee studierte den Ort im Rahmen seiner Dissertation an der Militärakademie. *Boiga irregularis*, auch bekannt als Braune Baumschlange. Es heißt, sie sei von Australien, den Solomon Inseln oder Neu Guinea nach Guam gekommen. Vielleicht mit amerikanischen Soldaten im Zweiten Weltkrieg. Keine natürlichen Feinde. Sie paarten sich, und die Schlangenpopulation explodierte. Sie richteten die Insel zugrunde. Gelangten in die Stromnetze und lösten Kurzschlüsse aus. Die Braune Baumschlange fraß Vögel und deren Eier; die gesamte Vogelpopulation wurde binnen kurzem ausgerottet. Die Schlange gedieh im tropischen Urwald. Drang in Häuser und Geschäfte ein.« Er schauderte bei der Erinnerung an die wimmelnden Massen auf Tsuruga. »Lee kannte die Geschichte der verheerenden Auswirkungen der Braunen Baumschlange von Guam. Er wandte dieses Wissen auf Tsuruga an. Auf Guam ein Versehen; auf Tsuruga mörderische Absicht.«

Nodivving nickte. »Ich empfinde neue Hochachtung vor diesem Mann. Ich wußte, daß noch mehr an ihm dran war. Er war ein ebenbürtiger Gegner für mich...«

»Fels«, sagte Josephine vorwurfsvoll.

Nodivving nickte und tat seine Bemerkung mit einer Handbewegung ab.

Josephine übernahm das Gespräch. »Unsere Nachforschungen haben ergeben, daß Habu eine Legende ist, die Ähnlichkeiten mit Audie Murphy, Davy Crockett, Harold G. Eggerholm aufweist. Allesamt Kämpfer, die Historiker sind jedoch nicht in der Lage, die Richtigkeit oder den Realitätsgehalt dieser Legenden zu bestätigen.«

»Er ist jedenfalls real.« Cad blickte die Frau an, die ihrerseits seinen Blick erwiderte.

»Das wissen wir.« Ihr Tonfall war kühl. »Ich war in jener Nacht im Corona.«

Jetzt begriff Cad. Diese Frau war von dem Schauspiel, dessen Aufzeichnung er soeben gesehen hatte, fasziniert gewesen. Sie war besessen von Habus Stärke und Gewalttätigkeit.

Cad betrachtete Josephine Neff mit neuem Verständnis. Probier etwas und guck, was passiert, sagte er sich, von dieser Frau angezogen, wie ihn noch keine andere angezogen hatte. »Die Habu-Legende ist so sehr gewachsen und hat sich beim Erzählen im Laufe der Jahre und Jahrhunderte verändert, man erzählte sich sogar, Habu sei das erste Wesen, der einzige Mensch gewesen, der von Anbeginn an gelebt hat. Daß er als Schlange aus der Ursuppe gekrochen sei und sich in einen Menschen verwandelt habe. Daß er der erste Verführer gewesen sei, der die Erste Frau aus dem Bett ihres Mannes lockte und so den Garten Eden zerstörte. Es hieß, er suche immer noch nach dieser Ersten Frau, daß sie auf die gleiche Weise existiere wie er. Daß er bei der Suche nach ihr Kleopatra geliebt habe, die Monroe, die Großen Katherinen – beide, die Zarin und die dritte Kaiserin des Zweiten Galaktischen Imperiums.«

Josephines Gesicht war erschlafft, sie starrte mit glasigem Blick auf Floods Gestalt an der Wand.

Cad fuhr fort: »Es heißt, Habu sei unzähmbar und warte lediglich unter seiner momentanen menschlichen Persönlichkeit, um irgendwann hervorzubrechen.«

Es war still im Raum. Cad bemerkte unwillkürlich, daß Nodivving seine Verwaltungsbeamtin mit einem neugierigen Ausdruck eingehend musterte. Cad wußte, dieser Mann wurde nicht von romantischen Gefühlen beeinflußt. Josephine handelte unter anderen Voraussetzungen, aus anderen Beweggründen. Nodivving war Realist, Materialist. Ein Mann voller Machtgier. Ein Mann, der es liebte, andere Männer zu übertrumpfen.

Cad beschloß, noch ein wenig weiterzugehen. Er war im Begriff, Josephine auf seine Seite zu ziehen, und wurde sich in diesem Moment bewußt, daß er einen Verbündeten brauchte. »Andere Geschichten besagen, Habu verbringe sein Leben wegen seines immerwährenden Kummers und Schmerzes betrunken und wandere solange umher, bis er eine unerklärliche Metamorphose durchmacht und sich in seine Habu-Persönlichkeit verwandelt. Dieser Mythos besagt, Habu sei vor oder zeitgleich mit dem Ersten Mann und der Ersten Frau entstanden und sei zusammen mit den ersten Entdeckern, zusammen mit Silas Swallow und seinen Leuten, in die Galaxis hinausgezogen. Stets in der Vorhut der sich expandierenden Menschheit, stets auf der Suche nach neuen Orten, neuen Abenteuern, die ihn vergessen lassen. Eine fortwährende Katharsis, wenn Sie so wollen.«

»Das wäre eine Erklärung für sein langes Leben«, sagte Josephine, die bereits Querverbindungen herstellte.

»Einsam, ständig einsam«, sagte Cad leise. »Frauen rufen oft seinen Namen an: Habu. Er versteht es, sich zu verbergen. Er ist ein Teil der Dunkelheit, Teil des Morgennebels und Teil der anbrechenden Nacht.«

»Hören wir auf mit diesem mythologischen Mist, ja?« Nodivving schnaubte vor Mißvergnügen. »Wie, zum Teufel, kann ein Mensch, ein von einer Frau geborener Mensch, sein, was Sie von ihm behaupten?«

Cad straffte sich. »Ich behaupte gar nichts. Ich wiederhole lediglich, was gesagt und geschrieben wurde.« Er zuckte die Achseln. »Meiner auf gewisse Sachkenntnisse gestützten Meinung nach wurde er, nachdem er so lange gewütet hatte und dabei ständig an die Abschlachtung seiner Familie gedacht hatte, verschroben. Die Schlangen brachten ihn auf Gedanken hinsichtlich menschlicher Schlangen und waren bei ihm, als er aus seiner jahrelangen Raserei auftauchte. Psychologen haben für all das ihre Fachausdrücke. Wahrscheinlich kennt nicht einmal Robert Lee, oder Reubin Flood, die Antwort. Experten haben spekuliert, seine eigene Schlangenpersönlichkeit habe sich als Folge einer Kombination bestimmter Elemente dauerhaft in seinem Geist etabliert – aufgrund einer einzigartigen Kombination.« Er hielt inne und dachte nach.

»Um welche Kombination handelt es sich?« fragte Nodivving.

»Sein Alter. Er ist uralt, selbst im Vergleich zu denen, die sich der lebensverlängernden Behandlung unterziehen. Ein weiterer Faktor ist sein Wahnsinn. Wahnsinn ist der Hauptgrund für abnormes und bizarres Verhalten. Vielleicht unterzog er sich einer Umwandlung, als er von Tsuruga her noch verrückt war, und die Persönlichkeitsspaltung hat sich dadurch verfestigt. Dies letztere könnte für etwas verantwortlich sein, das ich mittels Nachforschungen und scharfem Nachdenken ermitteln konnte: Ich glaube, Robert Lee wartet *immer* solange, bis es für die Lebensverlängerung beinahe zu spät ist. Dies führe ich auf seine Habu-Persönlichkeit zurück. Habu erlangt durch das Warten und den zunehmenden Wahnsinn die Kontrolle und hält ihn unbewußt davon ab, sich der lebensverlängernden Behandlung zu unterziehen, bis der Mensch diesen Druck überwindet. Ich glaube, Habu wird sich durchsetzen, die bestimmende Persönlichkeit werden, wenn Robert Lee infolge des Ausbleibens der Lebensverlängerung wahnsinnig wird. Gegen Ende seines jeweiligen Lebens bringt Habu Robert Lee immer in gefährliche Situationen. Bedenken Sie, wo er vorher war; als Söldner auf einem kriegführenden Planeten.« Cad dachte an den ständigen geistigen Kampf um Kontrolle, der sich zwischen Lee und Habu abspielen mußte. Cad fragte sich auch, wie beides miteinander zusammenhing. Wie war Reubin Flood von Karg nach Snister gekommen? Und, noch wichtiger, warum?

Das, fand Cad, war das fehlende Mosaiksteinchen. Das war der Grund dafür, daß die Nummer Eins und Zwei von Snister soviel Interesse zeigten. Das war der Grund, weshalb Flood in einer Arena gelandet war.

Er kam zum Ende. »Somit bilden all diese Faktoren zusammen die Mischung, die – jetzt – Reubin Flood und Habu ist. Wahnsinn. Wissenschaft. Die brutale Ermordung seiner Frau und seines Kindes. Frust und Ohnmacht, weil er diese Scheußlichkeiten nicht verhindern konnte. Wut. Bedauern. Sie können die Liste nach Belieben erweitern.«

Josephine nickte und wandte sich von dem Wandbild ab. Ihre Stimme begann leise und nahm an Oktaven und Intensität zu. »Der Mythos besagt, daß sich nur die Frau zwischen Schlange und Mann stellen kann. Der Hirsch, der Adler und der Löwe sind die weltlichen Feinde der Schlange. Wir haben erfolglos einen Gnurl genannten Hirsch auf ihn gehetzt. Wir haben erfolglos einen Schnarle genannten Löwen auf ihn gehetzt. Der Adler bleibt übrig. Aus der Luft. Von oben. Wir müssen ihn von oben angreifen, das ist klar.«

Cad schauderte. Er sah, daß Nodivving Josephine mit ungläubigem Gesichtsausdruck beobachtete.

Sie fuhr fort. »Der Mythos besagt, daß die Schlange die Hüterin der Unsterblichkeit ist, der Ursprung des Lebens. Darum wachsen Habu und seine Legende, anstatt zu sterben. Darum ist er bereit, an die Oberfläche der zweifachen Persönlichkeit zu kommen. Der Mythos besagt ebenfalls, daß die Schlange unsterblich ist, daß sie anders, aber an der Seite des Menschen lebt – wie Sie, Cadmington, zuvor bereits spekulierten – und darauf wartet, zustoßen zu können, das Leben des Menschen zu beenden.«

Cad vermochte sich nicht zu beherrschen. »Die Legende besagt ebenfalls, daß Habu bei der Häutung sein hohes Alter mit abwirft. Eine Metapher für die Wiederauferstehung?«

Josephines Augen blickten in die Ferne. Cad fühlte sich unwiderstehlich zu ihr hingezogen.

»Verdammt noch mal, Josephine«, sagte Nodivving, »du bist wirklich unheimlich, wenn du so mystisch wirst.«

Ihre Augen zwinkerten rasch, verweilten auf Cad und schlossen sich. Sie atmete tief. Sie öffnete die Augen, und als sie sprach, tat sie es in ihrem normalen Flüsterton. »Also verschlechtert sich der Gesundheitszustand dieses Mannes, was zur Verschmelzung zweier Persönlichkeiten und schließlich zu Habus Erscheinen führt. Vielleicht kommt jedesmal, wenn er sich einer lebensverlängernden Behandlung unterzieht, Habu ein bißchen mehr zum Vorschein. Das ist der Mann, der auf unserer Welt herumirrt. Das ist unser Feind?«

Cad wußte nicht, was er darauf antworten sollte. Wenigstens war sie wieder normal. Er bedauerte, nicht die Zeit zu haben, sich von der Föderation eingehend über diese beiden informieren zu lassen. Aber woher hätte er wissen sollen, daß sie die Hauptfiguren in diesem

Spiel sein würden? Den Seelenklempnern von der Föderation würde sich ein weites Betätigungsfeld eröffnen, wenn sie Fels und Josephine analysieren könnten.

Eines war Cad jedoch klar. Ganz gleich, was der Grund für den gegenwärtigen ›Habu-Ausbruch‹ war, Habu befand sich in Schwierigkeiten. Habu war auf Abwege geraten, und Cad war auf eine Goldmine gestoßen. Cad verfügte jetzt über Blut- und Gewebeproben; die persönlichen Merkmale würden sich niemals ändern, nicht einmal nach der Lebensverlängerung. Außerdem besaß er ein frisches IR-Spektrum – obwohl Habu das Unmögliche fertigbringen und seine Infraroterscheinung wesentlich *verändern* mochte.

Ein weiteres unerwartetes Geschenk: aktuelle Stimmaufzeichnungen und Fotos – auf die eine Umwandlung Auswirkungen haben konnte. Wirklich aktuelle Videos. Cad sah sich mit mehr Fakten und Details ausgestattet, als er während der letzten paar Jahrhunderten hatte ausgraben können.

»Sie haben *was*?!« Der durchdringende, schockierte Tonfall weckte Cad auf. Er rollte sich auf die Seite.

Josephine saß aufrecht da, wieder mit diesem hauchdünnen Gebilde bekleidet und nach Moschus duftend. Sie sprach in ein Gerät neben dem Bett.

»Ich habe nichts dergleichen angeordnet.«

Cad studierte ihren versteiften Nacken. Irgend etwas war nicht in Ordnung. Er vermochte die Körpersprache gut genug zu deuten, um zu wissen, daß es zu einer größeren Krise gekommen war.

»Finden Sie mehr heraus und rufen Sie mich zurück.« Sie unterbrach die Verbindung und wandte sich an Cad. »Idioten.«

»Was ist los?«

Sie ließ sich wieder in ihre Kissen zurücksinken. »Irgendein Problem mit der Bewässerung oder so ein

Mist – man weiß es noch nicht. Sie sagen, ich hätte Veränderungen autorisiert – nein, *ich* hätte Veränderungen vorgenommen, die dazu geführt hätten, daß zahlreiche Defekte aufgetreten seien und Pflanzungen überflutet und Geräte ruiniert würden und…«

Cad rollte sich herum und begann ihre Schulter zu massieren. »Beruhig dich. Warum solltest du so etwas tun.«

»Es ist vollkommen logisch. Jemand benutzt meinen Namen und meinen Code. Ich bin die Innenministerin. Das fällt in meinen Tätigkeitsbereich.«

»Sie haben bestimmt Experten, die sich gerade darum kümmern.«

Sie nickte. »Aber es gibt Sicherheitsvorkehrungen, welche die Experten nicht durchbrechen können – noch nicht. Abgesehen davon glaubt das System, die Nummer Zwei habe das alles ausgelöst, und will darum nicht auf untergeordnete Anfragen und Nachforschungsversuche reagieren. Und schließlich ist da noch ein Virenprogramm, das sich selbst vermehrt, die Dateien wieder und wieder kopiert, wobei es Rechenzeit und Speicherplatz verbraucht und die Programmierer behindert, die das Schlamassel zu beheben versuchen.«

»Was ist das Ergebnis?«

Sie schüttelte seine Hände ab und setzte sich auf. »Wirtschaftliches Chaos. Ein Durcheinander in der Verwaltung, bis der Schaden behoben ist. Ein verdammt großer Verlust an Arbeitsstunden, Geräten, Vermögen und Produkten.«

Seine Neugier erwachte. »Willst du damit sagen, es handele sich dabei um einen ernsten ökonomischen Rückschlag?«

Sie nickte knapp. »Es wird die Gewinne von Jahren kosten, es sei denn, wir holen den Verlust wunderbarerweise wieder herein. Man hat bisher gewiß nur die Spitze des Eisbergs entdeckt. In diesem Moment gehen bestimmt noch andere Dinge schief, von denen wir noch nicht einmal etwas wissen.«

»Industriesabotage«, sagte Cad. »Sonst noch etwas Ungewöhnliches?«

Sie ließ sich wieder hinabsinken und drehte sich zu ihm hin. »Ein Einbruchsalarm. Am gleichen Ort, weit draußen in einer Siedlung, die das momentane Zentrum der Wurmholzgewinnung ist.«

»Sind Einbrecher etwas Ungewöhnliches?«

»Ja«, sagte sie, »aber nichts im Vergleich zu dem, woran ich gerade denke.« Sie streckte die Arme nach ihm aus.

Er ignorierte sie und kletterte aus dem Bett. »Das ist es. Fällt dir nicht die Verbindung auf?«

»Wovon redest du eigentlich?«

Er begann sich anzukleiden. »Begreifst du nicht?«

»Nein.« Ihre Stimme nahm seine Erregung auf, ihr Flüstern war höher geworden.

»Flood. Lee. Habu. Er ist es. Er soll angeblich ein Computergenie sein. Manchmal glaube ich, er hat Zugang zum Institut für Lebensverlängerung und seinem galaxisweiten Netzwerk. Das würde erklären, warum er so häufig entkommt und so wenige Spuren hinterläßt.«

»Du willst sagen, Reubin Flood sei dort draußen in den Wurmholzpflanzungen, stöbere herum und mache Sachen kaputt?«

»Ja. Verdammt noch mal, Josephine. Das ist unsere Chance. Er führt einen Wirtschaftskrieg. Es ist so offensichtlich.« Er dachte einen Moment lang nach. »Die falsche Fährte, die er hier in Cuyas in einem Apartment gelegt hat. Die Gendarmerie hat die Stadt erfolglos auf den Kopf gestellt. Es paßt alles zusammen.« Es war an der Zeit, daß Josephine ihm sagte, was sie über diese Frau namens Tequilla Sovereign und den Anlaß des ›Habu-Ausbruchs‹ wußte. Er würde die Informationen bald aus ihr herausholen.

Sie nickte, und Begreifen erhellte ihre Gesichtszüge. »Gehen wir runter in die Zentrale.«

»Er ist ein brillanter Taktiker«, sagte Cad zu dem Gesicht des Gendarmen auf dem Bildschirm, »und er verknüpft die Taktik mit seiner Langzeitstrategie.«

»Verstanden, Sir.« Ein verlegener Blick, weil er von einem unbekannten, nicht zur Gesellschaft gehörenden Zivilisten Befehle annehmen mußte. Captain Mcdemman war sehr militärisch.

Cad wußte nicht, ob es Tag war oder Nacht. Er war nach dem Abendessen mit Josephine zu Bett gegangen und hatte es soeben wegen dieser Krise verlassen.

»Es ist gerade eben passiert. Es kam zu einem Schußwechsel, und der Mann und die Frau sind entkommen. Mir wurden noch nicht sämtliche Einzelheiten mitgeteilt, aber wie ich höre, gab es mindestens einen Toten. Wir vermuten, daß es mit dem Einbruchsversuch in das Hauptquartier des Sicherheitsdienstes in Verbindung steht...«

»In den Bereich, wo die Waffen gelagert sind?«

»Ja, Sir.«

»Das ist er, daran gibt es keinen Zweifel.« Cad dachte einen Moment lang nach. »Sie führen gerade eine Suchaktion durch?«

»Sie wird soeben organisiert.«

»Ich melde mich wieder bei Ihnen. Wir werden die Verbindung aufrecht erhalten.« Cad mußte weiter nachdenken. Er mußte mehr wissen. »Einstweilen Ende.« Er erhob sich von der Konsole und ging zu einer anderen hinüber. Josephine war dort und ließ zusammen mit einer älteren Programmiererin Testprogramme laufen. Sie blickte auf. »Irgendwelche Neuigkeiten?«

»Ich bin mir sicher, er war es. Habu. Wir müssen uns unterhalten.«

Sie nickte. »Machen Sie weiter«, sagte sie zu der Frau an ihrer Seite. Sie führte Cad zu einem Kaffeeautomaten an der Wand. »Nun?«

»Wer ist die Frau, die ihn begleitet?«

Josephine zuckte die Achseln und wich seinem Blick aus.

»Josephine, ich muß über diese Dinge Bescheid wissen, wenn ich helfen soll.«

»Sie heißt Tequilla Sovereign. Sie ist diejenige, die den Stromausfall im Corona herbeigeführt und ihm bei der Flucht geholfen hat.« Josephine wirkte verärgert darüber, über eine andere Frau sprechen zu müssen. Sie schleuderte ihr Haar zurück. »Tequilla Sovereign ist eine unbedeutende Person; eine Umweltschützerin, die sich mit Nebelformen beschäftigt. Ihre Mutter hatte den ganzen Schneid und Mumm in der Familie.«

»Wo ist die Verbindung?«

Josephine schwieg eine halbe Minute lang, dann schenkte sie sich Kaffee ein.

Cad schenkte sich ebenfalls Kaffee ein. »Sag's mir.«

»In aller Kürze: Dein Mr. Flood heiratete eine Frau namens Alexandra Sovereign. Sie wollten sich gemeinsam der Lebensverlängerung unterziehen und dorthin gehen, wo immer das ILV solche Leute hinschickt. Sovereign kehrte nach Snister zurück, starb an einem Herzanfall. Flood tauchte auf und behauptete, es sei Mord gewesen, lief Amok – was wir inzwischen verstehen – und wurde festgenommen und verurteilt. Die junge Frau ist Alexandras Tochter. Nun, reichen diese Erklärungen aus?«

»Einstweilen, ja«, sagte er. In deinem Bericht fehlt einiges, dachte er. Und manches davon klingt falsch. Aber das macht mir nichts aus. Es ist Teil der Fährte. »Es erklärt jedenfalls seine Aktivitäten. Er glaubt, die Wormwood Inc. sei in irgendeiner Weise für Sovereigns Tod verantwortlich. Das und die zeitliche Nähe der

Umwandlung und seiner Behandlung hat ihn durchdrehen lassen. Erinnere dich, unter anderem war es der Tod seiner Frau, der das Gemetzel auf Tsuruga ausgelöst hat. Habu hat die Oberhand gewonnen und liegt auf der Lauer, um in Aktion treten zu können.«

Ihr Mund erschlaffte, da sie seine Erzählung anscheinend mit ihren eigenen Vorstellungen begleitet hatte.

Stunden später sprach Cad wieder mit dem Gendarmerie-Captain aus ›der Siedlung‹. Von einem Bildschirm starrte Cad, der etwas zu sagen versuchte, ein Duplikat der Karte mit dem Suchschema an.

»Die Windböen und der Regen behindern natürlich die Suche. Im Moment…«

Cad unterbrach den Mann. »Hören Sie, Captain. Wenn sie zu Fuß sind und Sie IR-Messungen durchführen, bleibt ihnen nur eine, ich wiederhole, *eine* Fortbewegungsart, um aus Ihrem Erfassungsbereich hinauszugelangen.«

Die Augen des Captains studierten dessen Konsole. Er nickte bedächtig, aktivierte eine weitere Funkverbindung und sprach. »Schicken Sie einen Gleiter flußabwärts über den Fluß. Sorgen Sie dafür, daß jemand die Strömungsgeschwindigkeit des Flusses berechnet und den ungefähren Aufenthaltsort eines im Wasser Treibenden, unter der Voraussetzung, daß sie unmittelbar nach der Konfrontation ins Wasser gegangen sind.«

Cad nickte beifällig. »Dann beginnen sie mit Ihrem Suchschema an dieser Stelle.«

»Das war meine Absicht«, sagte Mcdemman.

Der Junge war gut, fand Cad, jedoch besorgt um seine Stellung und unglücklich darüber, daß ein Zivilist ebenso schnell dachte wie er.

Tage später hielt Cad sich immer noch in der Zentrale auf. Josephine hatte schon lange das Interesse verloren.

Cad vermutete, daß sie deshalb nicht mehr da war, weil der Blutgeruch verschwunden war; das Gefühl der Dringlichkeit schwebte nicht mehr über dem Ort, und die Festnahme der Flüchtlinge war in weitere Ferne gerückt.

Er sprach mit dem Captain. »Geben Sie mir eine Übersicht über die momentanen Aufenthaltsorte ihrer Arbeitsgruppen.«

Mcdemmans Finger flogen. »Die meisten kommen am Abend von ihren Außenstandorten zurück.«

»Lassen Sie die aus.«

»Richtig.« Der Captain nannte ihn nicht mehr ›Sir‹. »Da.«

»Nicht viele Außenposten«, bemerkte Cad.

»Stimmt. Nicht bei den unvorhersehbaren Monsunregen und der natürlichen und *unnatürlichen* Überschwemmung.«

Cad wandte sich an den technischen Beamten neben ihm. Der Mann roch nach abgestandenem Kaffee. »Überlagern Sie das mit den Satellitenbildern der Wärmequellen.«

Das Bild verschwamm vorübergehend. Es war die gleiche Prozedur, die sie während der vorausgegangenen Nächte ständig ausgeführt hatten.

Die Zeit dehnte sich. Der geostationäre Satellit zeigte die von ihm festgestellten Wärmequellen an.

Der Computer löschte die vom Gendarmeriecaptain bezeichneten Orte. Bei den wenigen, die sie in dieser Nacht überprüft hatten, hatte es sich um falschen Alarm gehandelt. Sie mußten sich jedoch um jeden einzelnen kümmern.

»Ein neuer ist gerade eben aufgetaucht«, sagte der Beamte.

»Bekommen Sie den neuen rein?« fragte Cad Mcdemman in der Siedlung.

»Hab ihn. Schicke gleich Leute los.«

»Wir haben *sie*«, rief die aufgeregte Stimme des Captain.

»Kümmert euch nicht um sie. Um *ihn*. Was ist mit *ihm*?« fragte Cad.

»Warten Sie. Verletzte. Tote.« Das Gesicht des Captains verdunkelte sich. Er sprach beiseite. »Schicken Sie mehr Männer hin! Jagt ihn. Es ist mir egal!« Er blickte Cad auf seinem Monitor an. »Befehl ist Befehl.« Er wandte sich wieder an Cad. »Der Mann ist entkommen, das ist passiert, Mr. Abbot. Aber wir bleiben dran.«

»Captain, lassen Sie sich gesagt sein, daß er ein Killer ist, der bedenkenlos tötet.«

»Das weiß ich verdammt gut. Ich habe Männer verloren!«

»Hören Sie. Ich weiß nicht, wie rational er vorgeht.« Cad überlegte fieberhaft. »Aber es ist möglich, daß er zu der Frau eine Beziehung entwickelt hat. Könnten Sie sie zur Siedlung zurückbringen und als Köder benutzen?«

»Dieser Flood würde sich in die Höhle des Löwen hineinwagen?« Mcdemman war skeptisch.

»Er hat es kürzlich getan, nicht wahr?«

»Aber da haben wir nicht mit ihm gerechnet.«

»Glauben Sie mir, Captain. Dadurch ändert sich gar nichts.«

»Wenn Sie es sagen, *Mister* Abbot.«

Der verdammte Idiot glaubte ihm nicht. War es das wert, sein Prestige und seinen hart verdienten guten Ruf in die Waagschale zu werfen? Er konnte Josephine bitten, die Befehle zu erteilen; und sie würde es tun. Sie vertraute ihm, und er konnte sich dieses politische Kapital zunutze machen.

Vielleicht wartete er besser ab, was als nächstes geschah. Denn es war offenkundig, daß sie Flood tot und die Frau lebend haben wollten. Nodivving und vielleicht auch Neff verfolgten andere Absichten als er. Er mußte herausfinden, was, zum Teufel, eigentlich hier vor sich ging.

Also, alter Freund Habu, stellen wir ihren Eifer mal auf die Probe. Manche Leute wollen überzeugt werden, bevor sie einem glauben.

Cad beschloß zu warten. Wie er Habu kannte, würde mit Sicherheit etwas geschehen.

Etwas Verhängnisvolles.

13

Habu

SEINE NASENFLÜGEL BEBTEN.

Das Blut roch gut.

Blut auf seinem Körper war etwas Natürliches. So sollte es sein.

Zweige schlugen nach ihm. Blätter peitschten ihn.

Die Männer unter ihm feuerten auf ihn.

Er schoß zurück, indem er das Flugmotorrad instinktiv mit den Knien lenkte. Sein Körper hatte es früher schon einmal getan, viele Male, so daß er sich damit auskannte. Das Kämpfen war ihm angeboren.

Als er aus der Deckung des Wurmholzbaumes hervortauchte, begegnete er Gleitern. Sie schwebten in der Nähe, verstopften den Himmel.

Winzige Lichter flammten auf.

Ein breiter Strahl erfaßte ihn und wollte nicht mehr weichen.

Er beharkte die Decks der Gleiter mit seinen Lasern. Ein Messer in der Hand und Füße und Zähne, um seinen Feind damit zu zerreißen, waren ihm lieber. Er konnte diese Werkzeuge jedoch benutzen.

Der Scheinwerfer störte ihn, und er schleuderte eine der Waffen darauf und zerbrach das lästige Ding.

Er flog einen Looping und gelangte hinter die Gleiter. Er sprang von seiner Maschine auf das offene Deck eines Gleiters.

Mit gefletschten Zähnen griff er den dort stehenden Mann an, schlitzte ihm mit dem Messer, das er jetzt in Händen hielt, den Bauch auf.

Als wäre es ihm gerade erst eingefallen, betrat er das

Cockpit und feuerte und feuerte und feuerte mit der verbliebenen kümmerlichen Waffe. Männer stürzten zu Boden und starben.

Er trat wieder hinaus. Das Gleißen der Scheinwerfer hatte nachgelassen. Gut. Bei Nacht fiel ihm die Fortbewegung leichter. Seine Sicht war seltsam verschwommen, wurde abwechselnd scharf und wieder unscharf.

Andere Gleiter kamen jetzt näher, begierig darauf, herauszufinden, was geschehen war.

Er sprang mühelos und sicher auf einen anderen Gleiter. Dieser besaß kein Deck. Er riß die Tür auf, zog den Fahrer heraus und stieß ihn hinunter.

Sein gellender Schrei war eine Genugtuung für ihn.

Der Mensch in ihm kämpfte um Einfluß und schaffte es, ihm dabei zu helfen, den Gleiter zu steuern. Er stieß gegen einen anderen, und im nächsten Augenblick war er aus dem Cockpit heraus und sprang auf das Heck dieses Gleiters. Zwei Männer im Innern strahlten Angst aus. Sie feuerten mit Waffen durch die Kuppel, die stark genug war, die Energie zu bändigen. Wenn sie unbedingt an der Heizung sparen wollten. Idioten!

Er sprang auf einen anderen Gleiter, diesmal einer mit einem rückwärtigen Deck, das zum Transport schwerer Geräte diente. Der Sprung aus schwindelerregender Höhe bereitete ihm Nervenkitzel. Er war frei und tat, was sein einziger Lebenszweck war: töten.

Ein Mann sprang vom Gleiter hinab, ohne zu schreien. Er war vor Entsetzen verstummt und hatte seine Seele aufgegeben.

Ein Klingeln auf Metall und von der Kuppel reflektiertes Licht sagten ihm, daß weitere Gleiter auf ihn feuerten. Er hob die Faust mit dem blutigen, tropfenden Messer und forderte sie mit einem Schrei heraus.

Den Bruchteil einer Sekunde lang stockte alle Aktivität.

Dann ging sie weiter, die anderen Gleiter wichen zurück, einige langsam, andere rasch.

Er griff nach dem Lukendeckel.

Verschlossen.

Der Mensch in ihm sagte ihm, er solle auf den Verschlußmechanismus schießen. Er tat es.

Plötzlich legte sich der Gleiter auf die Seite.

Haltlos geworden, stürzte er ab.

Er ließ die Waffe fallen und griff nach dem oberen Ast eines Wurmholzbaumes. Er zog ihn hinunter und baumelte daran, einen Moment lang auf und ab wippend, an einer Hand hängend.

Er faßte das Messer mit den Zähnen. Das Blut auf der Klinge schmeckte salzig und dick und angenehm.

Zwei Gleiter drängten sich an ihn heran und eröffneten das Feuer.

Er ließ sich auf einen niedrigeren Ast hinunterfallen und krabbelte auf den Baumstamm zu. Geschickt arbeitete er sich nach unten vor, indem er den gewaltigen Stamm umkreiste. Als die Äste aufhörten, benutzte er Risse, Spalten und Löcher, deren Zweck er hätte kennen sollen.

Mehr nach Gefühl als nach Sicht schlängelte er sich den Baum hinunter. Es war Nacht, doch manchmal sah er, dann wieder nicht.

Als er den Boden erreichte, hockte er sich hin und hielt Ausschau nach dem Feind.

Von irgendwoher kam das Unwetter. Er spürte es. Weit in der Ferne spalteten Blitze den Himmel. Wolken brodelten. Der Himmel und die Sterne verschwanden. Es kam näher.

Der Mensch in ihm versuchte ihm etwas zu sagen, ihn zu irgend etwas zu bringen.

Die Frau. Tique.

Was…?

Schmerz flammte in seinem Kopf auf, ein Schmerz, den er bereits kannte.

Er erhob sich und tat einen Schritt.

Der Schmerz bewirkte Desorientierung. Er fiel gegen den Baum zurück. Seine Sicht verdunkelte sich, als wären seine Augen mit Blut bedeckt.

Er sackte zu Boden, die Baumrinde an seinem Rücken hatte etwas Tröstendes.

Der Schmerz durchspülte ihn in Wellen. Er betatschte seinen Kopf. Er schrie. Er rollte über den Boden. Er rutschte auf dem Bauch. Nichts half. Ein weiterer urtümlicher Schrei brach aus seiner Kehle.

Nach einer Weile traf das Unwetter ein. Wind peitschte die Bäume. Trümmer fielen aus der Welt dort oben herab. Kalter Regen kühlte seine erhitzte Stirn. Er trank und trank erneut aus einem Rinnsal, das den Baum herunterlief.

Tief in seinem Innern verstanden sowohl er wie auch der Mensch den Baum. Er war das Lebensblut dieser Welt. Ohne ihn würde sie nicht überleben. Er fühlte ein eigenartiges Bedauern darüber, was er – das hieß, der Mensch – den Bäumen hier angetan hatte. Nie zuvor hatte er es auf die Lebensader einer ganzen Welt abgesehen gehabt. Doch es waren nicht die Bäume, wogegen sie kämpften, es waren Menschen. Seine animalische Natur spürte den Zorn dieser Welt auf diese Eindringlinge. Diese Welt, dieses Land verfluchte die neuen und fremdartigen Bäume, die die Menschen gepflanzt hatten. Es schrie, weil diese Ebene nicht mehr das war, was sie immer gewesen war. Dieser Teil der Welt weinte um sich, was sich in den ungewöhnlichen Regenfällen deutlich zeigte.

Er versuchte sich weiterzuschlängeln, schaffte es jedoch nicht. Darum rollte er sich am Fuße des Baums zu einer Kugel zusammen, unmittelbar unter dem Regenrinnsal, das von den Zweigen oben herunterströmte.

Das kalte Wasser kühlte seinen brennenden Körper. Sein Stoffwechsel versuchte sich darauf einzustellen, doch er schaffte es, sich um mehrere... Grad?... abkühlen zu lassen. Er bleckte die Zähne, um den Menschen zurückzudrängen und schlief ein.

Als er erwachte, hatte der Schmerz nachgelassen. Er konnte gut sehen. Er wußte, wo oben und unten war.

An seinen ersten zögernden Schritten erkannte er, daß er und der Mensch zur alten Übereinkunft zurückgekehrt waren. Der Mann würde in seinem Innern warten; sie würden sich nicht gegenseitig bekämpfen.

Er wußte, daß er nicht existiert hätte, wenn der Mann nicht gewesen wäre – die Basis seiner Existenz lag im mächtigen Geist des Mannes, und sein Schöpfer dirigierte ihn auf einer ursprünglichen Ebene. Die Erfordernisse, die ihn leiteten, waren tief in diesem Mann verborgen, und er vermochte sich nicht über sie hinwegzusetzen. Er würde jedoch nicht tun, was er wollte.

Solange es ums Überleben ging. Um Rache. Ums Töten. Das waren seine Pflichten.

Er blickte sich aus klugen, intelligenten Augen um.

Habu.

Nicht der Mensch.

Nicht die Schlange.

Beide.

Gemeinsam.

Habu.

Habu frohlockte über seine Freiheit. Die Mensch-Hälfte war stolz auf ihre Macht.

Habu atmete tief die vom Regen reingewaschene Luft ein.

Er schärfte seine Sinne.

Nichts. Normale Waldaktivität. Tiere. Vögel. Die ihn und seinen Aufenthaltsort mieden. Vielleicht verströmte er den Geruch des Todes.

Er bewegte sich eine Weile umher, auf der Suche nach dem Schauplatz der gestrigen Schlacht.

Bald darauf hatte er ihn gefunden.

Nichts war übriggeblieben. Das Blut war in die Erde gesickert und von der Regenflut ausgewaschen worden. Er entdeckte die Spuren ihres Schießens.

In der Höhe gab es beschädigte Zweige. Brandspuren und hervorsickernder Pflanzensaft zeigten an, wo Laserfeuer die Bäume getroffen hatte. Aufgewühlter Boden. Einkerbungen. Menschen waren hier gewesen und hatten sich hastig entfernt.

Tique?

Keinerlei Hinweise.

Sie hatten sie bestimmt gefangengenommen. Sie brauchten sie für Auskünfte. Sie brauchten sie, um ihn zu fangen.

Er war besessen von Tique. Hol sie, bevor sie Zeit haben, sie auseinanderzunehmen. Zeit, in ihrem Geist herumzuschnüffeln und ihn in Mus zu verwandeln.

Genau das glaubten sie, ihm angetan zu haben. Doch sein Geist hatte überlebt. Etwas in seinem Innern hatte seltsame Dinge gesagt, und sie hatten ihm geglaubt.

Habu hatte knapp unter der Oberfläche auf der Lauer gelegen, die geistige Schlagfertigkeit und Intelligenz des Mannes eingedämmt, sie beschützt, während das seltsame Ding in ihm eingegriffen hatte. Er fragte sich müßig, ob der seltsame Mechanismus in seinem Kopf die Brücke zwischen dem Menschen und dem Schlangenwesen sei.

Er trat einen Ast beiseite und packte eine Handvoll Insekten und Larven. Er stopfte sie sich in den Mund. Scharf. Er pflückte einige Beeren, die ihm als eßbar bekannt waren, von einem Busch und aß sie, um die Insekten zu süßen.

Ein Vogel flog vorbei.

Geschickt fing er ihn im Flug. Die Reaktion verursachte ihm Schmerzen im Arm. Er hatte sich für diesen Körper zu schnell bewegt.

Er biß dem Vogel den Kopf ab und spie ihn aus. Er riß den Körper auseinander. Im Gehen aß er das Fleisch des Vogels und saugte die Knochen aus.

Er bewertete seine Lage und begann zu laufen. Das Laufen fiel ihm leicht. Der Mann wußte, daß er die Siedlung bis zum Abend erreichen mußte, obwohl das vielleicht auch schon zu spät sein würde.

Es konnte sein, daß man Tique schon vorher wegbrachte.

Es sei denn, sie machten einen Fehler.

Es war gleichfalls möglich, daß sie Tique dazu benutzen würden, ihn zu ködern.

Sei's drum!

Er lief schneller.

Sein Sehvermögen war inzwischen stark verbessert. Seine animalische Reaktion hatte dazu beigetragen, den Schaden zu beheben und das, was er sah, besser zu verwerten.

Das Laufen machte ihm Spaß. Aufgrund seiner erhöhten Bewußtheit wußte er, daß das Laufen dazu diente, die Desorientierung und die Kopfschmerzen zurückzudrängen. Tatsächlich bewirkte die erhöhte Strömungsgeschwindigkeit des Blutes, das durch seinen Körper gepumpt wurde, Nährstoffe herantransportierte und Schlacke entfernte, daß die Krämpfe im Kopf nachließen.

Doch sie lauerten noch dort, bereit zuzuschlagen, wenn seine Aufmerksamkeit nachließ. Der Mensch versuchte in ihrem gemeinsamen Geist Programme zu installieren, um diese Anfälle zurückzudrängen.

Der Mensch schaltete sich wieder in die gemeinsame Kontrolle ein. Wenn es jedoch um diese Art von Aktivitäten ging, war Habu der Beste.

Habu *mußte* sie beide sein. Allein waren sie sie selbst. Zusammen waren sie Habu. Der eigentliche Habu.

Er lief weiter.

Er dachte nach.

In der Siedlung. Dieses Ding, das den Menschen seine und Tiques Anwesenheit gemeldet hatte. Das ... Detektorfeld? Das durchdringungssensitive Detektorfeld, das war es.

Es würde immer noch arbeiten.

Muß es umgehen.

Wie.

Die Siedlung zusammen mit Menschen betreten.

Richtig. Menschen suchen.

Er durchforschte sein Gedächtnis nach den momentanen Einsatzgebieten der Wormwood Inc., die Tique auf dem Monitor aufgerufen und ausgedruckt und im Fluß verloren hatte.

Dort.

Einfach dem Gelände folgen. Sie würden fieberhaft daran arbeiten, die Erntephase abzuschließen, bevor der Monsun die Arbeit in den Wäldern unmöglich machte.

Indem er seine Richtung geringfügig änderte, beschleunigte er das Tempo. Er lief mit weiten, sicheren Schritten um große Bäume herum, als sein Weg blockiert wurde.

Zum Glück hatten sie sich bereits auf dem Rückweg zur Siedlung befunden.

Was ihn an etwas erinnerte. Irgendein intelligenter Mensch hatte sich gedacht, daß sie genau das tun würden. Was wiederum nach umso größerer Vorsicht verlangte. Wenn Tique sich noch in der Siedlung befand, dann würde ihn dieser Mensch mit ihr zu ködern versuchen. Dessen war er sich absolut sicher.

Sie wollten Habus Tod. Nicht bloß dessentwegen,

was er in der Arena getan hatte, sondern dessentwegen, was sie über ihn wußten und mutmaßten.

Ja, Tique würde noch in der Siedlung sein. Im Gebäude des Sicherheitsdienstes.

Abgesehen davon, ihm eine Falle stellen zu wollen, war der einzige Grund, den er sich vorstellen konnte, sie die Nacht über dort zu behalten, daß schlechtes Wetter den Flug gefährlich machte. Außerdem kam ihm der Gedanke, daß er vergangene Nacht ihre Reihen dezimiert hatte und daß sie vielleicht nicht genügend Leute erübrigen konnten, um sie wegzubringen. Vielleicht setzten sie gerade all ihre Leute für die Suche nach ihm ein.

Sollen sie nur kommen.

Die Leute in Cuyas könnten auch Verstärkung schicken. Die Zeit würde dafür reichen. Es sei denn, sie rechneten damit, daß die in der Siedlung Tique unverzüglich zu ihnen brachten.

Zuviele Unwägbarkeiten.

Er konzentrierte sich auf seine Sinne, zügig weiterlaufend, riesigen Wurmholzbäumen ausweichend. Große, fleischige Insekten aus der Luft fangend und sie verzehrend.

Gegen Mittag erreichte er den Ort, an den er sich von Tiques Karte her erinnerte.

Weg. Niemand da.

Neue Schößlinge gepflanzt.

Er versuchte sich daran zu erinnern, ob Tique gesagt hatte, sie wüchsen aus Samen, Wurzeln oder was auch immer. Es war auch gleichgültig. Samen, das war's.

Er drehte sich um und lief auf die Siedlung zu. Es blieb nur ein Weg übrig – wenn er sie nicht auf sich aufmerksam machen wollte.

Draußen warten und die Siedlung zusammen mit anderen Männern betreten, so daß sie das für den Einbruchsalarm verantwortliche Gerät nicht voneinander würde unterscheiden können. Sein IR-Muster hatte sich verändert, das war also kein Hinderungsgrund.

Habu war, abhängig von seinen Aktivitäten, entweder kühler oder wärmer als ein Mensch. Darum unterschied sich sein IR-Muster von dem, das sie in ihren Computern gespeichert hatten. Er hatte diese Technik schon einmal benutzt, um zu fliehen oder einer Gefangennahme zu entgehen. Eines Tages würde ihm jemand auf die Schliche kommen.

Nicht bloß hinter seine Habu-Identität.

Aber sein Zugriff auf das Computernetz des Instituts für Lebensverlängerung. Seine geheimen Identitäten...

Egal.

Zurück zur Gegenwart.

Sich als Habu behaupten.

Sich auf die vor ihm liegende Aufgabe konzentrieren.

Da neue Schößlinge gepflanzt worden waren, war das Gelände offener, savannenartiger. Sein Gang war geschmeidig, da sich ihm weniger Hindernisse wie beispielsweise ausgewachsene Wurmholzbäume in den Weg stellten.

Er fühlte sich gestärkt. Er lief gut. Sein Blut strömte. Sein Herz pumpte rhythmisch.

Er hatte außerdem Glück, daß er sich seit vielen Wochen in der Wildnis aufhielt, was seine Muskeln gekräftigt und Nerven und Reaktionen geschärft hatte. Er war besser auf das Land eingestellt. Er konnte den ganzen Tag lang laufen und nur wenig oder gar nichts essen.

Und das Laufen belebte ihn.

Habu war frei und gab sein Bestes. Töten. Überleben.

Das Laufen machte ihm Spaß, half ihm, seinen Kopf freizumachen.

Er wünschte, er hätte die Kleider ausziehen können. Seine Stiefel. Er wußte jedoch, daß er sie brauchen würde, und es war leichter, sie anzuhaben als in vollem Lauf mühsam zu tragen.

Das bedeutete Leben.

Jagen. Töten. Überleben.

Lebendig sein.

Er brauchte keine Computer, keine Hormonbehandlungen, keine Lebensverlängerung, keine menschlichen Zutaten.

Er schrie seine Lust wortlos heraus, und im Gehölz wurde es augenblicklich still.

Das fremde Geräusch hatte den natürlichen Fluß der Dinge unterbrochen.

Er würde nicht mehr jubeln. Jedenfalls nicht mehr laut.

Er entdeckte eine unbefestigte Straße, die geradewegs zur Siedlung führte.

Er beschleunigte das Tempo.

Er sah niemanden.

Lag es daran, daß dieser Weg selten benutzt wurde? Oder weil sich alle Männer in der Siedlung verschanzt hatten?

Er würde es herausfinden.

Er lief weiter, und das Fortkommen fiel ihm jetzt noch leichter.

Er hockte auf einem niedrigen Ast eines alten Wurmholzbaumes und beobachtete die in der Dämmerung daliegende Siedlung.

Bevor er auf den Baum geklettert war, hatte er die Siedlung umkreist. Nichts Ungewöhnliches, soweit er erkennen konnte, wenngleich er bestimmt kein Experte für menschliche Verhaltensweisen war.

Eine Veränderung war offensichtlich. Nur einer der Bodeneingänge wurde benutzt. Fluglaster, drei Stück, waren aus verschiedenen Richtungen gekommen.

Aber der gesamte Bodenverkehr hatte den Zugang

über die East Avenue benutzt. Er führte dies auf das Detektorfeld und die erhöhte Sicherheit zurück.

Er saugte Eier aus, die er in einem Baumloch gefunden hatte.

Er musterte den Teil der Siedlung, den er überblicken konnte. Die einzige ungewöhnliche Aktivität schien in der Fahrbereitschaft vonstatten zu gehen. Er konnte nur einen Teil des Wartungsgeländes sehen, und dort herrschte ständiges Kommen und Gehen. Vielleicht wurden die Schäden repariert, die bei dem Kampf in der vergangenen Nacht aufgetreten waren.

Ein Ei wollte nicht ausfließen, darum brach er es auf und aß den Embryo. Die winzigen, noch nicht voll ausgebildeten Knochen knirschten zwischen seinen Zähnen.

Sehr wenig Verkehr war in die Siedlung hineingegangen, und keiner war herausgekommen. Sie machten die Luken dicht für die Nacht.

Eindeutig erwarteten sie einen Angriff. Sie hatten große Angst, Habu könnte in der Nähe sein.

Er unterdrückte einen herausfordernden Schrei.

Habu beendete seine Mahlzeit und seine Überwachung. Er schlängelte sich an der abgewandten Seite des Baumes nach unten, wobei seine Hände und Füße nur den Bruchteil einer Sekunde zu verweilen schienen, der zum Festhalten erforderlich war.

Er bewegte sich durch den Wald zurück, bis dorthin, wo die Straße von der Siedlung abbog.

Hier würde er auf sein Transportmittel warten. Er hoffte, daß sich noch jemand spät draußen aufhielt und erst nach Einbruch der Dunkelheit zur Siedlung zurückkehren würde. Wegen der Lichter am Eingang kam es darauf vielleicht auch nicht an.

Er schaute zum rasch dunkelnden Himmel empor. Ein gutes, heftiges Unwetter käme ihm gelegen.

Es sollte nicht sein. Nicht jetzt. Der Himmel war klar.

Ein Bodenfahrzeug raste vorbei, zu schnell, um sich daran festzuhalten – obwohl der Fahrer in der Kurve abbremste.

Er versteckte sich hinter einem mittelgroßen Wurmholzbaum, so daß er auf die Straße hinauseilen oder auf den Baum klettern und den tiefhängenden Ast entlanglaufen konnte, der auf die Straße hinabhing.

Zeit verging.

Die Sonne war untergegangen, doch es war noch Licht vorhanden.

Habu fragte sich müßig, was sie wohl mit Tique gemacht hatten.

Er hörte etwas näherkommen. Er machte sich bereit. Das Geräusch dauerte an, als nähere es sich aus weiter Ferne. Es bewegte sich langsam.

Er wartete.

Er fragte sich, wie sein Leben wohl verlaufen wäre, wenn er Alexandra Sovereign niemals begegnet wäre. Wenn er sie kennengelernt und nicht geheiratet hätte, einfach seines Weges gegangen wäre. Er wußte es nicht. Habu vermochte seine eigenen Emotionen von denen des Menschen zu unterscheiden. Wenn er wollte. Aber beide wurden von den gleichen Motiven angetrieben. Wie auch immer, er war jetzt Habu, und die Dinge waren so, wie sie waren. Ebenso wie der Mann hatte er nicht damit gerechnet, die Erfahrung hier auf Snister zu überleben. Habu war es egal. Er mußte seine Aufgabe erfüllen.

Entweder er tat dies, oder er versuchte zu sterben. Vielleicht würde er seine Aufgabe erfüllen und dabei sterben. Sei's drum!

Eine große Maschine tauchte in der Ferne auf. Habu studierte sie. Mit pneumatischen Hebevorrichtungen und Armen und einer großen Ladeplattform ausgestattet, mußte sie ein Wurmholztransporter sein, der möglicherweise zur Reparatur oder zur regelmäßigen Wartung zurückkehrte, was an Ort und Stelle nicht möglich war. Endlich dröhnte die Maschine heran. Nacht löste die Dämmerung ab.

Von seinem Beobachtungsposten aus inspizierte Habu das Fahrzeug. Links oben über der Front befand sich die Fahrerkanzel. Zwei Männer saßen darin, die Füße hochgelegt und sich unterhaltend. Ein Mann berührte einen Joystick, und die Maschine bog in die Kurve ein.

Während sie vorbeifuhr, musterte Habu das Fahrzeug. Nichts. Nicht einmal ein Wachposten am Heck.

Um Überwachungskameras auszuweichen, die sie von der Fahrerkanzel aus möglicherweise beobachteten, schlich Habu durch die anbrechende Nacht zum Heck. Er konnte darunter aufrecht zwischen den großen Rädern hindurchgehen. Er konnte ebenso schnell gehen, wie sich die Maschine fortbewegte.

Er ließ sie passieren und packte eine Sprosse über dem Heck des Fahrzeugs. Er schwang sich weitere Sprossen hinauf, Hand über Hand, und erkundete das gesamte Fahrzeug, wobei er Kameras auswich.

Als er ein Nagetier entdeckte, das mit einem verarbeiteten Baum an Bord gekommen sein mußte, trank er dessen Blut. Er würde seine Nährkraft vielleicht brauchen.

Auf der riesigen Ladefläche gab es mehrere Wartungsabdeckungen, die er entfernen konnte, um sich in den Innereien der Maschine zu verbergen. Er verwarf diesen Plan.

Am besten wäre es, seinen IR-Schatten mit dem einer anderen Wärmequelle zu verschmelzen.

Für alle Fälle.

Vorne entdeckte er einen großen Behälter mit einer ölartigen Flüssigkeit, die offenbar zu Kühlzwecken irgendwo durch den Mechanismus zirkulierte. Er folgte den aus der Kugel entspringenden Rohrleitungen und fand die Rückleitungen, so dick wie seine Arme, durch die heiße Flüssigkeit zum Abkühlen in den Behälter zurückgepumpt wurde. Er zwängte sich zwischen diese Leitungen, um zu sehen, ob der Platz ausreichte. Er konnte zwischen zwei der von unten kommenden Leitungen stehen. Das Behältermaterial war aus naheliegenden Gründen nicht dazu gedacht, die Wärme lange zu speichern. Er ging zu einer außenliegenden Luke und blickte hinaus, bis sie sich der Siedlung näherten.

Als er meinte, sie befänden sich nahe der Stelle, wo das Detektorfeld aller Wahrscheinlichkeit nach arbeiten würde, zwängte er sich zwischen die heißen Leitungen.

Sollten sie ihn nur zu identifizieren versuchen.

Seine einzige Sorge war, jemand könnte die Maschine speziell nach ihm durchsuchen. Sie würden lange dazu brauchen, denn dies war ein großes Fahrzeug mit zahlreichen Versteckmöglichkeiten.

Die Maschine fuhr weiter, Richtung East Avenue.

Niemand stieg ein, um das Fahrzeug zu durchsuchen. Die Maschine hielt nicht an.

Er war in der Siedlung.

Er dachte daran, jetzt abzuspringen, sagte sich aber, daß es klug wäre, sich zunächst in der Fahrbereitschaft umzusehen.

Die Maschine war relativ langsam, aber schließlich bog sie in die Fahrbereitschaft ein.

Habu stand im Dunkeln da, starrte aus der Luke.

Die ganze Fahrbereitschaft war erhellt. Überall waren Männer. Der Plattformwagen, in dem er sich befand, fuhr weiter durch den Kernbereich nach hinten, wo entlang des Außenrands der Siedlung nahe der West Avenue die größeren Fahrzeuge geparkt waren.

Habu wartete, bis die Männer die Maschine abgestellt und verlassen hatten. Zum Glück – Glück für sie – mußten sie nicht die unteren Bereiche betreten, um die Systeme abzuschalten; es mußte alles zentral gesteuert sein.

Er wartete, um sicherzugehen, daß keine Wartungstechniker einstiegen und zu arbeiten begannen.

Er erkundete die ganze Fahrbereitschaft. Vor allem interessierte er sich dafür, ob es ungewöhnlich viele offizielle Personentransporter gab. Gleiter, die neue Truppen hierher gebracht hatten.

Er entdeckte nicht mehr, als er von seiner/Reubins ersten Erkundung her in Erinnerung hatte. Obwohl es gut möglich war, daß Sicherheitsfahrzeuge im Umkreis der Steuerzentrale und der Sicherheitsabteilung verteilt abgestellt waren.

Es waren jedoch eine Menge Reparaturen im Gange. Hauptsächlich Gleiter. Vielleicht hatte er vergangene Nacht ebenso seinen Tribut von ihnen wie von den Männer gefordert.

Er schaute nach, ob der Gleiter, den er beschädigt hatte, immer noch da war. Er war es nicht. Er stand in der roten Reihe, wartete auf Ersatzteile.

Gut. Er ersetzte die gedruckte Schaltung. Die Maschine war funktionstüchtig – abgesehen von dem Autodiagnosesystem, das er zerstört hatte.

Er huschte aus der Fahrbereitschaft hinaus, in den kühlen Schatten schwelgend, mit denen er sich so vertraut fühlte.

Leise verfolgte er den Weg zurück, den er vor sovielen Nächten gegangen war, in die Gassen und Nebenstraßen hinein und wieder hinaus, wobei er sich parallel zur South Avenue hielt.

Er überquerte die South Avenue ohne Deckung, als hätte er ein bestimmtes Ziel.

Wie schon einmal nahm er die Abkürzung an der QUALITÄTSKONTROLLE und der ARBEITSPLANUNG entlang. Dort im Schatten hielt er an und schaute sich um.

Vor ihm lag das gut beleuchtete Gebiet der STEUER-ZENTRALE und des SICHERHEITSDIENSTES.

Beim Sicherheitsdienst wimmelte es von Menschen. Er zählte zwei Patrouillen. An den Eingängen beider Gebäude standen Wachposten.

Also setzten sie ihr Menschenpotential ein.

Er schnupperte die Luft, als könne er darin einen Hinweis auf Tique entdecken.

Nichts.

Zuviele fremde Gerüche machten das Spektrum verschwommen.

Er fuhr sich mit der Hand durch Haar und Bart, versuchte ihnen ein möglichst normales Aussehen zu geben. Sein Haar war immer noch nicht so lang, daß man von weitem hätte erkennen können, daß es ungekämmt war. Und sein Bart war ein halber Vollbart, der noch nicht gestutzt zu werden brauchte.

Sie wußten aber von der vergangenen Nacht her, wie er aussah.

Sei's drum!

Er erforschte seinen Geist. Der Mensch und das Tier waren weit hinten miteinander verflochten, und Habu war das Resultat. Die Schmerzen und die Desorientierung wurden mittels Willenskraft eingedämmt.

Er umging das Gelände, umkreiste es, bis er möglichst nahe an das Sicherheitsgebäude herangekommen war. Es war der einzige logische Ort, wo man Tique gegen ihren Willen festhalten würde.

Er würde sich rasch bewegen müssen, so rasch, daß den Patrouillen keine Zeit bliebe, die Anzeigen auf ihren Detektoren genau nachzuprüfen, falls sie solche mit sich führten.

Er hielt sich im Schatten, beobachtete das Gelände und bestimmte im Geist Zeitpläne und Patrouillenrouten.

Er plante seinen Weg an der Seite des Sicherheitsgebäudes nach oben.

Er bewegte sich ein weiteres Mal um das Gebäude herum und stellte Berechnungen an. Er hatte nicht den Eindruck, daß dort zuviele Gendarmeriefahrzeuge geparkt waren.

Wenn er an ihrer Stelle gewesen wäre, hätte er die Fahrzeuge der Verstärkung natürlich versteckt, um der Falle das Überraschungsmoment hinzuzufügen. Falls es eine Falle war.

Eine Zeitlang wartete er. Die frühen Nachtstunden waren nicht der rechte Zeitpunkt, um anzugreifen.

Das würden sie ebenfalls glauben. Er beschloß, hineinzugehen, solange diese Schicht Dienst tat, denn er hatte sich ihre Muster eingeprägt.

Außerdem, falls er Tique fand und sie es schafften, zu entkommen, bliebe ihnen viel mehr Dunkelheit für die Flucht.

Er wünschte, er wäre so geistesgegenwärtig gewesen, nach dem Laser zu suchen, den er losgelassen hatte, als er vergangene Nacht vom Gleiter gefallen war.

Er war jedoch mitten in seiner Metamorphose begriffen gewesen und hatte nicht klar denken können.

Sein Messer würde ausreichen.

Und seine schlangenhaften Reflexe.

Jetzt.

Die Patrouillen befanden sich vorübergehend außer Sichtweite, und die Wachposten sahen nicht zu der Gebäudeseite hin, an der es keine Eingänge gab.

Habu glitt durch die Nacht, Reflexe trieben den menschlichen Körper schneller voran, als er sich eigentlich fortbewegen sollte. Er wußte, daß der Körper früher oder später dafür bezahlen würde, mit Entzündungen, mit Erschöpfung. Er lief gebückt, schlängelte sich von einer Seite zur anderen, nutzte den Schatten aus. Er ging die Wand des Gebäudes hoch, indem er

mit einem Sprung begann. Vorsprünge wie beispielsweise Antennen berührte er kaum, und schon befand
er sich auf dem Dach des Sicherheitsgebäudes und musterte tief einatmend den Boden, um festzustellen, ob
er gesehen worden war.

Nichts.

Niemand wich von seiner Routine ab.

Die Patrouillen hatten kehrtgemacht, und das Gelände, das er überquert hatte, stand wieder unter Beob-
achtung. Er hielt es jedenfalls für möglich, daß er der
Entdeckung entgangen war. Sie verließen sich auf zuviel Elektronik und zuviele Geräte.

Habu schlich an der Dachkante entlang, studierte
Annäherungsmöglichkeiten, die Luftfahrzeuge, die Patrouillen. Er mußte ihre Positionen kennen, die Anzahl
der Gegner, die wahrscheinlichen Routen, alles, damit
sein Instinkt die richtigen Entscheidungen treffen
konnte.

Schließlich ging er zu der Dachklappe, die ihn beim
vorigen Mal gerettet hatte. Er blieb einige Minuten lang
darauf liegen, um zu lauschen und festzustellen, ob der
Treppenaufgang benutzt wurde. Nichts. Sachte hob er
die Platte an, und sie bewegte sich nicht.

Abgeschlossen?

Er bewegte den mechanischen Griff, und er weigerte
sich nachzugeben.

Erneut legte er sein Ohr an die Klappe.

Da er der Meinung war, im Treppenhaus sei die Luft
rein, packte er den Griff und stemmte sich dagegen.

Unten zerbrach etwas und klirrte.

Augenblicklich öffnete er die Klappe und ließ sich
auf den Treppenabsatz fallen. Er vergewisserte sich, ob
er nicht jemanden auf sich aufmerksam gemacht hatte.
Noch immer nichts. Diese verweichlichten Menschen
ließen sich lieber von Aufzügen ins obere Stockwerk
tragen.

Er sprang, hängte sich an den Haltegriff und schloß die Klappe, wobei er das verbogene Metall des Verschlußmechanismus' wieder in Position brachte. Er würde einer flüchtigen Überprüfung standhalten.

Als er an der Tür lauschte, hörte er nichts außer der Luft, die durch die undichte Türfüllung gedrückt wurde. Er öffnete die Tür und spähte hinaus.

Der Waffenschrank hatte ein neues Schloß.

Es war niemand auf dem Gang.

Er begab sich rasch zum anderen Ende und blickte durch die Kuppel in den großen, offenen Raum hinunter. Mehrere Männer. Diesmal keine nachlässige, inkonsequente Schicht. Sie waren wachsam. Habu stellte fest, daß der Chef des Sicherheitsdienstes keine Verstärkung hinzugezogen hatte, aus welchem Grund auch immer. Er zog sich zurück und behielt alles im Kopf. Sechs Männer, die Konsolen überwachten. Flure, die in den Kontrollraum führten.

Wo mochte man Tique eingesperrt haben?

Die Antwort fiel leicht. Für ein Gemeinwesen dieser Größe würde es keinen Grund für richtige Gefängniszellen geben. Gerichtsbarkeit und Gefängnisse würden sich anderswo befinden.

Es würde jedoch ein oder zwei Verwahrungszellen geben. Und der logischste Ort war angrenzend an den Kontrollraum, wo das Sicherheitspersonal rund um die Uhr Dienst tat.

Habu ließ die Örtlichkeiten im Geiste Revue passieren und identifizierte zwei Türen an der gegenüberliegenden Wand als Möglichkeiten – nein, als Wahrscheinlichkeiten, da in die oberen Türhälften Sichtluken eingelassen waren.

Keiner der Sicherheitsleute achtete auf die Verwahrungszellen. Das hatte jedoch nichts zu bedeuten.

Habu blickte erneut hinüber, und da niemand in seine Richtung sah, blieb er an der Kuppel stehen und schaute. Ein Gendarmeriecaptain war von einem Korridor gegenüber seiner Beobachtungskuppel hereingekommen und ging zu einer Funkkonsole.

Sieben Männer.

Der Captain würde der Schlüssel sein. Wahrscheinlich war er der ranghöchste wachhabende Sicherheitsbeamte – wenn nicht gar der ranghöchste überhaupt. Beseitige ihn und enthaupte den Sicherheitsdienst, wenigstens solange, bis Chaos herrscht und Habu sich diesen Vorteil zunutze machen kann.

Habu drückte sich an die Wand, um als Schatten zu erscheinen.

Er würde solange warten, bis der Captain sein Funkgespräch beendet hatte. Alles andere wäre töricht.

Der Captain beendete, was immer er gerade tat, und blieb an mehreren Konsolen stehen, um die Operation zu überwachen.

Das reichte Habu aus.

Er stahl sich von der Kuppel weg, wählte einen Querkorridor, einen, von dem er noch wußte, daß er aufgrund seiner Anlage über dem Kontrollraum einen Kreis beschreiben mußte.

Er fand eine passende Treppe und eilte hinunter. Behutsam zog er die Tür im Erdgeschoß einen Spalt weit auf und blickte hindurch. Er konnte einen Teil des Kontrollraums sehen.

Er wartete.

Bald darauf tauchte der Captain auf und trat auf den Korridor. Er strahlte Zuversicht aus und trug seine Gendarmenuniform mit militärischer Haltung. Der Captain war ein Veteran. War er womöglich derjenige, der Reubins Schachzüge so gut vorausahnte?

Ob er es nun war oder nicht, es wäre nicht angebracht, den Mann zu unterschätzen.

Der Captain blieb stehen und öffnete eine Tür auf dem Korridor. Er machte Anstalten, hindurchzugehen.

Habu trat auf den Korridor hinaus und bewegte sich rasch.

»Captain?« sagte er, wobei seine Stimme selbst für ihn fremd und belegt klang. Vielleicht war es eine Stimme, die zu hören Reubins Ohren nicht gewohnt waren. Vielleicht hatte er die letzten Tage über nicht genug geredet, so daß seine Kehle nicht darauf vorbereitet war. Vielleicht hatten die Schreie seine Kehle wund gemacht.

Der Captain trat aus dem Türrahmen zurück und blickte Habu erwartungsvoll an.

Der Overall der Wormwood Inc. täuschte den Captain nicht einmal eine Sekunde lang. In seinen Augen zeigte sich plötzliches Begreifen.

Die Zeit reichte Habu jedoch aus, um den Captain zu erreichen und ihn zu packen, ihm das Messer an die Kehle zu setzen.

Unwillkürlich drang Speichel aus dem Mundwinkel des Captains.

Habu hatte seine linke Hand im Haar des Captains, streckte seine Kehle. »Ihr Name«, zischte er.

»Mcdemman«, brachte er zusammen mit einem Luftstrom heraus. Sein Haar war glatt, doch Habu hielt sich weiter daran fest. »Ich hätte nicht gedacht…«

»Schtill. Wo ischt die Frau?« Das Sprechen fiel ihm jetzt leichter.

Mcdemmans Augen schossen in alle möglichen Richtungen. Habu wußte, daß der Mann gefährlich war, professionell und vor allem stolz. Habu verletzte ihn an der empfindlichsten Stelle: seinem Stolz.

Habu drückte das Messer ganz allmählich in die Kehle des Captains hinein. Blut quoll hervor und besudelte das Messer.

Mcdemman bekam sich unter Kontrolle und hielt still.

Um seinem Anliegen Nachdruck zu verleihen, zeigte

Habu Mcdemman die blutige Messerspitze, dann steckte er sie sich in den Mund. Er leckte das Blut von der Klinge ab.

Mcdemmans Gesicht machte eine Veränderung durch. Zweifel zeigte sich in seinen Augen.

»Sagen Sie's mir«, zischte Habu.

»Vorübergehende Sicherheitsverwahrung.«

»Wo?«

»Gleich um die Ecke.« Mcdemman wies den Korridor entlang zum Kontrollraum.

Habu hatte richtig vermutet. »Haben Sie einen Schlüssel?«

»Der Offizier vom Dienst im Kontrollraum macht auf.«

Das klang vernünftig. Habu löste den Laser von Mcdemmans Hüfte. »Wenn Sie kooperieren, bleiben Sie am Leben.« Seine Stimme hatte für ihn immer noch einen merkwürdigen Klang. Er bezweifelte, daß er Mcdemman trauen konnte. Habu stieß den Gendarmerieoffizier den Korridor entlang.

Sie gelangten in den Kontrollraum. Habu erschoß den Mann an der Hauptkonsole. Die restlichen fünf erstarrten. Der Raum füllte sich mit dem Gestank von verbranntem Fleisch.

»Sagen Sie ihnen, sie sollen sich an der Wand aufstellen.« Habu zeigte auf eine Stelle neben den beiden Verwahrungszellen.

»Tut, was er sagt«, sagte Mcdemman. »Sofort.«

Die fünf begaben sich langsam zu der Wand.

»Waffen ablegen«, befahl Habu.

Niemand rührte sich, bis Mcdemman eine ungehaltene Geste vollführte. Nur zwei trugen Waffen. Sie legten sie auf den Boden.

»Stoßt sie weg«, sagte Habu.

Wie Männer, die sich mit Waffen auskennen, stießen sie ihre Laser mit den Füßen behutsam weg.

Habu drängte Mcdemman weiter in den Raum hinein. »Zur Hauptkonsole.«

Als sie vor der Konsole angelangt waren, sagte Habu: »Öffnen Sie die Tür.«

Mcdemman beugte sich vor und drückte einen Knopf. Eine Tür ging auf. Einen Moment lang geschah nichts.

Dann trat Tequilla Sovereign über die Schwelle und blickte sich neugierig um. Ihre Augen nahmen die Situation in sich auf und weiteten sich. »Reubin!« Sie trat vor, in gerader Linie, ohne die Männer an der Wand zu beachten.

Habu machte Anstalten, sie zu warnen, doch einer der Männer an der Wand packte sie.

Habu bewegte sich seitwärts, und Mcdemman warf sich gegen die Konsole. Seine Faust traf auf einen roten Knopf.

Noch während Habu sich bewegte, ging der Alarm los. Ein rotes Licht pulsierte. Habu zog Mcdemman von der Konsole weg und schoß ihm mit dem Laser in die Kehle. Habu wartete nicht ab, daß er zu Boden fiel. Er schwang sich über eine Konsole und stürzte sich auf die fünf Männer und die Frau.

Zwei der Männer hechteten zu den Waffen auf dem Boden. Habu landete auf einem von ihnen und ging in die Knie. Er hörte und fühlte das Brechen von Rippen und des Rückgrats. Der Mann gab kein Geräusch von sich, sondern erschlaffte bloß.

Währenddessen schwenkte Habu das Messer und schlitzte dem zweiten Gegner auf dem Boden den Hals auf. Der Mann hatte eine Hand auf seinem Laser. Habu trieb sein Messer tiefer in die Kehle hinein und spürte Knorpel reißen und brechen. Blut ergoß sich über seine Hand und spritzte auf den Boden.

Er rollte sich ab und überraschte einen dritten Gegner, der zu Hilfe eilte. Mit einer Hand brach er ihm den Hals und schleuderte ihn beiseite.

Einer der Männer versuchte Tique von hinten festzuhalten; sie wiederum rangelte mit einem weiteren Mann, den sie versuchte von Habu fernzuhalten.

Habu erhob sich. Die drei Gesichter, die ihn begrüßten, waren, Tique eingeschlossen, ein Spiegelbild seines boshaften und mörderischen Gesichtsausdrucks.

Der eine Mann wich zurück, und der andere ließ Tique los.

Habu schlug zu. Eine gebrochene Schulter, wahrscheinlich nicht tödlich. Erneut bewegte sich seine Hand zu rasch, als daß der letzte Gegner ihr hätte folgen können. Dieser Mann hatte die Schlächterei ausgelöst, indem er Tique gepackt hatte. Er starb, als ihm die Knochen seiner zerschmetterten Nase ins Gehirn drangen.

Tiques Hand fuhr zum Mund, ihr Körper war schlaff, vom Schock paralysiert. Habu packte sie. Blut von seiner Hand besudelte ihren blauen Overall.

Ihre Augen waren leer vor Entsetzen. Sie hatte seine Mordlust gesehen. Sie hatte seinen wilden Blick gesehen. Sie hatte ihn in Sekundenschnelle sechs Männer umbringen sehen. Sie hatte Habu gesehen, wo sie Reubin Flood erwartet hatte.

Ihm blieb zum Nachdenken keine Zeit. Ihre Zeit war abgelaufen. Obwohl seit dem Auslösen des Alarms noch keine Minute vergangen war, mußte die Zeit den mobilen Patrouillen draußen ausgereicht haben, um zu reagieren. Und Habu wußte, daß sämtliche Türen inzwischen verriegelt waren.

Sie saßen in der Falle.

14

Tique

TIQUE FÜHLTE SICH, ALS BESTÜNDE ihr Körper aus Blei. Der Kontrollraum des Sicherheitsdienstes und der Gendarmerie war in ein Schlachthaus verwandelt worden.

Vor ihr stand Reubin, ganz mit Blut verschmiert, griff nach ihr mit einem seltsamen Gesichtsausdruck, von der Anstrengung zischend atmend. Sie hatte noch nie einen Menschen sich so schnell bewegen sehen. Sein Verhalten war absolut fremdartig, nicht menschlich. Kein Mensch konnte sich so schnell bewegen und so rasch töten.

Instinktiv wich sie vor ihm an die Wand zurück. Ihre Gedanken waren außer Kontrolle. Er ängstigte sie so sehr, daß ihr die Gesellschaft der Toten lieber war.

Er packte ihren Arm, und sie war sich schmerzhaft der Tatsache bewußt, daß Blut von seiner Hand auf ihren Overall tropfte.

»Komm«, sagte er mit dieser seltsamen, zischenden Stimme. Das Licht in seinen Augen war verschwunden. Es fehlte der unterschwellige Humor. Nicht nur das, erkannte sie, sondern auch alles Menschliche.

Während er sie den Korridor entlangzerrte, fragte sie sich, was vergangene Nacht und heute mit ihm geschehen war.

Er war in der Nacht praktisch blind gewesen, unfähig, sich fortzubewegen, ohne zu stolpern und gegen Hindernisse zu stoßen. Jetzt bewegte er sich mit übermenschlicher Geschwindigkeit und Präzision.

Sie überwand ihre Lähmung. »Warte«, flüsterte sie, heiser vor Entsetzen. Sie wollte sagen: »Faß mich nicht an«, doch ihr Mund wollte die Worte nicht formen.

Schneller als sie es mitbekam duckte er sich, rammte seine Schulter gegen ihre Taille und hob sie sich auf den Rücken. Blut beschmierte sie. Sie war wie versteinert.

Das war Habu.

Sie hatte tags zuvor etwas von ihm gesehen; dies war jedoch verblüffend real.

Habu.

Die Legende. Der Mann, der mehr Menschen getötet hatte, als jeder andere in der Geschichte der Menschheit. Jeder Zweifel war ausgeräumt, sie wußte, es war die Wahrheit.

Er rannte eine Treppe hoch, dann einen gebogenen Korridor entlang. Sie prallte gegen seine Schulter und gegen seinen Rücken. »Reubin«, sagte sie, doch das Wort wurde an seinem Rücken erstickt.

Ein bewaffneter Mann kam den Korridor entlang.

Reubin ließ sie fallen und stürmte vor, warf sich dem Mann entgegen, der mit verblüfftem Gesichtsausdruck stehenblieb. Er griff zu spät nach seiner Waffe, und Reubin krachte gegen ihn.

Reubin richtete sich auf, und der andere Mann blieb schlaff auf dem Boden liegen.

Reubin hob sie wieder hoch. In ihrer linken Hüfte, mit der sie auf dem Boden aufgeschlagen war, war ein brennender Schmerz.

Bald darauf bog er nach rechts auf einen kreuzenden Korridor ab, dann wieder nach rechts zu einem Treppenschacht. Diesmal setzte er sie sanft ab. Er sprang mühelos in die Höhe, hielt sich an einem Griff fest und öffnete die Klappe. Dann befand er sich auf dem Dach und streckte die Hand zu ihr hinunter.

Kurz zögerte sie.

Blut tropfte auf sie herunter.

Er war nicht nur dieses Wesen, sondern auch Reubin, der Mann ihrer Mutter, der Mann, der sie gerettet hatte.

Der Mann, an dessen Urteilsvermögen und dessen gute Eigenschaften sie geglaubt und denen sie vertraut hatte. Jetzt war nicht die Zeit, ihn zu verlassen. Er versuchte nicht, sie zu töten, soviel war klar. Das machte ihn nicht weniger schreckenerregend, aber sie rief sich das unterschwellige Vertrauen in Erinnerung, das sie zu ihm entwickelt hatte. Seine Augen drängten sie, das erstickende Gefängnis der Siedlung zu verlassen. Den Ereignissen der letzten paar Minuten haftete etwas vollkommen Unwirkliches an.

»Beeil dich!« Seine Stimme war ein Krächzen.

Sie sprach rasch ein Gebet und ergriff seine ausgestreckte Hand. Sie wurde mühelos aufs Dach gehoben.

Reubin schloß die Klappe und bewegte sich am Dachrand entlang. Seine Bewegungen waren flüssig und geschickt, zeigten eine unglaubliche Energie.

Er bedeutete ihr, an den Rand zu kommen. Sie blickte über die Kante. Unten war niemand. Warum nicht? Sie hatte den Alarm gehört.

Er klemmte sie sich unter den Arm, ließ sich von der Dachkante baumeln, ließ sich fallen und landete weich, wobei ihn ihr zusätzliches Gewicht kurz in die Hocke zwang. Er stellte sie wieder auf die Füße.

Er *roch* anders. Und es war auch nicht der schale Schweiß und Schmutz. Oder bildete sie sich das ein?

Sie folgte ihm zur Ecke des Gebäudes.

Die Vorderseite des Sicherheitsgebäudes war hell erleuchtet. Mehrere Männer knieten dort, mit angelegten Waffen, die Gesichter dem Haupteingang zugewandt. Tique vermutete, daß ein ähnliches Team an der Rückseite wartete.

Ihr kam der Gedanke, daß sie für die Verbrechen in dem ehemaligen Kontrollraum, der nun einem Leichenschauhaus glich, schuldig gesprochen werden würde.

Reubin nahm ihre Hand, führte sie in die Dunkelheit

zurück und bog nach außen ab. Sie schüttelte seine glitschige, von gerinnendem Blut bedecke Hand ab. Sie wollte Fragen stellen, hielt jedoch ihre Zunge im Zaum.

Er hielt im Schatten auf die Steuerzentrale zu. Sie verstand nicht weshalb.

Als sie an eine Stelle gelangten, wo sich der Parkplatz zwischen den beiden Gebäuden in unmittelbarer Blickrichtung des Vordereingangs des Sicherheitsgebäudes befand, ging er diesen Weg zurück.

Was hatte er vor? Sie gingen zum Sicherheitsgebäude zurück. Jeden Moment konnte sie jemand entdecken.

Er drängte sie, schneller zu gehen, sich nicht länger in den Schatten entlangzuwinden. Er mußte ihren Widerstand gespürt haben. Er hob sie wieder hoch und rannte.

Er stieß sie in den Fond eines Gendarmeriewagens und stieg vorne ein.

Sie atmete schwer, mehr aufgrund ihrer Befürchtungen als wegen der körperlichen Anstrengung. Sie kletterte über die Lehne des Vordersitzes, um neben ihm Platz zu nehmen – warum, wußte sie nicht, bloß daß sie nicht teilnahmslos mitansehen wollte, was er tat. Er hatte die Abdeckung der Elektronik geöffnet und etwas im Innern angestellt. Er schloß die Abdeckung und drückte Schalter. Der Motor sprang sofort an, und der Gleiter stürmte vorwärts. Er steuerte ihn über den Boden nach Norden, so als suchte er einen Bodenzugang zur East Avenue und dem Ausgang.

Sie hörte nichts, doch gerade als Reubin den Gleiter um eine Gebäudeecke herumsteuerte, prallte Laserfeuer von der Kanzel ab.

Sie kreuzten die East Avenue, und wandten sich, zu Tiques Überraschung, nach *Westen*. Reubin hielt das Fahrzeug weiter am Boden. Bald darauf rasten sie über die Zentralkreuzung, überquerten die Nord-Süd-Achse und fuhren über die West Avenue. Tique sah ein Bodenfahrzeug über die North Avenue kommen, sonst jedoch nichts. Hinter ihnen im Südosten sah sie Blinklichter.

Es würde nicht mehr lange dauern, bis andere Gleiter gestartet waren und ihnen folgten. Trieb Habu Reubin so sehr an, daß er nicht mehr in die Zukunft hinein planen konnte, um die Verfolger abzuschütteln?

Reubin brachte den Gleiter zum Stehen, indem seine Finger schneller als Regen auf das Armaturenbrett trommelten. »Raus«, sagte er. Seine Augen brannten, und Intelligenz lugte daraus hervor.

Sie gehorchte augenblicklich, da sie wußte, daß ihre Fluchtchancen von seiner Gerissenheit abhingen. Ihr Bild von Habu vervollständigte sich. Zusätzlich zu dem, was sie bereits beobachtet hatte, hatte er etwas Tierhaftes an sich, angefangen von der Atmung über seinen fest zusammengepreßten Kiefer bis zur Schnelligkeit seiner Reflexe.

Beim Aussteigen sah sie, wie er das ›Befehl ausführen‹-Feld drückte und an seiner Seite heraushechtete. Die Luken wurden automatisch zugeschlagen, und der Gleiter hob ab, gewann an Höhe und flog nach Westen davon.

Reubin war wieder auf den Beinen, noch bevor sie zu rollen aufgehört hatte, und bedeutete ihr, ihm zu folgen.

Er überholte sie und verschwand im Schatten, sich von einer Seite zur anderen bewegend, so als flackerte er wie die Schatten eines Feuers.

Ohne wirklich eine andere Wahl zu haben, beeilte sie sich, ihn einzuholen, und fand ihn schließlich an der Ecke eines Lagerhauses. Sie gingen schweigend an der Mauer entlang, bis sie an die gegenüberliegende Seite dessen gelangten, was die Fahrbereitschaft sein mußte.

Tique folgte Reubin außen um die Fahrbereitschaft herum, vorbei an den großen Maschinen im rückwärtigen Teil bis zu dem eigentlichen Wartungsgelände. Sie hatte Mühe, ihm auf den Felsen zu bleiben. Er verschmolz mit jedem Schatten und bewegte sich zu schnell.

Bis jetzt hatte sie keine anderen Leute gesehen. Sobald sie das Wartungsgelände erreicht hatten, sah sie mehrere, was zu dieser Nachtzeit überraschend war.

Sie standen auf Fahrzeugen und blickten alle nach Südwesten, wo sich das Geschehen rund um die Steuerzentrale und das Sicherheitsgebäude konzentrierte. Von den Gebäuden und am Himmel reflektiert, konnte sie Laserfeuer erkennen. Rote Lichter rotierten. ›Die Hölle ist los‹ dachte sie unwillkürlich, und nach der Schlachterei im Sicherheitsgebäude fand sie beinahe Befriedigung bei dem Gedanken, sie könne gefangengenommen werden. Man würde sie töten, und dieser Alptraum wäre endlich vorbei.

Gleiter stiegen in die Luft, deren Blinklichter wütend pulsierten. Sie kreisten einen Augenblick lang, wobei sich einige nach Osten bewegten. Dann rasten erst einer, dann noch einer und schließlich alle nach Westen, wobei sie an Höhe und Geschwindigkeit gewannen.

Tique versuchte nachzudenken. Was wußte sie von Gleitern? Soviel wie jeder andere. Gendarmeriefahrzeuge waren die schnellsten von allen. Deshalb hatte Reubin sich diesen Gleiter wahrscheinlich ausgesucht. Hoffentlich blieb er lange genug in Führung, um sie entkommen zu lassen.

Sie versteckten sich hinter einem alten Fluglaster. Reubin wartete ab. Bald erstarb die Aktivität, und die Männer kehrten zu ihrer Routine zurück.

Tique schätzte, daß es ungefähr Mitternacht war. Glaubte Reubin, diese Arbeiter würden irgendwann weggehen, wenn ihre Schicht beendet war? Die Hoffnung war es wert, wie immer sein Plan aussehen mochte.

Tique beobachtete den Himmel. Der Mond, der aussah wie ein eingedrückter Helm, war aufgegangen und verschwand hinter dicken Wolken. Ein heftiger Wind trieb die Wolken von den Bergen auf die Siedlung zu. Tique beobachtete, wie sie näherkamen. Monsunregen überschwemmte die Siedlung. Was machte sie hier? Da hockte sie zitternd mitten in der Nacht in einem aufziehenden Unwetter, eine Million Kilometer von allem entfernt, an der Seite des berüchtigsten Killers aller Zeiten, beide zum Tode verurteilt und furchtbar wütend auf die, welche für all das verantwortlich waren.

Allmählich gewöhnte sie sich an Habus Gegenwart. Sie vertraute darauf, daß, wenn Reubin Flood noch Raum in seinem Körper in Anspruch nahm, er es nicht zulassen würde, daß Habu ihr etwas zuleide tat.

Wenigstens hoffte sie das.

Reubin rührte sich nicht von der Stelle.

Tique beobachtete, wie sich Männer vor dem Unwetter in Sicherheit brachten. Sie hoffte, daß ihre Schicht sowieso vorüber wäre und wünschte sich sehnlichst, daß es keine Schicht von Mitternacht bis zum Morgengrauen gab.

Sie konnte immer noch nicht sagen, wie sie sich fühlte. Erleichterung vermischt mit Abscheu? Tief in ihrem Innern hatte sie gewußt, daß Reubin zu ihr zurückkehren würde.

Und, o Mann, wie er es getan hatte! Er hatte ihr sogar einen Gefährten aus der Hölle mitgebracht. *Jetzt* wußte sie über Habu Bescheid. Ihre geistige Vorstellung von dem, was Reubin durchgemacht hatte, vervollständigte sich allmählich. Die Mythen und Legenden. Wie er einen ganzen Planeten hatte niederkämpfen können – oder sogar zwei. Bis gestern nacht, als sie ihn in Aktion erlebt hatte, hatte sie nicht gewußt, ob sie ihm glaubte oder nicht. Obwohl sie zugeben mußte, daß Reubin Flood über große Überlebens- und Kämpferqualitäten verfügte. Er ist ein ziemlich gefährlicher Gegner, dachte sie, als sie sich das Corona in Erinnerung rief. Sein Kampf im Corona verblaßte jedoch im Vergleich zu dem, was sie ihn gestern und heute nacht hatte vollbringen sehen. Im Corona war er planvoll vorgegangen; das hier war reine animalische Reaktion.

Sie hatte gestern nacht auf dem Rückweg zur Siedlung das Sicherheitspersonal belauscht. Die Leute hatten gemeint, dem Teufel persönlich begegnet zu sein. Sie sprachen schaudernd über die vielen Toten, obwohl sie selbst Profis waren. Alle waren sie überwältigt gewesen. Abgesehen von Captain Mcdemman und seinen über Funk gebrüllten Fragen und Befehlen. Bis ein Mann hinübergegriffen und das Funkgerät ausgeschaltet hatte.

Reubins klebrig-feuchte Hand ergriff ihr Handgelenk und führte sie der hintersten Fahrzeugreihe.

Er drängte sie in eines hinein, einen mittelgroßen Gleiter mit einer kleinen, offenen Plattform an der Rückseite. Sie kletterte hinein.

Er ging außen herum und stieg auf der anderen Seite ein.

Dies war der erste Gleiter, den sie je gesehen hatte, bei dem die Innenbeleuchtung nicht funktionierte. Es ergab jedenfalls einen Sinn. Dies war der Wartungsbereich, nicht die Seite, wo die Fahrzeuge in betriebsfähigem Zustand zur Abholung bereitstanden.

Während sie sich abtrocknete, tat Reubin das gleiche bei sich selbst. Das an ihm herunterrinnende Wasser war rosa gefärbt. Seine Hände bewegten sich kundig über die Kontrollen. Sie fühlte, wie das Fahrzeug zum Leben erwachte. Ein rotes Lämpchen mit der Aufschrift ›Autodiagnose außer Betr.‹ blinkte. Reubins Hand bewegte sich erneut, und das Lämpchen erlosch.

Er schaltete das Gebläse ein, damit sie hinaussehen konnten. Regen prasselte gegen die Scheibe. Als der

Gleiter abhob, bliesen Wind und Regen so heftig, daß er einen äußerst instabilen Eindruck machte.

Tique beobachtete, wie Reubin das Fahrzeug aus seiner Parklücke hinausmanövrierte. Langsam stiegen sie in die Luft, gegen Wind und Regen ankämpfend. Wieder wurde sie von Zweifel überschwemmt. Hier war sie, mit einem selbstmörderischen Wahnsinnigen unterwegs in die Wildnis. Nein, mit einem völkermordenden Wahnsinnigen. Allein. In einem kaputten Gleiter, mitten in einem höllischen Unwetter. Sie hätte es nicht einmal gewagt, in einem Bodenfahrzeug loszufahren. Sie schloß die Augen und schluckte ihre Angst hinunter.

Innerhalb weniger Sekunden waren sie außerhalb der Siedlung angelangt und schraubten sich in Spiralen in das Zentrum des Sturms über ihnen hinein. Sie hatte das Gefühl, sie befände sich in einem außer Kontrolle geratenen Jetlift. Jetzt, wo die Gefahr des Entdecktwerdens vorüber war, schaltete Reubin die Instrumentenbeleuchtung ein.

Zum erstenmal konnte Tique sich auf ihn konzentrieren.

Sein Gesichtsausdruck war wachsam, der Bart von Wasser strähnig. Sein Haar war angeklatscht. Seine Augen bewegten sich ständig, beobachteten das Armaturenbrett und starrten aus der Kanzel.

Blitze zuckten in der Nähe, ließen sein Gesicht reliefartig hervortreten. Das Profil wirkte fremd auf Tique, so als hätte er sich irgendwie verändert. Sein ganzer Körper vermittelte den Eindruck, er sei angespannt, bereit loszuschlagen, zu kämpfen. Sie konnte sich nicht dazu bringen, an den Plan, den sie sich zurechtgelegt hatte, auch nur zu *denken*. Ihr Vorhaben war ihr edelmütig und wundervoll vorgekommen und hatte ihr gefallen. Doch jetzt?

Sie hörten auf zu steigen und bewegten sich langsam

voran. Er hatte die Absicht, ein bestimmtes Manöver durchzuführen.

Nach kurzer Zeit brachte er das Fahrzeug beinahe ganz nach unten, bis Tique vor dem Hintergrund der Blitze die sturmgepeitschten Baumkronen sehen konnte. Ihr Magen fühlte sich an, als wäre ihr der Boden unter den Füßen weggezogen worden. Noch nie war sie in einem Gleiter geflogen, der seine Leistungsgrenze so weit überschritten hatte.

Dann begriff sie. Reubin versuchte dem Radar auszuweichen. Das Unwetter mochte die Sicht behindern, dem Radar machte es nichts aus. Er war der ursprünglichen Ortung dadurch entgangen, daß er in Spiralen aufgestiegen und dann so langsam weitergeflogen war, daß sie sich nicht mehr über der Siedlung befanden und es so aussah, als folgten sie den anderen Gleitern bei der Suche nach dem gestohlenen Gendarmeriefahrzeug. Unmittelbar darauf hatte er den Gleiter weit genug abgesenkt, um außer Reichweite des Radars zu gelangen.

Es sei denn, sie hatten ein Satellitenrelais, dachte sie. Falls ja, konnten sie und Reubin nichts dagegen tun.

Reubin versetzte dem Armaturenbrett einen Schlag. »Isch habe die Geländeautomatik eingeschaltet«, sagte er mit krächzender Stimme und indem er den Zischlaut betonte. Ein seltsames Geräusch. »Du steuerst.«

Er lehnte sich zurück, und sie schaltete auf ihrer Seite die Kontrollen ein. Das Fahrzeug stürmte vorwärts. Sie verminderte die Geschwindigkeit. Zu große Geschwindigkeit war bei Sturm gefährlich. Ihre Hände schwitzten. Heftige Böen schüttelten sie durch. Ihre Angst kehrte zurück; diesmal war es jedoch nicht die Angst vor dem Unbekannten, sondern Angst um ihr eigenes Leben.

Reubin kletterte nach hinten und stöberte herum. Sie schaltete eine Lampe für ihn ein und blickte in den

Rückspiegel, während sie nach Instrumenten flog, zu denen sie kein Vertrauen hatte.

Er fand die Notrationen.

Sie glaubte, er suche nach dem Erste-Hilfe-Koffer. »Was macht dein Kopf?« fragte sie. War er bei klarem Verstand? Würde er antworten?

»Kopf?«

»Ja. Deine Schmerzen. Der Druck, weil du noch keine Umwandlung gemacht hast.«

»Oh. Geht s-ssso.«

Er hatte das Paket aufgerissen und fand die Rationen. Er riß Deckel auf, ohne die Heizlaschen zu beachten. Ohne ihr etwas anzubieten, schüttete er sich den Inhalt in den Mund und schluckte ihn rasch, ohne viel zu kauen. Es war, als füttere er eine ausgehungerte Bestie.

Sie konzentrierte sich auf das Fliegen. Die körperliche Herausforderung half ihr, die Spannung ein wenig abzubauen. Tatsächlich war sie froh, daß sie etwas Sinnvolles tun und ihren Beitrag leisten konnte.

Dann und wann stieß er mit einem zischenden Geräusch Luft durch die Kehle.

Sie überprüfte die Instrumente, wütend auf sich selbst wegen dem, was sie gedacht hatte. Sie hatte eine wachsende Zuneigung zu Reubin und seiner rauhen, nachlässigen Art entwickelt. Daher ihr Plan. Doch nun bewertete sie ihre Gefühle neu.

Dieser Mann war nicht dieselbe *Person*, mit der sie so vertraut geworden war. Nicht derselbe emotional verletzliche Mann, der erblindet war und Späße gemacht hatte. Reubin hatte jetzt nichts Verletzliches mehr an sich.

Er war Habu. Er war besessen.

Sie erinnerte sich daran, wie er in der vergangenen Nacht im Wald die Angreifer ihres Lagers abgewehrt hatte. Er hatte vor ihren Augen irgendein Trauma erlitten. Irgendwie war er Amok gelaufen. Sein Kopf mußte voller Schmerzen gewesen sein und bis zum Platzen unter Druck gestanden haben. Sein zeitweilig aussetzendes Sehvermögen hatte das Trauma verstärkt. Gegen Ende hatte er sich ihr gegenüber nicht mehr richtig artikulieren können. Und nach allem, was sie gesehen und anschließend gehört hatte, hatte er zahlreiche Männer getötet, einige auf schreckliche Weise.

War Reubin Flood wahnsinnig geworden? Wie lautete die Antwort? War der Druck in seinem Kopf schließlich zu stark geworden? War es jetzt bereits zu spät, als daß ihn das Institut für Lebensverlängerung noch hätte retten können?

Tequilla Sovereign befürchtete das Schlimmste. Etwas in ihr weigerte sich, ihr Mitleid herauszulassen. Sie bemitleidete ihn nicht. Sie wußte, daß er das am wenigsten gewollt hätte.

War er möglicherweise schizophren? Vielleicht hatten das Trauma und der mentale Schmerz sein Alter ego, diesen Habu, zum Vorschein gebracht. Ihr kam der Gedanke, daß sie es vielleicht niemals erfahren würde.

Er trank aus einer Thermosflasche.

»Der Kurs ist auf Cuyas eingestellt. Ist das richtig?« Sie beobachtete ihn im Monitor für den Rücksitz.

Er atmete aus. »Ja-ah.« Die Thermosflasche war leer, und er öffnete eine Klappe in der Kanzel. Er streckte den Kopf durch die Öffnung; Regen durchnäßte ihn, lief über seinen Hals in die Kabine. Wind und Regen peitschten sein Gesicht.

Schließlich zog er den Kopf herein und verschloß die Klappe.

Er rollte sich auf dem Rücksitz zusammen. »Halt an, bevor wir bewohntesch Gebiet erreichen. Fahr langssam, damit wir keine Aufmerkschamkeit erregen.«

Er legte den Kopf auf die Arme und schloß die Augen.

»Wer *bist* du?« flüsterte Tique.

Er öffnete die Augen, die immer noch naß waren, jedoch nicht blinzelten. »Habu.«

Sie landete neben einem Wasserlauf in einer Bergschlucht, einige Flugstunden von Cuyas entfernt. Sie steuerte den Gleiter behutsam nach unten, da sie... Reubin nicht aufwecken wollte. Sie begriff die Metamorphose nicht, die Reubin durchmachte, wenn es wirklich eine war, und davon ging sie aus. Sie wollte Habu jetzt nicht gegenüberzutreten. Sie mußte sich über einige Dinge klar werden.

Tique steuerte den Gleiter unter einige Bäume und schaltete sämtliche Systeme ab. Das Steuern ohne das Autodiagnosesystem war schwierig gewesen, doch nach und nach hatte sie ihre Angst davor, daß die Maschine abstürzen könnte, überwunden.

Sie war gespannt, welche Person Reubin beim Aufwachen sein würde.

Sie ließ sich in den Sitz zurücksinken und verdunkelte die Kanzel. Sie wandte den Kopf und sah, daß Reubin entspannt ruhte. Die Augen fielen ihr zu, und sie schlief ein.

Als sie erwachte, war er verschwunden.

Der Morgenhimmel war bewölkt, doch es regnete nicht.

Durch seine Abwesenheit kurzzeitig aus der Fassung gebracht, bekam sie sich wieder in die Gewalt. Sie kletterte aus dem Gleiter und streckte sich. Ein Schmerz in ihrem Oberschenkel erinnerte sie daran, daß Reubin sie auf den Boden des Sicherheitsgebäudes hatte fallen lassen.

Von Süden her wehte eine kräftige Brise.

Auf der anderen Seite der Maschine saß Reubin nahe einem Feuer und winkte sie zu sich herüber.

Als sie sich ihm näherte, erhob er sich.

»Fisch und Sanderling«, sagte er, »wie in den guten alten Zeiten.« Seine Stimme war klarer geworden.

Tique zögerte. Etwas an ihm hatte sich verändert. Das war's. Er hatte sich rasiert. Sein glattes Gesicht war nicht annähernd so abgründig oder düster wie vergangene Nacht.

Er bemerkte ihr Zögern. »Tique? Ist schon okay. Ich bin's. Ich bin wieder da.«

Sein Körper war entspannt, beinahe schlaff.

Sie glaubte ihm. »Hallo, Reubin. Ich hab dich vermißt.«

Sie neigte den Kopf, um dem forschenden Blick auszuweichen, den er ihr zuwarf. Erleichterung breitete sich in ihr aus.

Sie aßen und tranken klares Flußwasser, das die Erinnerung an die nahe Vergangenheit wachrief. Trotzdem war Tique immer noch nervös – bis sich sein Gesicht gegen Ende der Mahlzeit zu einer Grimasse verzog.

»Wieder Schmerzen?« fragte sie.

Er nickte.

Sie ging zum Gleiter und fand den Erste-Hilfe-Koffer. Es waren Schmerztabletten darin, einige wenige, und sie brachte ihm den Behälter. Sie schüttelte zwei heraus, und er schluckte sie.

»Danke.«

Ihr Herz neigte sich ihm wieder zu. Er brauchte jemanden, der sich um ihn kümmerte. Ihre Gefühle waren vollkommen durcheinander geraten.

Auf einem verkohlten Stück Sanderlingfleisch kauend, sagte Reubin: »Manchmal, wenn ich mich verändere, gibt es keine so scharfe Trennung. In der Arena war Habu bei mir und stand mir bei. Aber vergangene Nacht hat er vollständig die Kontrolle übernommen. Ich habe in deinen Augen einen gewissen Abscheu gesehen…«

»Nicht Abscheu«, log sie. »Das nicht. Besorgnis viel-leicht.«

»Danke. Das kann passieren. Je stärker er mich in der Gewalt hat, desto nichtmenschlicher werde ich.«

»Das muß ein Chaos in deiner Psyche anrichten«, sagte sie.

Er nickte und reichte ihr die Thermosflasche. »Wenn ich so werde, ist es, als wäre Habu durch die Ober-fläche gebrochen, um eine bestimmte Funktion zu er-füllen. Vielleicht ist es das Überleben, ich weiß nicht.«

»War es immer schon so?«

Er blickte sie an. Aus ihrer Frage mußte Mitgefühl zu hören gewesen sein. »Ja, manchmal. In meinen anderen Leben, seit dieses Habu-Wesen in meinem Kopf mit mir zusammenlebt, habe ich Situationen auszuweichen versucht, die Habu hätten zum Vorschein bringen können. Aber ich schaffe es nicht immer. Unbewußt scheine ich die Gefahr zu suchen. Verdammt, ich weiß auch nicht.« Er zögerte und grinste sie an. »Ich kann damit ja wohl kaum zu einem Seelenklempner gehen, oder?«

Er mußte ein schrecklich einsames Leben führen, dachte sie. Sie wurde von Mitgefühl überwältigt. Dann begriff sie auf einmal. Da sie ihre Mutter kannte, begriff sie, daß Alex und Reubin es genau richtig getroffen hätten. Daß die Aussicht auf eine langwährende Part-nerschaft ein wesentliches Moment gewesen war, das sie zueinander hingezogen hatte. Hinzu kam, daß sie beide Erdgeborene waren.

Ihr Verständnis führte dazu, daß sie sich über die Ge-fühle, die sie für Reubin empfand, klar wurde.

Was hatte er mit diesem schrecklichen Ding, das in ihm eingesperrt war, bloß durchgemacht, Jahrhundert für Jahrhundert?

»Magst du mir noch etwas erzählen, Reubin? Von Habu? Von den Legenden, die es über ihn gibt?«

Reubin seufzte tief. »Weißt du, die Legenden gedeihen, weil ich, wie ich bereits sagte, dazu neige, mich in
gefährliche Situationen zu begeben. Ich will es nicht,
tue es aber. Und manchmal tritt Habu in Erscheinung.
Wenn wir das hier überleben, werden sich in unserer
Zivilisation in den nächsten Jahren Geschichten über
eine Schlächterei in den abgelegenen Wäldern eines
Planeten namens Snister ausbreiten.«

Sie konnte sich jetzt vorstellen, was passieren würde.
»Wie hat das alles angefangen?« Sie wußte, daß seine
Familie getötet worden war. »Ich meine, was hast du
durchgemacht?« Sie mußte es noch einmal hören, um
sich in dem Vorsatz, ihren Plan auszuführen, zu bestär-
ken.

Reubin legte sich auf das weiche Gras und schloß
die Augen. »Der Planet hieß Tsuruga.« Er erzählte ihr
von seiner Frau und ihrem Kind. Er erzählte ihr noch
einmal von dem unkontrollierbaren, berserkerhaften
Wahnsinn, der ihn gepackt und jahrelang angetrieben
hatte. Er hatte Vermutungen, jedoch keinen wirklich
eindeutigen Beweis, wie Habu sich in ihm eingenistet
hatte. »Früher habe ich mir Gedanken über die mögliche psychologische Entstehung Habus gemacht. Vielleicht war es eine Kombination sämtlicher Umstände,
einschließlich des Zusammenlebens mit Habuschlangen an Stelle von Menschen. Ich fürchte, es läuft auf ein
von Tsuruga stammendes Reservoir von Wahnsinn hinaus, das abnimmt und, ausgelöst von bestimmten physischen und emotionalen Reizen, wieder zunimmt.« Er
seufzte. Er schien eine Weile zu dösen.

Tique saß neben ihm, während er schlief, und wog
Vor- und Nachteile ihrer Idee gegeneinander ab.

Seine Augen rollten und öffneten sich. »Die Geschwindigkeit, mit der Habu sich bewegt und reagiert,
übersteigt die Gegebenheiten des menschlichen Kör-
pers bei weitem. Darum arbeitet mein Stoffwechsel auf

Hochtouren. Meine Muskeln und Gelenke sind dieses Tempo nicht gewohnt. Anschließend tun sie noch lange weh.«

»Es sei denn, du suchst ein Institut für Lebensverlängerung auf«, sagte sie.

Er blickte sie von der Seite an. »Das ist im Moment nicht gut möglich.« Er schloß die Augen.

Sie begriff. Er versuchte ihr zu sagen, daß es zu spät sei. Die Schmerzen waren zu stark und traten zu häufig auf. Der Druck war zu groß. Er würde niemals solange leben, wenigstens nicht als geistig gesunder Mensch, um nach Webster's zu reisen.

Sie strich ihm über die Stirn. Sie war heiß. Sie goß sich Wasser aus der Thermosflasche über die Finger und massierte es in seine Stirn ein.

Er schien sich zu entspannen.

»Du warst Söldner«, sagte Tique. »Soldat. Wie kam es … na, du weißt schon, daß du Soldat geworden bist? Hat dich das zu Habu gemacht?«

»Auf der Alten Erde?«

»Ja.« Tique konnte sich nicht vorstellen, daß jemand, der vor so langer Zeit geboren wurde, immer noch lebte.

Eine Zeitlang schwieg Reubin. »Früher gab es einmal einen großen Bedarf für diese Art Tätigkeit.« Er lächelte. »Ich erinnere mich daran, wie ich meine Dissertation auf der Militärakademie schrieb. Kennst du dich mit der Geographie der Alten Erde aus?«

»Nein.«

»Na, ist auch egal. Meine Dissertation befaßte sich mit den Kriegsfolgen auf den Pazifischen Inseln. Speziell mit einer Inselgruppe namens Marianen. Guam, Tinian, Saipan. Fünfzehn Inseln insgesamt. Aber das waren die wichtigsten. Nach dem Zweiten Weltkrieg waren diese Inseln ausgebombte Gerippe. Bei ihrer Rückeroberung starben eine Menge Amerikaner. Das amerikanische Militär war damals eine Kampfmaschine. Die Kämpfe zogen sich von Insel zu Insel, unerbittlich. Namen, von denen man in Geschichte noch immer hört: Saipan, Iwo Jima, Okinawa.

Tja, und eines der Dinge, die ich lernte, war, daß die amerikanische Regierung rasch Vegetation auf die Inseln schaffen mußte, damit sie nicht ins Meer geschwemmt wurden. Sie brachten eine südamerikanische Pflanze namens Tangantangan mit – über die ich in letzter Zeit eine Menge nachgedacht habe. Die Tangantangan wächst superschnell, zumal wenn es viel regnet. Sie ist so schnell wie die Kudzu – eine andere Pflanze von der Alten Erde, die mit den sogenannten ›Sandstürmen‹ von Japan in die Vereinigten Staaten gebracht wurde. Dann lernte ich während meines Studiums, daß Guam von einer gewissen Braunen Baumschlange beinahe zugrunde gerichtet worden war. Nun erzählt man sich, dieselben amerikanischen Truppen, die Guam von den Japanern befreit haben, hätten diese Schlange unabsichtlich aus dem Südpazifik mitgebracht. Sie hatte keine natürlichen Feinde und vermehrte sich. Sie fraß kleine Vögel und sämtliche Vogeleier. Sie zerstörte die Ökologie von Guam. Auf Tsuruga erinnerte ich mich an einige Vipern, die Habu genannt wurden, und malte mir etwas Ähnliches aus. Das Ergebnis fiel eine Spur besser aus, als ich erwartet hatte.« Er verstummte.

»Japaner?« fragte sie. »Während des Krieges? Ich habe gehört, daß ...«

»Tsuruga wurde von ihnen und ethnischen Verwandten von einer anderen Insel namens Okinawa besiedelt. Das ist die Heimat der ursprünglichen Habu. Interessanterweise hat mich mein Studium der Militärgeschichte des Zweiten Weltkriegs in die Lage versetzt, die... hm... Kampftaktik der Japaner zu erlernen. Das kam mir später auf Tsuruga zustatten.«

»Das alles stammte aus deiner Dissertation?«

»Im Prinzip schon. Schon damals interessierte sich das Militär auch für die *Auswirkungen* des Krieges, nicht bloß dafür, ihn zu gewinnen. Darum meine Dissertation über besonders stark vom Krieg geschädigte Inseln.«

Sie dachte darüber nach und kam zu dem Schluß, daß er die Wahrheit sagte. Sie hätte das niemals mit Militär in Verbindung gebracht.

Er schloß erneut die Augen. »Ich habe schon so lange nicht mehr so viel geredet. Danke.«

»Wofür?«

»Fürs Zuhören. Deine Anteilnahme.«

»Gewiß doch. Jederzeit.« Tique wußte nicht, was sie glauben sollte. Reubin Flood war ein Mann mit vielen Facetten und nicht wenigen Widersprüchen.

Nach einer Weile erhob er sich und sagte: »Ich habe gerade schon im Fluß gebadet, und es schien meinem Kopf gut zu tun.« Er zog seinen Overall und die Unterwäsche aus und watete in den Fluß hinein. Er setzte sich und lehnte sich gegen einen Stein, so daß seine Augen und seine Nase gerade eben aus dem Wasser schauten.

Tique aß ein kleines Stück Fisch und kam zu dem Schluß, daß sie schmutzig sei und ebenfalls baden sollte. Sie legte ihren Overall ab und trat ins Wasser, sich seines auf ihr ruhenden Blickes bewußt. Konnte sie es durchziehen? Verdammt, ja.

Sie schwamm und plantschte eine Weile herum.

Die drohenden Wolken brachen auf, und ein leichter Regen ging nieder, als zöge er einen Vorhang über ihre Welt. Das kleine Feuer zischte, und Tique schauderte unwillkürlich. Vom Fluß stieg Dampf auf.

Sie paddelte zu Reubin hinüber. Er saß aufrecht da, beobachtete sie. Sie streckte die Hand aus und berührte seine Wange. Sie war heiß. Jetzt war der Moment gekommen.

»Reubin? Ich habe einen Vorschlag, wie man deine Schmerzen lindern könnte.« Sie kam näher, trieb über seine ausgestreckten Beine.

Er war geschwächt und mußte wiederhergestellt werden, sagte sie sich. Was sie vorhatte, bedeutete auch nicht, daß sie dem Andenken ihrer Mutter untreu wurde. Sie half Reubin einfach. Und sie tat es auch für ihre Mutter. Mehr als eine bloße Geste.

Und wenn sie es nicht täte, würde sie sich deswegen ewig Vorwürfe machen.

Sie packte ihn an den Schultern, zog sich nach unten und umklammerte mit den Beinen seine Hüften.

»Der Zeitfaktor setzt uns unter Druck«, sagte er. »Ein militärischer Ausdruck für ›die Zeit läuft uns davon‹. Ich habe die Absicht, zu versuchen, dieses Problem zu lösen, bevor ich… äh… nun ja… Wie auch immer, ich werde versuchen, dich nicht im Regen stehen zu lassen.«

Der Regen hatte aufgehört, und sie saßen vor dem neu entfachten Feuer. Tique fand, daß ihre Therapie funktioniert hatte – zumindest vorübergehend.

Sie holte tief Luft. »Ich werd schon klarkommen. Ich habe Freunde. Ich kann diese Welt verlassen und irgendwo anders neu anfangen. Was das betrifft, kann ich mich sofort der Umwandlung unterziehen – ich bin sowieso bald fällig. Es kommt jetzt darauf an, dein Leben zu retten. Wir müssen diesen Planeten unverzüglich verlassen.«

Er setzte sich auf. »Nein.« Er stand auf. »Alex ist tot…«

»Wir haben sie kräftig dafür zahlen lassen. Sie werden bezahlen, Reubin. Jahr für Jahr, solange, bis sie die Fehler im System gefunden haben. Ich habe gute Arbeit geleistet.«

»Zweifellos. Sieh mal, Tique, ich stehe unter einem

inneren Druck. Ich glaube nicht, daß es eine moralische Verpflichtung ist, aber ich glaube, es ist eine persönliche Verpflichtung – für mich und Habu –, die Wormwood Inc. und Fels Nodivving dazu zu zwingen, die Rechnung zu begleichen. Abgesehen von unseren persönlichen gibt es noch andere triftige Gründe. Wir wissen nicht, ob sie nicht bereits andere gekidnappt und ermordet haben, die Sillas Swallows Projekt nahestanden. Wir wissen nicht, ob sie nicht in Zukunft ein paar anderen armen Kerlen das gleiche antun werden.«

Tique überraschte sich selbst. »Gut, laß uns hingehen und die Schweine töten.«

»Wir müssen vorsichtig vorgehen, denn ich bin zu dem Schluß gekommen, daß Nodivving oder jemand ihm Nahestehender ein brillanter Taktiker sein muß, der fähig ist, unsere nächsten Schritte vorauszuahnen.«

»Was machen wir also?«

»Das Unerwartete.«

Sie versteckten den Gleiter und gingen bei Nacht während eines Unwetters nach Cuyas hinein. Da sie so lange in der Wildnis gelebt hatte, reagierte Tique inzwischen empfindlicher auf die häufigen Regenfälle. Wenn sie es hätte vermeiden können, wäre sie niemals naß geworden – abgesehen von ihren Wanderungen in der Natur. Der Regen wurde zu einem nörgelnden Bruder.

»Ich habe Freunde«, erklärte sie. »Laß mich einen von ihnen anrufen, und wir können uns hier irgendwo verstecken.«

Reubin schüttelte den Kopf. »Nein. Der Taktiker wird erwarten, daß wir hier nach Cuyas zurückkehren. Es ist der einzige logische Schritt für uns. Einsiedler zu werden, die sich von den Erzeugnissen des Landes ernähren, widerspräche unseren psychologischen Profilen. Nein. Wir gehen wie geplant zum Krankenhaus.«

Tique hob die Hände. »Wie du meinst. Du weißt, ich schwöre, daß ich in der Siedlung am Computer die halbe Nacht damit verbracht habe, deine Hausarbeiten zu machen. Diese eine verschlüsselte Nachricht war...«

»Mehr als eine.«

»Jedenfalls habe ich ewig dafür gebraucht.«

»Verhalt dich ungezwungen«, sagte er, »hier ist die Bücherei.«

»Toll«, sagte sie trocken. »Es gibt hier sogar ein paar richtige Bücher.«

Sie gingen in die Bücherei; Tique schaltete eine Konsole ein und zapfte das Krankenhausarchiv an. Sie aktivierte Reubins frühere Reservierungen für einen schönheitschirurgischen Eingriff. Sie glaubte nicht, daß der Plan funktioniert hätte, wenn die medizinischen Anforderungen nicht niedrig gewesen wären und die in jedem Zimmer verfügbare mechanische Versorgung ausgereicht hätte. Sie trug Dr. Cromwell, den Pathologen, als verantwortlichen Chirurgen ein: »Ruf ihn nicht an, er wird dich anrufen.« Ärzte waren alle gleich, dachte sie mit einem Lächeln. Cromwell konnte an der Verschwörung beteiligt gewesen sein, allerdings bezweifelte sie es.

Sie wies das Krankenhaus an, eine stark proteinhaltige Diät zu verabreichen (eine Frage der Auswahl aus den Speiseplänen des Krankenhauses) und keine Besucher zuzulassen. Der Patient würde solange in seinem Zimmer bleiben, bis der Arzt den Eindruck hatte, der Patient sei für die Operation vollkommen bereit. Was ihnen ein paar Tage Zeit gab.

Dann fiel ihr ein, daß die Systeme, wenn sie sich in seinem Zimmer versteckte, vielleicht Betrug schreien würden, darum verdoppelte sie die Reservierung und programmierte sowohl Mr. und Mrs. Grant für gleiche Diäten und nachfolgende Operationen ein.

Sie zogen in einen zugeteilten Familienraum im

Krankenhaus ein. Da die Behandlung aus freiem Entschluß erfolgte, waren sie niemandem über ihr Kommen und Gehen Rechenschaft schuldig.

Reubin rasierte sich weiterhin und legte sich einen Haarschnitt zu. Er hatte nicht mehr die geringste Ähnlichkeit mit dem Bild, das er in der Arena geboten hatte. Den Nachrichtensendungen zufolge wurde er jetzt mehr denn je gesucht, da er in der Siedlung und in deren Umkreis Menschen getötet habe. Die Gendarmerie hatte ein Phantombild von ihm erstellt, mit Bart, ungekämmtem Haar und wildem Blick.

Tique wurde nicht erwähnt. Trotzdem hatte sie sich im Frisiersalon des Krankenhauses eine andere Frisur machen lassen. Sie hatte sich durch das Leben in freier Natur auch verändert. Jemand, der sie kannte, hätte zweimal hinschauen müssen, um sie wiederzuerkennen.

Beim Geld wurde es kompliziert. Dr. Cromwells ›Wunsch‹ entsprechend, sollten die in Rechnung gestellten Beträge erst mit dem erfolgreichen Abschluß der Behandlung fällig werden.

Sich Geld für die Stadt zu verschaffen, war ein wenig schwieriger. Tique hatte versucht, Reubin zu überreden, daß er Manipulationen der Krankenhauskonten oder anderer Systeme zustimmte. Er weigerte sich, weil, wie er kürzlich dargelegt habe, die Finanzen die Stelle seien, wo die höchste Wahrscheinlichkeit für versteckte Schutzvorrichtungen bestünde.

»Zu riskant«, sagte er. Eines Nachts ging er allein aus und kehrte mit einer großen Summe Bargeld zurück.

Tique stellte keine Fragen.

Sie erkundigten sich bei der Universität und den zoologischen Gärten nach den Dingen, die Reubin, wie er ihr sagte, bestellt hatte, irgendwo in der langen verschlüsselten Nachricht versteckt, die sie abgeschickt hatte.

Tique hatte eine neue Professorenidentität einprogrammiert und teilte diesem Professor einen Mailcode zu. Alle Gegenstände, die für ihn einträfen, würden im Krankenzimmer einen Alarm auslösen. Sie hatten dafür gesorgt, daß sie zu einem anderen Ort weitergeleitet würden, wohin, würden sie rechtzeitig entscheiden.

Erst dann würden sie gegen die Wormwood Inc. aktiv werden.

Um die Zeit totzuschlagen, gingen sie täglich spazieren. Reubin ging an ihrem Apartmenthaus vorbei. Von einer Überwachung konnte er nichts feststellen. »Wahrscheinlich überwiegend elektronisch«, sagte er. »Aber wir können ja nicht gut zu deiner Etage raufgehen und nachsehen.«

Darum gingen sie an den Wohnungen vieler ihrer Freunde vorbei, konnten jedoch dort ebenfalls nichts entdecken.

Bis sie einen Freund mit einem Haus überprüften, nicht mit einem tief in einem Gebäude gelegenen Apartment.

»Siehst du den Gleiter?« fragte Reubin.

Sie nickte.

»Siehst du die vergrößerten Abgasschlitze? Gewöhnliche Fahrzeuge brauchen keinen so großen und starken Motor. Machen wir, daß wir hier wegkommen.«

Am nächsten Tag benachrichtigte der Krankenhauscomputer ›Professor Grant‹, daß ein Paket eingetroffen sei.

»Das war ein außerplanmäßiges Schiff«, sagte Reubin. »Es sei denn, ich habe mein Zeitgefühl verloren.«

»Der Regierungskurier«, erklärte Tique. »Ein Ausweichplanet für dich?« fragte sie.

»Möglicherweise.« Obwohl sein Blick ihr sagte, daß es zu spät sei.

Sie ging die Eintragungen durch. »Heute morgen abgeflogen.« Sie sah die Hoffnung in seinem Gesicht ersterben. Wenn sie bloß gewußt hätten ...

Das Postsystem der Föderation würde jedoch mit dem ersten verfügbaren Schiff Post schicken.

Sie kehrten in die Bücherei zurück. Reubin hatte entschieden, daß die Bücherei ein angemessener Ort sei, seine Bestellung entgegenzunehmen. »Schließlich ist es logisch, daß ein Professor seine Post in einer Bücherei entgegennimmt.«

Reubin erkundete zunächst das ganze Gelände. Er war mit der Zeit furchtbar nervös geworden. Was auch nicht half, da die Schmerzen und der Druck in seinem Kopf inzwischen nicht mehr aufhörten. Immer wieder wurde er geistesabwesend, da seine Konzentration nachließ. Tique versuchte ihm zu helfen, so gut sie konnte. Sie zwang ihn, schmerzbefreiende Mittel zu nehmen. Zumindest war er nicht wieder in ein Koma gefallen.

Sie wartete draußen. Er ging in die Bücherei, um sein Paket abzuholen. Er kam heraus und ging rasch den Boulevard entlang. Wie vereinbart wartete Tique eine lange Zeit, um sicherzugehen, daß ihm niemand folgte.

Als sie sich später in einem Restaurant trafen, fragte sich Tique, was in dem kleinen Paket wohl sein mochte. Sie fragte ihn danach.

»Samen«, sagte er. »Ich werde Farmer. Es ist schon gut, daß wir einen Professor und eine Universität und einen zoologischen Garten zur Unterstützung hatten, sonst wären die hier niemals durch den Zoll gekommen.«

Sie verstand nicht. »Woher hast du sie?«

»Ein Teil der codierten Anweisungen ging an ein Anwaltsbüro, das ich mir halte. Es kontrolliert einige Effekten und tut, was ich will, falls ich es brauchen sollte.«

»Warum hast du es nicht gebeten, uns zu helfen?« fragte Tique. »Es geht um Mord, wenigstens sagst du das andauernd.« Dann wurde ihr klar, daß es nutzlos gewesen wäre, wenn Robert Lee/Habu an die Öffentlichkeit gegangen wäre.

Als sie wieder am Krankenhaus angelangt waren, legte Reubin ihr die Hand auf den Arm. »Halt noch eine Minute durch. Gehen wir einfach geradeaus weiter.«

Als sie etwa einen Kilometer entfernt waren, ging Reubin allein zurück.

Kurz darauf kehrte er zurück und drängte sie weiter. »Gendarmerie. Sieht so aus, als hätte man uns ausgeschnüffelt.«

»Das Paket?«

Er zuckte die Achseln. »Ich weiß nicht.. Ich bezweifle es. Dieser Taktiker wußte, daß wir hier in Cuyas sein mußten. Er hat ein Programm erstellt, um alle möglichen Orte, die uns Unterschlupf gewähren könnten, zu überprüfen. Schließlich kam das Krankenhaus dran, und der Computer hat die Datenbanken durchsiebt, und wir sind ihm als Anomalie aufgefallen.«

Tique dachte nach. »Wir müssen sie knapp verpaßt haben, denn der Krankenhauscomputer wird sie von dem Paket und der Übernahme in der Bücherei informiert haben.«

»Du hast den Nagel auf den Kopf getroffen. Aber…« – er zögerte – »vielleicht hat es doch sein Gutes, denn es wird Nodivving davon überzeugen, daß ich tatsächlich etwas von Webster's erhalten habe. Und es ist wichtig, daß er das bestätigen kann.«

»WIR WERDEN SIE MORGEN AN SIE ÜBERGEBEN«, sagte Captain Mcdemman. »Alle meine Leute sind im Moment im Einsatz. Das heißt, die wenigen, die ich noch habe.«

Idiot, dachte Cad. »Lassen Sie sich gesagt sein, Mcdemman, Sie sind in Gefahr.«

»Wegen eines Mannes?« Mcdemman glättete sich mit der Hand sein schwarzes Haar.

»Erzählen Sie mir noch einmal, was Ihre Männer über die Begegnung draußen in den Wäldern berichtet haben«, sagte Cad.

Mcdemman senkte den Blick. »Es war dunkel. Da war irgendein Tier…« Er blickte zu Cad auf seinem Bildschirm auf. »Ach was. Ich werde nicht lügen. Ein Mann hat sie alle umgebracht.«

»Warum haben Sie das erst heute nachmittag gemeldet?«

Mcdemman spitzte die Lippen. »Aus dem gleichen Grund, aus dem ich sie erst morgen nach Cuyas schicken werde. Um sie als Köder zu benutzen.«

Ich hab's gewußt, dachte Cad. »Sie spielen mit dem Feuer, Captain.«

»Ich habe sämtliche verbliebenen Männer im Einsatz, hier und im Umkreis der Siedlung«, sagte er. Er senkte die Stimme. »Ich will ihn haben. Ich will ihn, verdammt noch mal, *haben*.«

Cad schüttelte den Kopf. »Habu, Mann, das ist Habu!«

Mcdemman wirkte unsicher. »Ich habe von den

Sagen gehört. Ich glaube sie nicht. Vergangene Nacht war er von Drogen aufgeputscht oder sowas. Außerdem habe ich IR-Geräte zur Überwachung der Eingänge und das durchdringungssensitive Detektorfeld, das die Siedlung umgibt. Wir werden es schon schaffen. Und die Frau will nicht reden.«

Cad wußte, daß Mcdemmans Rang nicht hoch genug war, daß er es hätte riskieren können, sie unter Drogen zu setzen. »Also schön, Captain.« Er unterbrach die Verbindung.

Er sah und hörte nichts mehr von Mcdemman.

Er erhob sich müde. Es schien so, als hätte er hier gelebt, so weit er zurückdenken konnte.

Die anderen im Kontrollraum nahmen seine Anwesenheit inzwischen als selbstverständlich hin. Ohne Josephine Neffs Einfluß wäre er jedoch nicht hier gewesen.

Er fragte sich, ob er Tequilla Sovereign jemals zu Gesicht bekommen würde. Wenn Habu lebte und er sie holen kam.

Cad hatte keinen Druck auf Mcdemman ausgeübt. Er hätte die Frau auf der Stelle nach Cuyas bringen lassen oder Verstärkung zur Siedlung schicken können. Fehlte diesen Leute eigentlich das nötige Kleingeld, ihren Siedlungen und Städten Namen zu geben?

Ein sechster Sinn veranlaßte Cad, noch eine Stunde im Kontrollraum zu bleiben. Dann, als hätte er es gewußt, traf aus der Siedlung ein Notruf der Wormwood-Zentrale ein.

Als sie berichteten, was geschehen war, begriff Cad, warum nicht die Gendarmerie Meldung erstattet hatte.

Zuviele Tote. Mcdemman hatte für seine Arroganz bezahlt. Doch Habu übertönte alles, Habu, der wieder aus seiner menschlichen Persönlichkeit hervorgebrochen war. Der losgelassene Habu. Einen klassischen Habu-Einsatz mitverfolgen zu können, erregte Cad.

Wenn Habu sein Menschsein vollkommen abgeworfen hatte, dann war Snister dran. Und Cad saß in der ersten Reihe.

Die wenigen verbliebenen Sicherheitsleute waren in der Luft, jagten die Schuldigen.

»Sie sind nicht in diesem Gleiter«, sagte Cad, obwohl er wußte, daß es nichts änderte, da ihm niemand glaubte. Außer Josephine. Sie begann ihm zuzusetzen. Nahm seine Zeit in Anspruch. Vernebelte sein Gehirn. Er hatte sich in ihr verloren. »Wohin fliegen sie?« fragte Cad, um sich wieder dem anstehenden Problem zuzuwenden.

»Richtung Golf«, sagte der Offizier vom Dienst.

»Von Cuyas aus die genau entgegengesetzte Richtung«, sagte Cad, einen Blick auf die Karte werfend. Auch dort Millionen von Hektar unberührter Wildnis. Die ganze Angelegenheit stank. Er schüttelte den Kopf. »Irgendwie, ich weiß nicht wieso, aber lassen Sie mich Ihnen eines sagen. Habu geht nicht weg. Er kommt hierher. Seine Aufgabe in der Siedlung ist erfüllt, was immer dies war. Damit bleibt auf dieser ganzen stinkenden Welt nur noch ein Ort übrig, wo er etwas verloren hat. Genau hier.«

Die Kontrollraumbesatzung hatte gelernt, auf ihn zu hören, dabei mit ihrer Arbeit jedoch fortzufahren.

»Tun Sie, was immer Sie sowieso tun wollten«, sagte er. »Halten Sie mich über alle neuen Entwicklungen auf dem laufenden.« Es würde keine geben, darauf hätte er gewettet.

Er verließ den unterirdischen Kontrollraum und fuhr mit einem außen gelegenen Jetlift das Hauptgebäude der Regierungszentrale hinauf. Er blickte auf das regenverhangene Stadtzentrum von Cuyas hinaus. »Was für eine deprimierende Welt«, sagte er laut.

Er dachte an den jüngst getöteten Captain Mcdemman. Er wußte, daß er die Todesfälle hätte verhindern können, doch er hatte nicht eingegriffen, hatte Josephine nicht angerufen, um sie dazu zu bringen, daß sie taten, was er wollte. Er hatte sehen wollen, wie Mcdemmans Arroganz in sich zusammenfiel. Jetzt war der Mann tot, und Cad bedauerte seine Tatenlosigkeit. Der verdammte Idiot!

Außerdem kam Cad allmählich dahinter, was die ganze Angelegenheit ins Rollen gebracht hatte. Habus Motive waren nie sehr kompliziert. Er war auf Rache aus. Oder sein Ziel war es, einfach zu überleben. Wahrscheinlich beides. Darum würde Habu nach Cuyas kommen. Er hatte die Virenprogramme installiert und die Siedlung terrorisiert. Die Siedlung dezimiert, wenn Cad es recht bedachte. Er fühlte sich mutlos. Er dachte an die Toten. Historisch betrachtet hatte Habu schon wesentlich mehr Schaden angerichtet.

Als Cad Josephines Büro betrat, erübrigte sie für ihn ein Lächeln. »Wir haben noch ein paar Virenprogramme entdeckt.«

»Wahrscheinlich sind sie dazu gedacht, entdeckt zu werden, um von tiefer verborgenen Fallen abzulenken«, sagte er. »Robert Lee steht irgendwie mit dem Institut für Lebensverlängerung in Verbindung, möglicherweise über das Computernetz. Dies wäre eine Erklärung für seine Fähigkeit, den Föderationsbehörden ständig einen Schritt voraus zu sein…«

»Und du?«

Sie war ihrerseits kein Narr. Ebenso wie er allmählich herausfand, was hier tatsächlich vor sich ging, kam auch sie ihm hinter die Schliche.

Aber das war in Ordnung. »Ja. Er ist mir ebenfalls entwischt. Ich muß zugeben, daß er gut ist.« Aber ich bin auch gut, sagte er sich. Mir fehlt bloß der richtige Ansatzpunkt.

»Ich hatte Zeit, mich über dich zu informieren«, sagte sie in noch leiserem Ton als gewöhnlich.

Cad behielt einen nichtssagenden Gesichtsausdruck bei. »Ich könnte jetzt von Vertrauen reden, aber...«

»Wir verstehen uns schon«, beendete sie an seiner Stelle den Satz. »Du bist Journalist. Aber irgend jemand im Föderationsrat hat dir eine Vollmacht ausgestellt, diesen Habu festzunehmen. Tot oder lebendig. Zusätzlich zu allen von der Föderation oder örtlichen Stellen ausgeschriebenen Belohnungen und diesen übergeordnet.«

Er nickte. »Ich kann keinen Widerspruch zwischen unseren beiden Zielsetzungen erkennen.« Er konnte ihr nicht von dem Ratsmitglied erzählen, das unter Habu zu leiden gehabt hatte und keine Mühen scheuen würde, Habu tot zu sehen. Ein Ratsmitglied mit enormer Macht.

»Ich habe Fels nichts davon erzählt«, sagte sie.

Denk darüber nach, Cad, alter Junge. Er tat es. Sie war an sein Schweigen gewöhnt. Er spürte, daß Regierungspolitik dahintersteckte. »Das wäre für uns von Vorteil?«

Sie nickte. »Laß uns baden gehen.«

Cad fand sich nackt in einem Whirlpool wieder.

Bevor Josephine zu ihm hineinkam, schwenkte sie ein Gerät herum. Dann nickte sie vor sich hin. »Gut. Keine Wanzen.«

»Dieses Ding würde Richtspione nicht detektieren«, erklärte er.

Sie ließ ihr Kleid fallen. »Stimmt. Aber diese Wände und dieser Raum wurden genau dafür ausgelegt.«

Bald darauf saßen sie beieinander und nippten Champagner.

»Weißt du«, sagte Josephine, »es war alles Fels' Idee. Ich habe nicht mit sovielen Toten gerechnet – vielmehr mit *gar keinen* Toten. Kannst du das verstehen?«

»Ja«, antwortete er aufrichtig. Das war der beste Champagner, den er je getrunken hatte. Das Zusammenleben mit Josephine Neff hatte seine guten Seiten.

»Jetzt gibt es überall im Land, dort draußen in der Siedlung, Tote.«

»Eine schreckliche Angelegenheit«, pflichtete er bei. Und es war mehr als wahrscheinlich, daß es hier in Kürze ebenfalls welche geben würde. »Es würde dein Gewissen belasten.« Ein Versuch, sie in die Richtung zu drängen, die sie bereits im Begriff stand einzuschlagen.

Sie blickte ihn über ihr Kristallglas hinweg an. »Ach, komm schon.«

Er grinste schwach.

»Fels kam von unserer Muttergesellschaft, von der Omend Galactic Operations – dem föderationsweiten Megakonzern –, und er wußte irgend etwas. Er war dort ein ziemlich hohes Tier und hatte sich als leitender Geschäftsführer der Wormwood Inc. nach Snister versetzen lassen. Nur deshalb, glaube ich, um der Frau nah zu sein. Er hatte irgend etwas herausgefunden. Hinter den Kulissen half er Alexandra Sovereign dabei, die Karriereleiter emporzuklettern.« Josephine brach ab und widmete sich dem Champagner. »Jetzt, wo ich drüber nachdenke, glaube ich, daß Alexandra Sovereign es auch von allein geschafft hätte – wenn auch vielleicht nicht so schnell. Sie hat ihren – nun, Verstand nicht benutzt.«

»Red weiter.« Da er wußte, welche Art Frau Josephine war, konnte er sich denken, was sie damit sagen wollte. Im Gegensatz zu Josephine hatte Alexandra Sovereign keinen Gebrauch von ihrem Körper und ihrer Attraktivität gemacht.

»Also, Alexandra wußte etwas, das Fels wissen wollte. Sie kehrte von einer Handelsmission auf irgendeinem gottserbärmlichen Planeten zurück, verheiratet und bereit, sich vom Institut für Lebensverlängerung irgendwohin verfrachten zu lassen. Neues Leben, neuer Anfang – sowas eben.«

Jetzt begriff Cad. »Nodivving geriet in Panik. Sein Fisch wollte ihm vom Haken springen.«

»Genau. Er hat alles versucht. Die romantische Zuneigung des mächtigsten Mannes der Welt hätte eigentlich Wirkung zeigen sollen. Aber zunächst war sie verheiratet, dann unterzog sich ihr Mann der Umwandlung, und Fels dachte, jetzt hätte er sie. Sie wies ihn ein ums andere Mal ab und hielt ihn hin, und schließlich sagte sie zu ihm: ›Keine Chance, Fels, ich genieße meine Freiheit.‹« Sie lachte kehlig. »Du hättest sehen sollen, welche Frustration sich in ihm aufbaute. Gott, es war schon ein sehenswerter Anblick, wie er beinahe explodiert wäre. Jedenfalls hat Fels sie sich ohne mein Wissen«, Josephine legte eine Pause ein, um zu betonen, daß sie nichts davon gewußt hatte, »geschnappt, unter Drogen gesetzt und versucht, die Informationen aus ihr herauszuholen.«

Ein langes Schweigen.

Cad konnte sich das Folgende denken. »Und?«

»Auf einmal war Alexandra Sovereign tot. Punkt. Ich war nicht dabei, ich kenne die Umstände nicht.«

»Folter«, sagte er. »Eine Überdosis.«

Josephine nickte. »Sie hatte dieses Ding in ihrem Kopf, von dem niemand etwas gewußt oder geahnt hatte…«

»Einen Biochip.«

»So was in der Art.«

»Weißt du, was das bedeutet, Josephine? Es ist ein Hinweis. Sie war wichtig, irgendwo, irgendwann, wahrscheinlich in ihren vergangenen Leben.«

»Das habe ich mir schon gedacht«, sagte Josephine, deren Stimme noch leiser wurde.

Also versuchte sie ihm zu beweisen, daß sie an den illegalen Vorgängen nicht beteiligt gewesen war. Sie hatte lediglich ihren Vorteil aus allen Situationen gezogen, die ihr nutzen konnten. Weswegen sie sich Fels Nodivving bei seiner Suche angeschlossen hatte. Bis zu den Todesfällen. Nun distanzierte sie sich von

Nodivving und seiner Intrige. Zeigte Josephine ein wenig schlechtes Gewissen? Das war schwer zu glauben. Wahrscheinlich spielte sie ihr eigenes Spiel, um ihre Lage zu verbessern. »Sollte ans Licht kommen, daß Nodivving für Sovereigns Tod verantwortlich war«, sagte Cad nachdenklich, »dann würdest du wahrscheinlich leitender Geschäftsführer werden.«

»Die Nummer Eins.« Ihre Stimme war lauter geworden. Ihre Erwartung war mit Händen zu greifen.

»Und die Wormwood Incorporation auf Snister leiten.«

»Richtig. Jetzt hör mir mal zu, Cadmington-Abbot oder wer auch immer. Es liegt in unser beider Interesse, diesen Habu und die Tochter festzunehmen. Es liegt in Fels' Interesse, daß sie getötet werden. Die beiden Flüchtlinge fangen in der Öffentlichkeit zu reden an, und Fels ist erledigt. Darum will Fels sie töten lassen.«

»Das würde die ungewöhnliche Vorgehensweise der Gendarmerie in der Siedlung größtenteils erklären«, sagte Cad, indem er laut nachdachte.

»Kann schon sein. Du, Cad, mußt die beiden festnehmen.«

»Ich?« sagte er sanft.

»Das ist sowieso deine Aufgabe«, erwiderte sie. »Ich werde es so einrichten, daß Fels und ich uns mehr und mehr auf dich verlassen. Schließlich bist du der Habu-Experte.«

Er dachte lange und angestrengt nach. Er leerte sein Glas Champagner und schenkte ihre Gläser erneut voll. Er verschränkte im warmen Wasser seine Beine mit ihren.

»Ist gut«, sagte er endlich. Er wußte, daß er Josephine nicht vollständig vertrauen konnte. Schließlich fiel sie Fels Nodivving in den Rücken. Zum Teufel damit. Er mußte einfach vorsichtig sein.

Sie schmiegte sich enger an ihn.

Er roch sie, sogar in der dumpfen Schwüle des Bads. »Ich werd dir was sagen, Josephine. Habu versteckt sich nicht dort draußen in der Wildnis. Auch nicht in irgendeinem Golfhafen. Er kommt hierher. Das ist der einzige Ort, wo er seine Aufgabe vollenden kann.«

»Rache?«

»Vergeltung.«

»Wo liegt der Unterschied?« sagte ihm Josephine ins Ohr. »Sag mir, welches Interesse du wirklich verfolgst.«

»Was meinst du damit?« Er stellte das Glas ab, um seine Hände gebrauchen zu können.

»Du jagst Habu nicht deshalb für die Föderation, weil sie gut bezahlt. Du hast etwas Leidenschaftliches an dir, wenn du von ihm sprichst. Du hast ein persönliches Interesse. Sag's mir.«

Die Föderation gestattete Cad, sich umwandeln zu lassen, und er war als einer von wenigen von der obligatorischen Pionierpolitik des Instituts für Lebensverlängerung freigestellt. Die Regierung mußte die Kontinuität sicherstellen. Ganz zu schweigen von der enormen politischen Macht seines Gönners im Rat. Das ILV macht Ausnahmen für einige Föderationsangehörige, die in ihrem Job verbleiben wollten. Es war die einzige Möglichkeit, wie sich das ILV gegenüber feindlich gesonnenen Föderationspolitikern seine vollkommene Unabhängigkeit bewahren konnte.

»Sag's mir«, drängte sie.

»Kurz und schmerzlos«, sagte er. »Der Planet Tsuruga? Meine Familie, meine eigenen Geschwister. Ein Großteil meiner Verwandten. Freunde. Getötet. Von Habu persönlich oder infolge seiner Handlungen.«

»Oh.« Josephine betrachtete ihn. »Das scheint dich jetzt nicht mehr allzusehr zu berühren.«

Er zuckte die Achseln. »Es ist Jahrhunderte her.«

»Du bist ein harter Mann«, sagte sie. »Du bist darüber hinweggekommen.«

»Das bin ich.«

»Aber du hast niemals, nie deinen Drang, deine Obsession überwunden, Habu zu töten, nicht wahr?«

Sie hatte ihn schneller durchschaut, als er es für möglich gehalten hätte. »Jetzt weiß ich, warum ich dich so sehr mag«, sagte er und glitt tiefer ins Wasser hinein.

»Es überrascht mich«, sagte sie, »daß ein einzelner Mann, dieser Habu, so töten kann.«

»Ich hab dir seine Geschichte erzählt.«

»Ich weiß.« Sie erschauerte. »Was für ein Mensch ist das?«

»Halb Mensch, halb Schlange, heißt es.«

»Diese Vorstellung ist vollkommen abscheulich, und ich glaube es nicht. Er ist ein Kämpfer. Ich habe ihn gesehen.«

Sie war im Corona gewesen, als Habu triumphiert hatte und dann entkommen war. »Was immer du glauben möchtest, Josephine.« Er erinnerte sich, wie aufmerksam sie bei der Wiedergabe des Kampfes gewesen war, als er gerade auf Snister angekommen war. Sie hatte wie hypnotisiert zugeschaut. Cad fügte Josephines Bild ein weiteres Mosaiksteinchen hinzu. So allmählich begriff er, was in ihr vorging.

Sie wandte sich ihm lächelnd zu. »Dann planen wir also gemeinsam ein Komplott.«

»Laß uns unsere neue Verbindung besiegeln«, sagte er.

»Abgemacht.«

Die meiste Zeit verbrachte er im Kontrollraum. Ihm waren zwei Programmierer zugeteilt worden. Sie führten zur Sicherheit Tausende von Routinechecks durch.

Während sie damit beschäftigt waren, machte die Gendarmerie endlich den Polizeigleiter ausfindig, den Habu gestohlen hatte.

Keinerlei Hinweise auf sie.

Dann wurde an einem Fluß außerhalb von Cuyas ein im Gebüsch versteckter Gleiter entdeckt. Der Gleiter war in der Siedlung gestohlen worden. Fingerabdrücke ergaben, daß ihn die Flüchtlinge benutzt hatten.

Zu diesem Zeitpunkt hatte Cad die Idee, Suchmuster zu programmieren. In einer High-Tech-Stadt wie Cuyas versteckte man sich nicht, ohne hier oder da eine Spur zu hinterlassen. Er hatte bereits Beobachter bei allen bekannten Freunden und Bekannten von Tequilla Sovereign postiert. Von einer Unmenge elektronischer Überwachungsgeräte ganz zu schweigen.

Der Computer förderte das seltsame Pärchen und seine Merkmale im Krankenhaus zutage.

»Grant«, sagte er zum Offizier vom Dienst. »Ist das denn zu glauben? Grant und Lee?« Die Frau sah ihn an, als wäre er irgendwie seltsam. »Schätze, du mußtest dort sein«, sagte er. Er schickte heimlich die Gendarmerie los, da eine rasche Überprüfung ergab, daß sich der Professor und Mrs. Grant im Moment nicht in ihrem Zimmer aufhielten. Der Computer gab die Information preis, daß ihr Paket bereitliege und sie angeordnet hätten, daß es in der Bibliothek ausgehändigt werden solle.

Noddivving tauchte auf. Im Vergleich zu seiner großen Gestalt schien der Raum zu schrumpfen. Es wurde flotter und genau nach Vorschrift gearbeitet.

»Ich *will* sie«, sagte Nodivving. »Aber, und nehmen Sie dies zu Protokoll«, sagte er zum Offizier vom Dienst, »ich will keine weiteren Toten mehr. Diese Leute sind extrem gefährlich. Darum lautet mein Befehl, sie ohne Vorwarnung zu erschießen.«

»Protokolliert und gespeichert«, sagte der Offizier vom Dienst.

Cad schüttelte den Kopf. Nodivving war so durchsichtig. Sah das denn sonst niemand?

Zwei Stunden lang geschah nichts. Das Paket war

vor dem Eintreffen der Gendarmerie in der Bibliothek abgeholt worden.

»Nichts«, sagte Cad. »Er hat unsere Falle gewittert.«

Nodivving funkelte ihn an.

»Vergessen Sie nicht«, sagte Cad, »daß ich derjenige bin, der seine Spur entdeckt und ihn im Krankenhaus aufgespürt hat.«

Nodivving nickte knapp und erhob sich von seiner Konsole. »Mein Befehl gilt. Geben Sie ihn weiter.«

Cad überlegte fieberhaft. Sein Erzfeind lief jetzt frei in der Stadt herum. Er war von seiner Basis abgeschnitten. Cad wußte nicht, ob Habu in der Stadt noch einen anderen sicheren Ort hatte. Aber was das betraf, so konnte er geradewegs in die Wälder und den ewigen Regen hinausgehen und sich in Sicherheit bringen.

Wann würde das Gemetzel beginnen?

Das Paket gab Cad jedoch zu denken. Seit Tagen hatte es keine Hinweise auf die Flüchtlinge mehr gegeben. Jetzt hatte er ein Paket bekommen. Für Cad hatte es etwas zu bedeuten, er wußte bloß nicht, was, doch ihm schien, als hätte Habu gewartet.

War das Warten nun vorbei?

Cad mochte es, wenn er die Initiative übernehmen konnte. Er wußte genug über Robert Edward Lee/Reubin Flood/Habu, um zu wissen, daß bald etwas passieren würde. Er wurde von Unruhe erfaßt.

Habu wird zuschlagen.

Kein Zweifel.

Die Frage war nur, wann und wo.

Tief in seinem Innern kannte Cadmington Abbot-Pubal die Antwort.

Habu würde zuschlagen.

16

Reubin

WÄHREND REUBIN NEBEN TIQUE EINHERGING, taumelte er gegen sie. Die Realität blendete sich ein und wieder aus, als zoomten seine Augen. Der oberste Punkt seines Scheitels fühlte sich an, als wollte sein Kopf nach oben explodieren. Schmerz füllte sein Gehirn aus, von Ohr zu Ohr und bis zu den Brauen. Er wußte nicht mehr, wo er war.

Als er fühlte, wie jemand – Tique? – seinen Arm ergriff und ihn weiterzog, folgte er.

Nimm dich zusammen, drängte etwas tief in seinem Innern, noch tiefer als der Schmerz und die Desorientierung.

Sein Atem ging rasch und flach, und er konzentrierte sich darauf. Atme, befahl er sich. Du darfst nicht ersticken. Vielleicht wäre Selbstmord eine Erlösung.

Seine Beine bewegten sich selbständig weiter.

Er spürte, wie Tique an seiner Seite ihn vom Bürgersteig hinunterzog. Einige Leute sahen sie merkwürdig an.

Noch nie, niemals, war es so schlimm gewesen. Er hatte die Umwandlung noch nie so lange vor sich hergeschoben. Er hatte die Frist überschritten. Jetzt wußte er, warum viele Menschen Selbstmord begingen.

Die Ärzte und Techniker des Instituts für Lebensverlängerung hatten ihm jedoch einmal gesagt, er sei einer der ersten, die Vorhut des Projekts und darum ein Experiment für sich. Er vermutete, daß die meisten der ›Ersten‹ aufgrund von Verschleißerscheinungen lange tot waren. Zum Tode verurteilt worden waren. Sich geweigert hatten, sich behandeln zu lassen. Selbstmord begangen hatten. Wahnsinnig geworden waren.

Beherrsch dich. Jetzt. Tu es. Tu's jetzt. Das Drängen enthielt ein befehlendes Element, das Reubin nicht ignorieren konnte. Er nahm seine Willenskraft zusammen.

Seine Augenbrauen brannten, doch sein Gleichgewichtssinn verbesserte sich. Schmerz und Druck nahmen ab.

Habu. Das ist richtig. Er war Habu. Wir haben nicht mehr lange zu leben, nicht wahr? Sein Denkvermögen ließ jetzt rasch nach. Er starb. *Sie* starben.

Ja. Aber gemeinsam können wir noch ein wenig länger leben. Gemeinsam. Setz dich durch. Jetzt.

Er fand sich aufrecht an der Wand eines Gebäudes mit der Bezeichnung ›Stadtwerke‹ wieder, wo Tique ihn festhielt, als versuchte sie ihn vor einem Angriff von außen zu schützen.

Er rollte mit den Augen. Er beruhigte seine Atmung. Er stieß Tique von sich weg.

Sie blickte ihn besorgt an. »Geht es dir wieder besser?«

»Ja-ah – ja. Ja, es geht mir besser.« Er schaute sich um. Es regnete. Wieso war ihm das entgangen? Aber es war gut. Die Leute drinnen oder in Eile, ohne uns zu beachten. »Gehen wir.«

Sie gingen langsam davon.

Tique hatte sich bei ihm eingehakt und versuchte ihn zu stützen. »Reubin? Wirst du…? Ich meine…« Sie bewahrte ihn davor, daß er taumelte. »Du wirst es nicht schaffen, oder?« Ihre Stimme klang durch den Regen hindurch fremd. Tropfen rannen über ihre Wangen.

Die Kontrolle. Wir werden es jetzt zu Ende bringen. Überlaß die Schmerzen mir. Überlaß mir den Druck. Die Kontrolle.

Er gab Habus Drängen nach.

358

Erledigt.
Reubin Flood schüttelte Tequilla Sovereign ab.
»Reubin?«
»Mir geht's gut.« Er schien wieder deutlich sprechen zu können.

»Ich kenne eine Menge Leute. Laß mich jemanden suchen, der uns helfen kann.« Sie streckte die Hand aus. »Komm schon.«

»Nein.« Die Schmerzen waren verschwunden, der Druck hatte stark nachgelassen. Selige Erleichterung. »Kein Weglaufen mehr. Wir haben, was wir brauchen.« Er klopfte auf seine Tasche. Er sprach präzise und schnell. Habu verteidigte die letzte Bastion. Wenn diese fiele, wäre er/wären sie tot. Habus Überlebensmechanismus war an seine Grenze gelangt. Beide arbeiteten jetzt ohne die Metamorphose zusammen. Zwei Wesenheiten, die den gleichen Überlebenskampf führten.

»Jetzt?«

»Jetzt. Der Showdown. Nodivving und Snister. Es wird Zeit, daß sie bezahlen.«

»Was ist mit deinen Schmerzen passiert?« fragte sie. »Sie können doch nicht einfach verschwunden sein.«

Er wischte sich Regenwasser von der Stirn und hob ihr die Kapuze über den Kopf. »Geht schon wieder. Noch ein paar Stunden, dann ist es vorbei.«

»Reubin?« Sie schüttelte die Kapuze nach hinten. »Ich mache mir Sorgen. Ich habe eine Todesangst, daß du sterben könntest. Daß du sterben wirst. Ich hab dich gern, Reubin, ich hab dich gern. Vergiß die Rache. Laß mich Hilfe für dich holen.«

»Kommst du nun mit oder nicht, Mädchen?« Er verlieh seiner Stimme einen sorglosen und schroffen Klang. Er wandte sich ab und ging davon.

»Warte.« Sie holte ihn ein. »Mach schon und stirb, verdammt noch mal. Ich werd dir sogar noch dabei helfen.«

»Laß uns eine öffentliche Computerzelle suchen.«

In der öffentlichen Zelle setzten sie sich nebeneinander auf die Bank. Außerhalb der Kuppel tobte ein Unwetter. Reubin hatte noch nie eine Welt mit so schlechtem Wetter gesehen. Wie kamen die Einwohner von Snister auf Dauer bloß damit klar? Er wußte, daß er ein größerer Freiluftfanatiker war als die meisten Menschen, und darum trafen ihn die Unbilden des Wetters härter als jeden anderen.

Nach seinen Anweisungen bereitete Tique die Konsole darauf vor, seine Nachricht aufzuzeichnen und mit einer Stunde Verzögerung weiterzuleiten.

»Du bist dran.« Sie verstellte das Bild, bis sie darin einbezogen war.

Reubin massierte sich die Schläfen. »Diese Nachricht ist für Fels Nodivving.« Der LGF würde sie unverzüglich erhalten. Kein Untergebener würde sie zurückhalten – obwohl sie zweifellos überprüft werden würde.

»Nodivving, hören Sie zu.« Reubin öffnete sein Paket und schüttete sich Samen in die Hand. Der Tangantangansamen war klein und schwarz. Er hatte sich von seinem Studium der Militärgeschichte auf Guam her daran erinnert. Dieselbe Quelle, aus der sein Wissen über die Braune Baumschlange stammte. »Dieser Samen stammt von einer Abart der *Leucaena*, die *leucocephala* genannt wird. Tangantangan. Bei meinen Geschichtsstudien bin ich in Südamerika auf der Alten Erde auf über fünfzig Arten gestoßen. Nach dem Zweiten Weltkrieg wurden sie auf ausgebombten Pazifikinseln ausgesät. Sie haben sich durchgesetzt.« Er grinste humorlos, um die Wirkung seiner Worte zu unterstreichen. »Sie werden auf Snister nicht nur gedeihen, sie werden das Land *überrennen*. Sie werden schneller wachsen als die Wurmholzschößlinge und die Oberhand gewinnen. Das Klima ist perfekt. Man kann Ziegen damit ernähren und Holzkohle daraus machen. Ihr werdet eine Pflanze brauchen, die an die Stelle eures Wurmholzes tritt. Werden Sie Ziegenzüchter, Nodivving, das paßt zu Ihnen. Aber, und Ihre Experten werden das bestätigen, wenn es verzehrt wird, sagen wir von einer Schlammkatze, dann wird das Fell der Schlammkatze ausfallen, und sie wird sterben. Das auf dem Wurmholz basierende Ökosystem wird ebenfalls sterben.« Während er sich an den durch Tangantangan hervorgerufenen Haarausfall bei Pferden und Rindern erinnerte, hatte er bezüglich der Schlammkatze geblufft. Wenngleich sich seine diesbezüglichen Spekulationen durchaus als wahr erweisen konnten.

Er legte eine Pause ein und sortierte Samen. »Das sind Kudzusamen, eine hülsentragende Kletterpflanze. *Pueraria thunbergiana.* Sie wird das Land dort erobern, wo es die Tangantangan nicht schafft. Sie wird die Erde festhalten, Erosion verhindern. Anders ausgedrückt, bedeutet dies, daß es mit den Überschwemmungen des Wurmholzzyklus' ein Ende hat. Die Wurmholzproduktion wird zum Erliegen kommen. Sie vernichtet andere Pflanzen nicht; sie überwuchert einfach alles und jedes. Pflanzen, Bäume, Berge, Gebäude. Sie vernichtet die Vegetation, indem sie deren Wachstum hemmt und ihr das Sonnenlicht vorenthält.« Eine weitere Verbindung zu Japan, dachte Reubin. Die Kudzu stammte von Japan auf der Alten Erde und wurde zur Erosionseindämmung und als Tierfutter in die Vereinigten Staaten, sein Herkunftsland, gebracht. Damals hatte man nicht geahnt, was geschehen würde.

Er schüttelte den Kopf, um sich wieder in die Gegenwart zurückzubringen. »Die Samen, die ich hier in Händen halte, werden Snister und die Wormwood Inc. zugrunde richten. Ich gebe Ihnen eine Stunde Zeit, sich mit Ihren Experten zu beraten und das von mir Gesagte bestätigen zu lassen. Es hat sich wiederholt erwiesen, daß diese Pflanzen nicht vollständig ausgerottet werden können.

Ich möchte, daß Sie sich nach Ablauf dieser Frist in Ihrem Gleiter über der Stadt aufhalten und einen weiteren Anruf von mir erwarten. Sie werden fünf Minuten Zeit haben, zu einem Ort zu gelangen, den ich Ihnen nennen werde.

Sollten Sie sich entschließen, nicht zu kommen, wird Tique Sovereign draußen in der Wildnis den Samen ausbringen. Meiner Einschätzung nach würde es zwei Jahre dauern, bis der Tangantangan- und Kudzubewuchs ausreicht, Ihren Betrieb zu beeinträchtigen.«

Er gab die Samen wieder in das Paket zurück und reichte es demonstrativ Tique.

»Dies ist die einzige Mitteilung, die Sie erhalten werden. Seien Sie da, wenn ich Sie anrufe, und reagieren Sie innerhalb von fünf Minuten. Kommen Sie allein.« Er unterbrach die Aufzeichnung.

Nodivving würde nicht allein kommen, doch er würde kommen. Nodivving würde die Gelegenheit begrüßen, Reubin gegenüberzutreten. Diese unausgesprochene Herausforderung hatte in der Luft gelegen, seit Reubin ihm in der Suite des Premierministers bei der Durchsicht der Autopsie gegenübergestanden hatte. Und Reubin hatte die Wormwood Inc. erfolgreich attackiert. Er zählte auf die Tatsache, daß er Nodivving beim Werben um Alexandras Gunst ausgestochen hatte. Nodivving würde kommen.

Eine Woge von Wahnsinn und Tod brandete gegen die Bastion. Habu kämpfte einen Moment lang dagegen an, dann verebbte sie allmählich wieder.

Tique überprüfte noch einmal eingehend die Befehle zum zeitversetzten Senden. »Noch eine Stunde, und es wird gesendet.«

»Gut. Damit bleiben uns zwei Stunden für die Vorbereitung.« Wenn er noch solange lebte. Er nahm ihr das Samenpaket aus der Hand.

Sie blickte ihn lange an. »Das würdest du nicht tun.«

»Das würde ich. Und darf ich auch.«

»Du würdest eine ganze Welt zugrunde richten?«

Er schenkte ihr ein humorloses Lächeln und schnippte mit den Fingern. »Genau so.«

»Du bürdest dir eine enorme Verantwortung auf, Reubin.« Ihr Umweltschützer-Hintergrund schimmerte durch. Reubin wußte, wie schwer es war, gegen seine Natur zu handeln.

»Habu erfüllt seine Funktion«, sagte Reubin bedächtig. »Ich glaube allmählich, er ist ein Dämon, der das universelle Gleichgewicht bewahren hilft.«

Sie blickte ihn merkwürdig an. Er glaubte noch immer, das Reservoir an Wahnsinn oder vielleicht die lebensverlängernden Behandlungen seien die Ursache. Das Trauma hatte jedenfalls auf Tsuruga begonnen.

Tique drängte aus der Kuppel hinaus. In ihren Bewegungen drückte sich Verärgerung aus. Er drohte damit, *ihre* Welt zu zerstören. Nun, wie man es nahm. Er erinnerte sich an Habus Einssein mit dieser Welt, sein Verständnis für die Wurmholzbäume und ihr Verhältnis zu dem Planeten. Seine Entscheidung, ob er die Tangantangan- und Kudzusamen aussäen würde, stand noch aus.

Reubin stand an der Kuppel und blickte auf die Arena hinaus. »Warum heißt sie ›Corona‹?« fragte er.

»Keine Ahnung.« Sie stand an der Befehlskonsole. »Josephines Code funktioniert noch immer.« Ihre Finger tanzten über die Konsole. Bilder, Bestätigungen, Schematas und vorgeschriebene Sequenzen scrollten über den Bildschirm. »Das Corona ist jetzt auf eigene Energieversorgung geschaltet«, sagte sie. »Und abgesperrt. Kein Betreten oder Verlassen möglich, es sei denn, ich gestatte es. Keine Kommunikationsverbindung hinein oder heraus. Darum auch kein Computerzugriff von außerhalb der Anlage.«

Reubin hatte zwei Sicherheitsbeamte und drei Tierwärter ›überwältigt‹, die einzigen Personen, die sich an diesem Nachmittag in der Arena aufgehalten hatten. Sie waren zur VIP-Kabine gegangen, und Tique hatte die Steuerzentrale des Corona mit ihrer Konsole verbunden.

Jetzt warteten sie.

»Laß mich das mal ausprobieren«, sagte Tique. Sie klickte drei Stationen auf der Schemazeichnung an. »Eins, zwei, drei«, sagte sie.

Reubin blickte aus der Kuppel hinaus, und an der gegenüberliegenden Wald öffnete sich eine Klappe. »Hat funktioniert.«

»Ich kann machen, was du willst, Reubin. Aber ich weiß nicht, ob…«

»Es ist zu spät, Tique. Wir müssen gewinnen oder sterben.« Ich sterbe sowieso, dachte er. Der Plan, auf den er sich verlassen hatte, hatte nicht funktioniert, obwohl er die Nachricht rechtzeitig losgeschickt hatte. Er beschloß, ein Schiff zu stehlen und in den Zwischenraum zu gehen, wenn er heute aus dieser Arena entkam. Vielleicht würde dessen Physik den Wahnsinn aufhalten. Er glaubte es jedoch nicht, denn inzwischen wich sogar Habu von der letzten Bastion zurück; Wahnsinn und Tod schwemmten darüber und näherten sich mit fühlbarer Vorfreude. Es brachte ihn jedoch auf eine Idee. »Tique? Bevor wir anfangen, tu bitte eins.«

Sie sah an seinem Gesicht, wie ernst es ihm war. »Alles.«

Er lächelte schwach. Diese Frau gab Anlaß zu Hoffnungen. Sie war nicht ihre Mutter, aber…

Er drängte seine Gedanken zurück. Er spürte, wie

seine Kontrolle nachließ. Er und Habu waren dabei, zu verlieren. Der Druck baute sich erneut auf, stärker denn je. Der Schmerz kam wie ein Sturm, der über Wurmholzwälder hinweg auf ihn zurollte. Er fügte etwas von seiner letzten geistigen Energie zu Habus Arsenal hinzu.

»Reubin? Was ist es?«

»Benutze Neffs Code. Sag dem Flughafen, er soll die Raumyacht der Gesellschaft fertig machen.«

Ihr Gesicht wurde traurig. »Du fliegst weg, um zu sterben. Im Raum. Ach, Reubin...«

»Still, Mädchen! Tu es. Ich werde wahrscheinlich heute nachmittag hier sterben.« Er hoffte, daß er es überleben würde. Er dachte an Alex, und Entschlossenheit breitete sich in ihm aus. Er *würde* Alex rächen, bevor er starb.

Kurz darauf: »Es ist alles vorbereitet.«

Reubin sagte: »Es ist nicht so, daß ich sterben wollte.« Bestimmt nicht. »Wenn ich mit einer bestimmten Geschwindigkeit fliege, dürfte ich nicht altern...«

»Halb eingefroren, Jahr um Jahr, Jahrhundert um Jahrhundert«, sagte sie, »am Rande des Wahnsinns und des Todes.«

»Das ist alles, was mir bleibt«, sagte er. »Es gibt keine andere Möglichkeit. Nun, es *gab* eine andere Möglichkeit.« Er berichtete ihr von seinem Hilferuf. »Aber das wird jetzt offenbar nicht mehr klappen.«

»Eine der verschlüsselten Nachrichten?«

»Ja.« Er schüttelte den Kopf. »Jetzt ist es zu spät.«

»Reubin, ich kann mich nicht damit abfinden, daß du auf ewig unter Schmerzen und wahnsinnig weiterfliegst...«

»Dann werde ich das Schiff sprengen.« Vielleicht durch einen Absturz über der Regierungszentrale in der Hauptstadt Cuyas auf dem Planeten Snister.

»Reubin, ich finde...«

»Ruf Nodivving an.«

Sie zögerte, dann ließ sie die Schultern absacken. »Das war's dann also.« Sie erhob sich und trat zu ihm.

Sie roch gut. Sorge, Mitgefühl, Sympathie – das alles strahlte sie aus. »Reubin? Ich kann dir wieder helfen. Es hat schon einmal funktioniert.« Sie schlang ihre Arme um seinen Hals. »Ich hab dich lieb.«

Er schob sie sanft von sich. Schmerz rötete sein Gesicht. »Ich habe keine Zeit mehr«, flüsterte er. »Ruf Nodivving an.« Wellen von Entsetzen leckten durch seinen Geist. *Noch nicht. Kämpfe.*

Sie warf ihm einen letzten durchdringenden Blick zu und ging rasch wieder zur Konsole zurück. »Stell dich in den Erfassungsbereich des Aufnahmegeräts.«

Er gehorchte, indem er den Schmerz zurückdrängte. Nicht mehr lange.

»Hab ihn. Du bist drauf, Reubin.«

»Nodivving?«

Das Gesicht des Premierministers füllte den Bildschirm aus. Am Hintergrund konnte Reubin erkennen, daß er sich tatsächlich in seinem Gleiter befand. »Sie haben das Sagen, Schlangenmensch.«

»Sie und ich«, sagte Reubin. »Mann gegen Mann.«

Nodivving schien interessiert. »Und?«

»Bloß Sie in Ihrem Gleiter. Kommen Sie ins Corona. Bei Ihrer Ankunft werden Sie Anweisungen zum Betreten erhalten.«

Es war ein verlockender Köder für Nodivving, das sah Reubin. Er hatte den Berichten über Habus Tapferkeit zuhören und tatenlos herumsitzen müssen. Für einen kräftigen, sinnlichen Menschen war das quälend.

»Kann ich Ihnen vertrauen?« Nodivvings Grinsen sagte Reubin, daß sie beide Bescheid wußten. Keiner vertraute dem anderen, und beide wußten, daß der andere die Umstände zu seinen Gunsten manipulieren würde.

»Sie haben keine Wahl«, sagte Reubin. »Tequilla Sovereign wartet in diesem Moment in fruchtbarem Gelände darauf, die Samen auszubringen. Sie verfügt über eine ausreichende Menge, um damit einen Monat an verschiedenen Orten auf der ganzen Welt zu verbringen.« Er grinste den Premierminister an. »Sie haben zweifellos bestätigen lassen, was ich über die Samen und die entsprechenden Pflanzen gesagt habe?«

Nodivving nickte. »Bringen wir's hinter uns.«

»Sie haben nur noch drei Minuten. Sie sollten sich beeilen.«

Tique unterbrach die Verbindung. »Er hat keine andere Wahl, oder? Er muß den Mord an meiner Mutter vertuschen, und zwar eigenhändig.«

Als Mörder bleibt man weder LGF noch PM, dachte Reubin. »Alle Systeme bereit?«

Sie nickte. »Aufzeichnung. Übertragung. Alles.«

Reubin seufzte, und der Schmerz schlug zu. Keine Schwärze diesmal. Reiner hirnzerfetzender Schmerz. Er krümmte sich, dann straffte er sich. »Ich gehe«, sagte er heiser.

»Das kannst du nicht machen«, sagte sie.

»Ich kann alles«, sagte er, seine Kräfte für den letzten Akt sammelnd. »Sorg du dafür, daß die Hochdrucktüren im Umkreis seiner Suite oben sind, und es wird klappen.« Wenn sie nicht in die Suite hineingelangen konnten, hätten sie keinen Zugang zu irgendwelchen Kontrollen oder Kontrollsystemen. Da die Landerampe der VIP-Suite außerhalb der Kuppel lag, war die VIP-Suite verwundbar. Darum offenbar die Hochdrucktüren.

»Du gehst in den Tod«, erklärte sie kategorisch.

Er streckte die Hand aus und liebkoste die Linie ihres Kiefers mit den Fingern. Ihm fielen zum Abschied keine Worte ein, darum drehte er sich um und ging hinaus.

Hinter sich vernahm er das Zischen und Klirren der sich um Tequilla Sovereigns und die VIP-Suite schließenden Hochdrucktüren. Sie würde ihre Frau stehen.

Auf halbem Wege die Rampe hinunter legte Reubin eine Pause ein und trank aus der Flasche, die er aus der VIP-Bar mitgenommen hatte. Whisky schien nicht mehr zu helfen. Obwohl es gut sein konnte, daß er das letzte war, was er schmeckte – vielleicht abgesehen von der bitteren Niederlage.

Doch er behielt die Flasche. Sie war Teil seines Plans. Nichts von alledem wäre die Anstrengung wert, wenn er Nodivving nicht das Gewünschte entlocken konnte.

Nach einer Minute schritt er über den Arenaboden. In der Mitte der Arena blieb er stehen. Er blickte zur Kuppel hoch und sah Tiques besorgtes Gesicht. Er winkte ihr aufmunternd zu.

Die großen Doppeltüren am entgegengesetzten Ende öffneten sich, und ein Gleiter schob sich hindurch. Reubin konnte unmittelbar hinter Nodivvings Fahrzeug mehrere andere Gleiter und Flugmotorräder erkennen. Sie rasten auf den Eingang zu, doch die Türen fielen zu und sperrten sie aus.

Reubin wußte nicht, ob das Corona ein ausgewiesener Schutzraum für den Fall eines Angriffs auf den Planeten war, fand jedoch, daß es durchaus dazu geeignet war.

Der Gleiter schwenkte an einer Seitenwand herum, und Nodivvings ausladende Gestalt trat heraus.

An seiner Stelle hätte Reubin versucht, den anderen im Mittelpunkt der Arena mit dem Gleiter zu töten. Nodivving hielt sich jedoch an die festgelegten Spielregeln, aus Angst vor der biologischen Katastrophe, mit der Reubin gedroht hatte.

Und aus Angst vor der Entlarvung als Mörder.

Nodivving schritt selbstsicher auf Reubin zu.

Reubin bewegte sich langsam auf Nodivving zu, während er die Flasche hob und gierig trank. Es half ein wenig. Der Schmerz ließ nach, als der Alkohol die Kehle hinunterglitt.

Reubin wußte, daß der Premierminister allein war, sonst hätte Tique den Mann und seinen Gleiter nicht in die Arena hineingelassen.

Reubin schien zu stolpern, und als er sich wieder aufrichtete, deutete sein Laser genau auf Nodivving.

Während er stolperte, sah Reubin Nodivvings Hand in dessen Overall verschwinden.

Sie hatten sich beide dafür entschieden, sich einen Vorteil zu verschaffen. Bloß Reubin war schneller. Beziehungsweise Habu.

»Keine Bewegung«, sagte Reubin.

»Ist das fair? Sie haben angedeutet, es würde ein ausgeglichener Kampf sein. Wenn ich gewinne, bekomme ich die Samen.«

»Und wenn ich gewinne?« fragte Reubin sanft, in der Hoffnung, daß Tique das Gespräch aufzeichnete.

»Dann sind Sie frei.« Nodivving stand selbstsicher da.

»Ihre Waffe«, sagte Reubin, indem er mit seinem eigenen Laser deutete.

Nodivving zog langsam seine Hand hervor und streckte Reubin die Waffe hin.

»Werfen Sie ihn her, ganz ruhig jetzt.« Reubin stellte die Flasche in den Sand und fing den Laser aus der Luft. »Den anderen«, sagte er zum PM.

Nodivving griff in seine Gesäßtasche und holte einen gleichartigen Laser hervor. Reubin hätte sich ebenso verhalten. Wahrscheinlich hatte der Mann noch eine dritte Waffe.

Reubin ging zum Gleiter hinüber und legte, während

er Nodivving ständig im Auge behielt, Nodivvings zwei Waffen und seine eigene in die offene Luke.

Er ging zurück, um seine Flasche zu holen. Er hob sie, um daraus zu trinken, während er seinen Gegner aus dem Augenwinkel beobachtete.

Nodivving beugte sich langsam vor und streckte die Hände zu seinen Stiefeln aus.

Reubin zog seinen eigenen versteckten Laser. »Vielleicht könnten Sie mir diese Waffe ebenfalls aushändigen.« Zum Glück war der Sicherheitsdienst des Corona bewaffnet gewesen.

Nodivving nickte zustimmend und gehorchte. Als Reubin diese beiden Waffen in den Gleiter gelegt hatte, war er sich nahezu sicher, daß Nodivving keine weiteren Waffen mehr besaß.

Reubin kletterte auf den Gleiter, ließ seine Beine hinunterbaumeln und winkte Tique zu. Er trank aus der Flasche.

Er warf Nodivving ein Messer zu. »Sie sind dran.«

Eine Seitentür ging auf, und drei Gnurle stürmten heraus. Wenngleich es gemeine Tiere waren, waren sie doch nicht so erregt wie die, mit denen er in der Arena gekämpft hatte.

Sie standen nicht unter Drogen.

Nodivving schwenkte zu ihnen herum, mit geschmeidigen Bewegungen, augenblicklich wachsam.

Schmerz fiel über Reubin her. Er schalt sich einen Narren. Habu hätte Nodivving einfach getötet und wäre anschließend davongelaufen.

Aber nein. Er mußte diese umständliche Scharade vollführen, die auf seiner Einschätzung von Nodivvings Charakter beruhte.

Eine Scharade, die nur einem Zweck diente: Nodivving dazu zu bringen, daß er die Ermordung Alexandra Sovereigns und die illegale Verfolgung von Tequilla Sovereign und Reubin Flood eingestand.

Für Reubin war es nicht wichtig – es war bloß die einzige Möglichkeit, Tique zu entlasten und ihre Zukunft *und* ihre Sicherheit zu gewährleisten.

Ein Gnurl galoppierte auf Nodivving zu. Der Premierminister von Snister sprang in einer Art von Kampfkunstmanöver in die Luft und schlug mit einem Fuß aus. Sogar Reubin hörte den Hals des Gnurl brechen. Das Tier brach zusammen; Sand stob hoch.

Nodivving landete sicher auf den Beinen. Zwei weitere Tiere hatten ihn nahezu erreicht, und er wirbelte ihnen aus dem Weg, mit dem Messer um sich hauend. Hervorsickerndes Blut bildete einen Streifen auf dem grauen Halsfell eines der beiden Tiere. Beide Tiere kamen rutschend zum Stehen, wobei sich ihre Hufe tief in den Sand eingruben. Sie bewegten sich rasch auf Nodivving zu. Er stand da und erwartete den Angriff.

Im letzten Moment trat er beiseite, wich einem scharfen Huf aus und rammte dem verwundeten Gnurl seine Faust mit der Unterkante nach oben zwischen die Augen. Das Tier fiel wie angeschossen um.

Nodivving jagte den verbleibenden Gnurl, der keinen Angriff erwartete. Als er sich umwandte, um ihn erneut zu attackieren, sprang Nodivving auf seinen Rücken. Das Tier rannte wie rasend in der Arena umher und schrie. Nodivving hielt sich mit den Knien und einer Hand fest. Sie näherten sich Reubin und dem Gleiter.

Als der Gnurl sich verrenkte, um das Ding auf seinem Rücken zu beißen, griff Nodivving an der anderen Seite unter dessen Hals und zog sein Messer durch die Kehle. Blut spritzte. Nodivving stieß sich von dem Tier ab und schleuderte, noch während er in der Luft war, das Messer auf Reubin.

Es war ein mörderischer Wurf. Habus Reflexe griffen jedoch danach und fingen das Messer ab, wenn auch an der Klinge, und Blut von seiner Hand mischte sich mit Gnurlenblut.

Nodivving stand vor ihm. »Du und ich, Schlangenmensch.« Seine Stimme höhnte. »Mann gegen Mann. Das war deine Idee.« Er stemmte die Arme in die Hüften. »Beim Kampf Mann gegen Mann zählen Gnurle nicht.«

Reubin sprang vom Gleiter herab. »Ich dachte, zur Abwechslung mal ein fairer Kampf würde Sie wach machen.«

»Los, komm schon.« Nodivving mußte gespürt haben, daß mit Reubin etwas nicht stimmte. »Ich dachte, du wärst zäh. Ich dachte, du wolltest mich schlagen. Hah! Habu, klar, Habu ist ein Witz.«

Reubins Kopf schmerzte so sehr, daß ihm nicht die richtigen Worte einfallen wollten, mit denen er Nodivving sein Geständnis des Mordes an Alex hätte entlocken können. Reubin hob die Flasche, goß sich Alkohol die Kehle hinunter. Er spülte die vordringende Schwärze ein wenig zurück.

Nodivving musterte ihn eingehend. Offenbar sah er den Schmerz in Reubins Gesicht und brachte beides miteinander in Verbindung. An Nodivvings wissendem Grinsen erkannte Reubin, welche Schlüsse er daraus zog. Der Premierminister bewegte seine breiten Schultern, und Muskeln spielten. »Komm schon, Schlangenmensch.«

»Das werd ich«, stammelte Reubin, der sich fragte, wie Tique wohl reagierte. Er hoffte, sie würde nicht versuchen, ihm zu Hilfe zu kommen, sondern einfach ihre Arbeit tun. Wahrscheinlich hatte sie alle Hände voll damit zu tun, die Gendarmerie daran zu hindern, ins Corona einzudringen.

»Hah.« Nodivving verspottete ihn. »Mir scheint, der berüchtigte Habu ist nichts weiter als Geschwätz. Gerede. Ich hab's sowieso nie geglaubt.«

Reubin brachte ein Grinsen zustande. »Nodivving, ich glaube, Sie würden die Gelegenheit, gegen Habu kämpfen zu können, mit dem Leben bezahlen. Habu verachtet sie.« Reubin schleuderte die halbvolle Flasche nach dem Mann. »Sie werden für die Ermordung Alexandra Sovereigns bezahlen.«

Nodivving neigte sich zur Seite, und die Flasche schoß an ihm vorbei. Er gab Reubin keine Antwort.

Reubin verzog das Gesicht. Er würde den Zweikampf verlieren müssen, um Nodivving zum Reden zu bringen. Warum konnte er nicht einmal Glück haben?

Reubin schleuderte mit einem Fußtritt Sand auf Nodivving und näherte sich ihm unbeholfen. Ob er sich verstellte oder nicht, er wußte, daß es das beste war, was er tun konnte, solange er gegen den Schmerz in seinem Kopf ankämpfte. Und der Alkohol hatte seine Reaktionszeit beeinträchtigt.

Nodivving stieß ihn von den Beinen, als er ihn erreichte.

Reubin schlug auf dem Boden auf und rollte sich ab.

Schwärze sickerte in sein Bewußtsein. Der Wahnsinn hatte Habu überwältigt.

Nodivving traf dort, wo Reubin hingefallen war, auf dem Boden auf, und beide Stiefelabsätze schlugen gnadenlos zu. Er grinste Reubin an.

Reubin erhob sich und täuschte Nodivving nach rechts an, wirbelte herum und koppelte sich mit einer Zehe an Nodivvings Hüfte.

Nodivving wirbelte seinerseits herum, als wollte er Reubins Angriff ausweichen, führte den Schwung jedoch weiter und schlug mit der Handkante nach Reubins Hals.

Reubin wehrte den Schlag nur teilweise ab, indem er ihn zu seiner Schulter ablenkte. Schmerz und Schwäche wallten in ihm auf, und einen Moment lang gewann die Qual die Oberhand über die schwarzen

Flecken aus Wahnsinn und Tod, die sich in seinem Geist ausbreiteten. Seine linke Seite fühlte sich an wie paralysiert.

Er trat unverzüglich mit seinem rechten Fuß zu und überraschte Nodivving. Der Mann rollte sich jedoch ab und kam geduckt wieder hoch.

Reubin konnte ihn nicht verfolgen. Er wollte es, konnte es jedoch nicht.

Er stand mit nutzlos baumelndem Arm und unnatürlich herabhängender Schulter da.

Nodivving griff ihn sogleich an, seine Arme, Hände und Füße verwischte Schemen.

Reubin wich zurück, um sich zu schützen, fand sich jedoch gegen eine Wand gedrückt.

Schläge prasselten auf ihn nieder, und er schaffte es sogar, seinen gelähmten Arm zu heben und sich zu schützen. Er wurde beiseite gestoßen. Der innere Tod vermischte sich mit Nodivvings mörderischem Angriff.

Ein Schlag gegen seine Stirn zwang ihn in die Knie. Überall in seinem Körper flammte Schmerz auf. Seine Nieren waren zermantscht. Die meisten Rippen an beiden Seiten waren gebrochen. Es kam nicht mehr darauf an.

Nodivving hörte auf und wich zurück.

Reubin blickte auf seinen nutzlosen linken Arm hinunter und bemerkte, daß er in die falsche Richtung gebogen war. Blut strömte aus einer Rißwunde an seiner Stirn und aus seiner gebrochenen Nase. Der Schmerz in seinem Kopf war zurückgedrängt worden, kehrte jetzt aber wieder. Der Druck stieg wieder an, schneller als zuvor, und drang bis in sein Innerstes vor.

Reubin wußte, daß er ein toter Mann war, der noch atmete. Er blickte zu Nodivving auf. Nur noch ein Auge funktionierte richtig. »Töte mich«, krächzte er. »So wie du Alex getötet hast.«

»Das werde ich«, sagte Nodivving und kam näher.

»Das werde ich. Sie hat mir gesagt, daß du wegen ihr herkommen würdest. Sie hat mir ins Gesicht gelacht.«

»Du hast sie umgebracht.«

»Nein«, sagte Nodivving. »Ich will nicht, daß du glaubst, ich hätte ihr das angetan. Sie starb unter meinen Händen. Ich wußte nicht, warum – damals.« Er brach ab und blickte Reubin an. »Ich habe bedauert, so drastische Maßnahmen ergreifen zu müssen, aber sie hatte mich zu oft abgewiesen.«

»Du wolltescht ihr Geheimnisch«, sagte Reubin, dem Blut vom Kinn tropfte.

Nodivving grunzte zustimmend. »Ich bin ihr hierher gefolgt. Die Forschungsabteilung war eine meiner Abteilungen bei Omend. Alexandra Sovereign hat als Neuroendokrinologin beim Projekt zur Lebensverlängerung mitgearbeitet. Sie kannte einen Teil der Hormone und chemischen Sequenzen, die das Institut für Lebensverlängerung benutzt.«

»Macht und Habgier«, sagte Reubin so leise, daß es nicht einmal vorwurfsvoll klang.

Nodivving sagte: »Gewiß. Warum nicht? Diese Idioten vom Institut haben sie. Warum sollte ich nicht ebenfalls daran teilhaben? Mir blieb nichts anderes übrig…« Er zögerte. »Na und? Dir kann es sowieso gleich sein. Du bist tot.«

Reubin sah, daß die Szene auf einem der riesigen Bildschirme oben in der Arena gezeigt wurde. Tique teilte ihm mit, daß sie das Geständnis mitbekommen und aufgezeichnet hatte. Und es live in die ganze Welt übertrug.

»Wo ist die Frau?« sagte Nodivving. »Und die Samen.«

Reubin flüsterte: »Die Samen sind in meiner Tasche. Sieh mal zu den Bildschirmen hoch.«

Nodivving hob den Kopf; er erstarrte. »*Verdammtes Schwein!*« Nodivving hatte sekundenschnell alles begriffen. Er griff nach Reubin und zog ihn an sich. Der Schmerz war unerträglich, vergewaltigte den innersten Kern seiner Existenz.

Nodivving zog ihn auf die Beine und hob ihn über den Kopf.

Ein letztes Mal. Ein Teil des Schmerzes verschwand. *Wir üben die Kontrolle aus. Gemeinsam.* Die Schwärze blieb da, kroch langsam durch sein ganzes Bewußtsein. Komm raus, Habu! *Töte!*

Er spürte eine Aufwallung von Stärke. Sein Gehirn befahl die Freisetzung von Adrenalin. Sein Körper straffte sich. Kraft durchströmte ihn.

Mit seiner heilen rechten Hand packte er Nodivvings Handgelenk unter sich. Er drückte zu. Das Handgelenk zerbrach. Habu genoß das Brechen der Knochen und den Überraschungs- und Angstschrei.

Nodivving gab Reubin frei, und dieser fiel neben dem PM zu Boden. Nodivving hielt sich das Handgelenk und trat nach Reubin.

Er hat Alex umgebracht, dachte Reubin und richtete sich auf.

Nodivving blickte ihn jetzt voller Entsetzen an. Panik überschwemmte Nodivvings Gesicht und die Erkenntnis von Habus Überlegenheit breitete sich darauf aus. Ein todgeweihter und bewegungsunfähiger Mann war wieder zum Leben erwacht.

Reubin streckte die Hand aus und packte Nodivving am Vorderteil seines Overalls. Er hob den Premierminister hoch und hielt ihn eine Armeslänge von sich entfernt.

»Habu s-schickt dich zur Hölle«, krächzte er.

Er hob Nodivving noch höher.

Der Mann schrie inzwischen unbeherrscht, ein hohes, animalisches Winseln.

Reubin begann Nodivving über seinem Kopf herumzuwirbeln. Speichel flog umher. Nodivvings Blase entleerte sich und befleckte seinen Overall im Schritt. Reubin schleuderte Nodivving zu Boden, mit dem Kopf voran, ein äußerst befriedigendes, knackendes Geräusch. Nodivving war tot.

Was war mit den anderen? Falls es andere gab. Nodivving war der Schlüssel gewesen. Der PM hatte seine Schuld an Alexandras Tod gestanden.

Reubin taumelte an der Leiche vorbei.

Stolz.

Stirb nicht hier, auf dem Boden. *Laß sie nicht mitansehen, wie du stirbst.*

Zu spät. Zu umständlich.

Der Gleiter. Nimm ihn.

Er stolperte auf den Gleiter zu.

Tiques Stimme dröhnte aus verborgenen Lautsprechern, durchdrang die Schwärze, die ihn zu überwältigen drohte. »Reubin, es ist medizinische Unterstützung unterwegs.«

Er achtete nicht auf sie und fiel in den Gleiter. Irgendwie richtete er sich vor den Kontrollen auf. Er ließ das verdammte Ding an und steuerte auf die große Doppeltür zu. Die geschlossene Doppeltür.

Komm schon, Tique, laß mich jetzt nicht im Stich.

Der Gleiter beschleunigte. Reubin trat die Laser aus dem Weg. Er hustete Blut, und es spritzte auf die Innenseite der Kanzel.

Die Doppeltüren glitten zurück, und er war hindurch, so nahe am Boden dahinrasend, daß alle Warnlampen in der Maschine blinkten und sämtliche Signalhörner gellten. Er zog das Steuer zu sich heran, und die Maschine stieg. Im Rückschirm sah er eine Horde von Gleitern und Flugmotorrädern eine Kette bilden.

Er klappte die Überkopfanzeige herunter und programmierte sie auf den Raumhafen. Er stellte die Höchstgeschwindigkeit ein, mit allerhöchster Priorität.

Der Adrenalinstoß von Nodivvings Tötung wich vor der andrängenden Dunkelheit zurück.

Der Bordlaser eines Gleiters versengte die Kanzel, richtete jedoch keinen Schaden an. Sie hätten wissen müssen, daß von allen Fahrzeugen der Welt die des PM's am besten gegen Anschläge geschützt und gepanzert waren.

Er hoffte, daß dies auch für die Raumyacht galt.

Er hoffte, daß er solange leben würde.

Er befand sich jetzt über unbewohntem Gelände und hängte den Gegner allmählich ab. Einen Gegner, der erheblich geschwächt sein mußte, da er wußte, daß er einen Unschuldigen jagte. Abgesehen natürlich von den Toten in der Siedlung und in den Wäldern. Auch wegen des Todes von Fels Nodivving, dem Premierminister und leitenden Geschäftsführer, mußten sie verwirrt sein.

Reubin tastete nach dem Samenpaket in seiner Tasche.

Sein Körper wurde von Schmerzen heimgesucht, und der alte Schmerz und Druck kamen ihm wieder zu Bewußtsein. Er hatte keine Kraft mehr, dagegen anzukämpfen. Er hatte keine Kraft mehr, um vernünftig zu denken. Er begann die letzte abwärtsgerichtete Spirale in die Schwärze.

Sollte die Welt namens Snister für Nodivvings Fehler bezahlen? War Snister selbst für Alex' Tod verantwortlich?

Sein Kopf pochte bis zum Platzen. Wieder erinnerte er sich an Habus durch die Bäume vermitteltes Einssein mit dem Planeten. Reubin sackte bewußtlos, sterbend zusammen.

Habu kam heraus. Ein tobender Habu. Ein Habu, der nicht sterben wollte. Nicht jetzt. Nach so vielen Jahrhunderten? Habu zog sich auf eine Bewußtseinsebene hinauf, die er noch nie zuvor erreicht hatte. Er würde die vordringende Schwärze in Macht und Stärke verwandeln. Indem er sich den Wahnsinn zunutze machte, schaffte er es, sich zu konzentrieren.

Er setzte sich trotz seiner linksseitigen Lähmung auf. Seine rechte Hand holte das Paket heraus und schüttete sich die Samen unbeholfen in die Hand.

Er überlegte. Diese Welt und die Wurmholzbäume würden eher mit Kudzu und Tangantangan zurechtkommen als mit Menschen, die *künstlich* mehr und mehr Wurmholzbäume anpflanzten, das zerbrechliche Gleichgewicht störten.

Habu sagte sich, daß die Entscheidung nicht bei ihm läge. Die Entscheidung lag bei der Welt dort unten. Sollten der Planet und das Schicksal entscheiden.

Er drückte einen Schalter, und in der Kanzel öffnete sich eine Luke. Der durch die Geschwindigkeit des Fahrzeugs hervorgerufene Unterdruck wirbelte die Luft im Cockpit durcheinander.

Habu öffnete die Hand und streckte sie durch die Öffnung. Samen wurde herausgesaugt und wirbelten mit dem Luftstrom davon. Er schüttete sich die restlichen Samen aus dem Paket in die Hand und wiederholte den Vorgang. Geschafft.

Wenn die Samen keimten, Wurzeln schlugen und wuchsen, dann sollte es eben sein. Wenn nicht, hatte sich die Welt selbst so entschieden.

Inzwischen kannten wahrscheinlich sämtliche menschlichen Bewohner des Planeten sein Ziel. Würden sie ihn aufhalten? Würde ihn die Gendarmerie abfangen?

Er fand, es kam nicht mehr darauf an.

Er blickte an sich hinab. Seine ganze Vorderseite war mit Blut bedeckt. Seine Sicht war wieder verschwommen.

Selbst Habu starb.

17

Cad

»Er ist tot«, sagte Josephine mit lauter Stimme. Sie wiederholte es noch einmal, klar vernehmlich. »Fels Nodivving ist tot.«

Alle im Kontrollraum Anwesenden schauten sie an.

Cad sah, wie sie sich veränderte. Sie trug jetzt die Verantwortung. »Was für ein Spektakel«, sagte sie mit ihrer neuen, klingenden Stimme.

Sie hatten den Kampf in der Arena alle mitangesehen – wie auch alle anderen auf dieser verrückten Welt, setzte Cad in Gedanken hinzu. Er gab zu, daß es *tatsächlich* ein spektakulärer Kampf gewesen war, wenn man für derartige Dinge etwas übrig hatte. Habu hatte selbst ihn überrascht.

Josephine wandte sich an den Offizier vom Dienst. »Können Sie bestätigen, daß sie gehört haben, wie Fels Nodivving sich des Mordes und der Verschwörung für schuldig erklärt hat?«

»Das kann ich, Madam.« Cad fand den Mann sehr geschäftsmäßig.

»Nehmen Sie es zu Protokoll.«

»Protokolliert.«

»Außerdem ist Fels Nodivving tot.«

Der Offizier überprüfte eine Anzeige. »Bestätigt.«

»Darum«, sagte Josephine, immer noch mit lauter und klarer Stimme, »übernehme ich in Übereinstimmung mit den Bestimmungen und Verfahrensweisen der Wormwood Incorporation das Kommando.«

»Bestätigt, *Nummer Eins*«, sagte der Offizier.

»Sehr schön«, sagte Josephine, ein befriedigtes Glitzern in den Augen. »Geben Sie mir die Verfolger.«

Auf dem großen Bildschirm oben an der Vorderseite des Raumes erschien eine Fernaufnahme von Nodivvings Gleiter, aufgenommen von einem der Verfolgerfahrzeuge aus.

»Ziel?« sagte Josephine.

»Der Raumhafen, Madam.«

»Das dachte ich mir«, sagte Cad. Wie war es möglich, daß Habu immer noch lebte? Kein anderer hätte soviel einstecken und dennoch weitermachen können.

Der Offizier arbeitete an seiner Konsole. Eine Weitwinkelaufnahme vom Tower des Raumhafens erschien auf dem Schirm.

»Was soll denn das?« fragte Josephine. »Stellen Sie eine Verbindung zu ihnen her.«

»Jawohl.«

Ein Nebenmonitor schaltete sich ein, und ein uniformierter Gendarm erschien darauf. Cad nahm an, daß er von der Flugkontrolle war.

Ohne Einleitung fauchte Josephine: »Was hat die Gesellschaftsyacht auf der Plattform zu suchen?«

»Fertig zum Start, Madam.«

»Aufgrund wessen Befehl?«

Der Offizier sah nach und erbleichte. »Sie haben es befohlen, Madam.«

Ihr Gesicht verwandelte sich in einen Sturm. »Gefälscht.« Sie zögerte. »Lassen Sie sie nicht starten.«

»Die Anweisungen enthielten Ihren Befehlscode und waren bestätigt.« Der Offizier zögerte. »Ich werde es versuchen, Madam. Aber der Startvorgang läuft bereits ohne unsere Einwirkung ab. Er liegt jetzt in den Händen des Piloten.«

»Verdammter Mist! Geben Sie mir den Piloten.«

Der Nebenmonitor verblaßte.

Im Bild des Towers erschien der Gleiter. Er verlangsamte nicht so stark, wie er das hätte tun sollen. Im letzten Moment schleuderte er seitlich und krachte gegen eine Stütze der Startvorrichtung.

Cad wußte, daß der Pilot damit beschäftigt war, den Gleiter zu beobachten, und Josephine nicht gleich antworten konnte.

Der Nebenmonitor erwachte zum Leben. Der Pilot an den Kontrollen. Eine Frau. Im Overall der Wormwood Inc. »Ja? Was gibt es?« Sie war offenbar abgelenkt. »*Was* ist los?«

Josephine begann: »Hier ist…«

Der Bildschirm teilte sich. Das Gesicht von Tequilla Sovereign erschien. »Josephine. Lassen Sie ihn gehen.«

»Nein.«

»Er stirbt, Josephine. Gestehen Sie ihm soviel zu. Lassen Sie ihn allein sterben. In Frieden.«

»Nein.«

Cads Blick wanderte wieder zur Weitwinkelaufnahme. Eine Leiche war aus dem Gleiter herausgefallen. Sie rappelte sich auf, indem sie sich an der zertrümmerten Strebe abstützte.

»Zoom!« verlangte Josephine, wieder in ihrem Flüsterton. Auf ihrem Gesicht dominierte der Abscheu.

Der Mann schaute einen Moment lang in die Kamera. Der ganze Körper war mit Blut bedeckt. Cad fragte sich, wieso er noch lebte, geschweige denn funktionierte. Die Strebe war dunkel von Blut.

Der Gesichtsausdruck des Mannes war der eines ungezähmten Geschöpfs. Keines Tieres. Keines Menschen. Eines Geschöpfes.

»O mein Gott«, flüsterte Josephine. »Der Krieger vom Anfang aller Zeit.«

Der ganze Raum war von einer Macht gefangengenommen, die Cad nicht benennen konnte. Es war, als hielten sie alle gleichzeitig den Atem an.

»Madam? Ihre Befehle«, sagte die Pilotin, die Augen auf ihre eigenen Monitore gerichtet.

Tequilla Sovereign ergriff wieder das Wort. »Lassen Sie ihn gehen, Josephine. Ich lasse das hier auf allen Frequenzen ausstrahlen, über alle Sender. Die ganze Welt schaut Ihnen zu.« Sovereign war überzeugend. Sie war zäh und unnachgiebig, ganz im Gegensatz zu dem Bild des Schwächlings, das Josephine entworfen hatte.

Cad trat neben Josephine, tief in seinem Innern enttäuscht. Er wollte Habus Körper. Es gab Wissenschaftler, die viel dafür bezahlen würden, ihn auseinanderzunehmen und herauszufinden, was sich darin befand.

Seine Sorge um Josephine gewann jedoch die Oberhand. Er beugte sich zu ihr hinüber und flüsterte: »Alle haben in der Arena zugeschaut. Jeder weiß, was vor sich geht. Du kannst ihn nicht aufhalten. Das wäre politischer Selbstmord.«

Sie wandte sich ihm zu. »Ach?« Die Gerissenheit kehrte in ihre Augen zurück. »Cad, du hast recht.« Ihr Blick spiegelte noch immer ihren Abscheu vor Habus mächtiger Gestalt wider. »Aber wenn ich ihn nicht aufhalte, wirst du deine Prämie nicht einstreichen können.«

»Dafür habe ich dich«, flüsterte er und wurde mit einem durchtriebenen Lächeln belohnt. »Außerdem«, fuhr er fort, »habe ich galaxisweit die Exklusivrechte. Diese Story wird einen reichen Mann aus mir machen.«

Cads Augen wanderten zum Monitor zurück.

Habu stolperte gerade die Rampe hinauf.

Die Pilotin sprach, die Stimme an der Grenze zur Hysterie. »Madam, Ihre Anweisungen bitte!« Cad wußte, daß Raumschiffpiloten abgehärtet waren. Nichts vermochte sie aus der Ruhe zu bringen. Doch diese Erscheinung reichte aus, selbst den abgebrühtesten Veteranen zu erschüttern.

»Josephine?« Tequilla Sovereigns Tonfall war drängend.

»Laß ihn gehen«, flüsterte Cad ihr ins Ohr. »Dir bleibt keine andere Wahl.«

Josephine drehte ruckartig den Kopf. Cad sah, daß sie Habu bewunderte. Das war für jeden, der sie gut kannte, offensichtlich. Sie holte tief Luft. »Pilotin, ich stelle fest, daß soeben ein äußerst gefährlich Wahnsinniger Ihr Schiff betreten hat. Ich rate Ihnen, das Schiff zu verlassen.«

»Verstanden.« Die Pilotin erhob sich und verschwand durch eine aufgleitende Verkleidung.

Unwillkürlich bewunderte Cad Josephines Entscheidung. Sie deckte sie und erreichte den gewünschten Zweck. Niemand konnte ihr etwas vorwerfen. Was für ein wundervoller Bürokrat sie doch war.

»Madam …«, sagte der Offizier vor ihnen.

»Moment«, fauchte Josephine.

Habu erschien auf dem Seitenmonitor. Er taumelte auf das Flugdeck. Die Pilotin hatte die Verbindung nicht unterbrochen. Cad konnte nicht glauben, daß Habu noch immer lebte, geschweige denn fähig war, sich zu bewegen.

»Aber, Madam …« Wieder der Offizier.

»Ich sagte, Moment«, sagte sie im Befehlston.

Habu war totenbleich. Abgeschlachtet. Ein Leichnam.

Cad beobachtete Tequilla Sovereign, die das Bild sah und zu weinen begann.

Der Mann war weiß vor Blutverlust.

In seinen Augen oder seinem Gesicht gab es keinerlei Anzeichen von Intelligenz mehr. Er war ein *Ding*.

Cads Aufmerksamkeit war geteilt. Er sah die Pilotin von der Rampe springen, als die Rampe ins Schiff eingezogen wurde. Die Tür ging zu. Die Weitwinkelaufnahme vom Tower zeigte sie, wie sie über die Startplattform rannte.

Habu drückte Schaltfelder und aktivierte die Bordsysteme. Mit einer Hand, langsam und überlegt.

Seine Linke lag tot in seinem Schoß, der Unterarm schrecklich verrenkt.

Josephine beobachtete das Bild mit offenem Mund und schlaffem Kiefer, im Mundwinkel Speichel.

»Heilige Mutter Gottes«, sagte Cad vor sich hin. Es war unmöglich, daß dieser Mann noch lebte, geschweige denn sich bewegte und intelligent handelte.

»Madam«, sagte der Offizier.

Habu schlug auf die Schalterabdeckung und legte den großen, grünen Schalter um. Er fiel gegen den Sitz zurück, ein Auge geschlossen, das andere blutverkrustet.

Die Startsequenz wurde an der Stelle fortgesetzt, wo sie unterbrochen worden war.

»Madam«, sagte der Offizier, griff mit der Hand hinter sich und schüttelte Josephine am linken Ellbogen. »Madam. Sehen Sie.«

Cad sah, was der Offizier meinte. Ein ›Prioritätssignal‹ von einem Schiff im Raum.

Das Bild vom Tower des Raumhafens zeigte, daß die Yacht erbebte, und dann beschleunigte sie erst langsam, dann rascher. Sie verschwand zwischen Wolken; auf dem Bildschirm war nichts mehr zu sehen.

Jemand schaltete das Bild des Nebenmonitors mit dem Flugdeck der Yacht auf den großen Bildschirm um.

Habu lag bewegungslos da. Er öffnete langsam sein Auge, sein noch funktionstüchtiges Auge. Cad konnte das andere nicht sehen, da es von dickem, inzwischen geronnenem Blut bedeckt war.

Der Offizier betätigte einen Schalter. »Nur Ton«, befahl er.

»Wormwood Zentrale, ich wiederhole, schneiden Sie mit? Hallo, Kommandozentrale Snister.«

»Verstanden«, sagte der Offizier. »Ihr Transponder kommt jetzt an. Lebensverlängerungsschiff *de Leon*.«

»Wormwood Zentrale, hier ist die *de Leon*. Ich komme auf Ihren Notruf hin.«

»Wovon redet der eigentlich?« fragte Josephine, indem sie spöttisch den Kopf verrenkte.

Tequilla Sovereign klatschte in die Hände, ein Laut, der eigenartig gedämpft übertragen wurde. »Reubins zweiter Plan!«

Cad überlegte rasch. Beiläufig sagte er: »Wenn der Mann Samen von außerhalb bestellt hat, könnte er auch ein umherstreifendes Schiff des Instituts für Lebensverlängerung angefordert haben.«

»Aus eigener Machtbefugnis?« fragte Josephine ungläubig.

Cad nickte. »Das ist durchaus möglich. Fragen Sie die *de Leon*.«

»Hier Wormwood Zentrale, *de Leon*. Wer hat diesen Notruf autorisiert?«

Die Stimme antwortete prompt. »Sie sagen hier, die Ermächtigung stamme von der Innenministerin, einer Josephine Neff. Der Befehlscode einschließlich des Erstattungscodes wurde über Webster's bestätigt.«

»Wir bezahlen auch noch dafür?« flüsterte Josephine. Sie sank in ihren Sessel.

Auf dem Bildschirm hatte Tequilla Sovereigns Gesicht eine Veränderung durchgemacht. Es lag keine Schadenfreude wegen ihres Triumphs über Josephine darin. Ihre Hände bewegten sich. »Reubin. Reubin. Hörst du?«

Auf dem Hauptschirm kroch der Blick von Habus einem Auge zum Funkgerät hinüber. Er hob die zerrissene Braue dieses Auges.

»Reubin, dort draußen ist ein Schiff des Instituts für Lebensverlängerung. Dein Plan hat funktioniert. Hier, bloß eine Sekunde.« Ihr Gesicht neigte sich auf ihre

Konsole hinab, und ihre Hände flogen. »Ich hab die Koordinaten, Reubin. Ich sende. Hast du sie bekommen?«

Habus rechte Hand erwachte aus Todesstarre, streckte sich aus und berührte einen Knopf. Er nickte, und ein Blutstropfen fiel auf die Aufnahmeoptik, blockierte die linke obere Ecke des Objektivs und damit die Ecke des großen Bildschirms in der Zentrale.

Wieder ertönte Tequilla Sovereigns Stimme. »Hallo, *de Leon*. Ein Kunde in schlechter Verfassung ist zu Ihnen unterwegs. Können Sie ihn einfangen?« Ihre Augen glitzerten. »Sein Name lautet Reubin Flood, und er hat auf Webster's kürzlich die entsprechenden Vereinbarungen getroffen.«

»Wir werden's versuchen.«

»Reubin? Löse den Kurswechsel aus. Drück noch einmal den Knopf.« Tequillas Stimme klang besorgt. »Dein Schiff wird in einen Parkorbit gehen, wenn es diesen Punkt erreicht. Die Leute vom Institut werden dich holen kommen. Hast du gehört, Reubin?«

Er bewegte sich nicht.

»Reubin! Tu es!« Ihr Tonfall war kräftiger, befehlender geworden. Ihre Augen funkelten.

Seine Hand bewegte sich zentimeterweise auf den Schalter zu, eine verschmierte Blutspur hinterlassend. Was eine Ewigkeit dauerte. Habu schaute einen Moment lang auf die Funkkonsole, und Cad meinte in eine bodenlose Hölle zu blicken. Der Blick wurde jedoch weicher, und Cad nahm an, daß es wegen Tequilla Sovereign war.

Habus Arm bewegte sich millimeterweise. Er wurde bewußtlos, und seine Hand streifte kaum den Schalter, als er zusammenbrach und das Bild verblaßte.

Cad blickte zu Tequilla Sovereign hinüber. Tränen quollen ihr aus den Augen und liefen ihr die Wangen hinunter. Sie machte eine Handbewegung, und das

Bild erstarb, was nur noch eine Bildschirmanzeige übrig ließ. Die Aufnahme der leeren Startvorrichtung war so trostlos, wie Cad sich fühlte. So viel war in so kurzer Zeit geschehen. Er war immer noch wie betäubt.

Josephine Neff saß da, das Gesicht in den Händen, mit dem Oberkörper vor- und zurückpendelnd. »Eine Einzugsermächtigung? Das kann sich die Gesellschaft nicht leisten.«

Cad wußte jedoch, daß sie würde blechen müssen.

Josephine schloß die Augen. Ihre Stimme war leise, aber kein Flüstern mehr. »Die gottverdammte Frau war es. Irgendwie hat sie es geschafft.«

Die Stimme des Piloten von der *de Leon* ertönte. »Hallo, Wormwood Zentrale. Hören Sie, es entspricht unserem normalen Vorgehen, jeden aufzunehmen, der sich an uns wendet. Wenn es dort unten noch weitere Personen gibt, die sich der Umwandlung unterziehen möchten, ist jetzt die Gelegenheit. Bitte geben Sie dies bekannt. Die Kosten und benötigten medizinischen Profile folgen mittels Datenübertragung.«

Cad kniete neben Josephine nieder. Er flüsterte ihr ins Ohr. »Du weißt, es ist eine Überlegung wert.«

Josephine ließ die Hände sinken und blickte ihn mit einem zunehmend grüblerischen Ausdruck an.

Aber er kannte sie.

Sie lebte um der Macht willen, der Macht über Männer. Jetzt hatte sie sie. Selbst wenn die Gesellschaft aufgrund der Ausgaben für den Noteinsatz des Instituts-schiffes pleite ging, und selbst wenn die Computer-systeme der Wormwood Inc. weiterhin von Virenpro-grammen wimmelten, würde sie auf Snister bleiben – solange sie die Nummer Eins war.

Außerdem würde man ihn ohne ihre Autorität und Zusicherungen nicht an Bord der *de Leon* lassen, da er nicht die erforderlichen medizinischen Voraussetzungen mitbrachte. Außerdem fragte er sich, ob er wirklich

auf irgendeinem gottverlassenen, primitiven Grenz-
planeten der Galaxis enden und einem neuen Habu
hinterherjagen wollte.

Verdammt noch mal.

Und im Moment stand es nicht in Cads Macht, Josephine zu verlassen. Er wollte es nicht. Und würde es
darum auch nicht tun.

Cads Augen suchten den leeren Bildschirm, auf dem
Habu abgebildet gewesen war. Eines Tages, eines Tages
werde ich dich fangen.

Eines Tages.

Tique

SIE GING LANGSAM WEGEN IHRES GEWICHTS.

Tequilla Sovereign unternahm eine ihrer häufigen Wanderungen.

Es regnete nicht einmal.

Sie bemerkte, daß sie sich in einer Gegend befand, die sie noch nie besucht hatte.

Eine fremdartige und wundervoll aussehende Kletterpflanze bedeckte die ganze vor ihr liegende Ebene. Purpurfarbene Blüten sprossen zwischen den Blättern hervor. Es wimmelte von flachen, haarigen Kapseln. Sie brauchte kein Gartenbauexperte zu sein, um zu wissen, daß es Samenkapseln waren.

Eine riesige grüne Erhebung zu ihrer Linken. Ein Hügel, vollständig von der Pflanze bedeckt.

Kudzu, hatte *er* sie genannt.

Sie meinte, sie könne die Kletterpflanze unmittelbar vor sich wachsen sehen.

Nur eine andere Pflanze gedieh. Ein Busch. Mit langen, flachen Samenkapseln. Manche überragten sie. Andere standen zusammengeballt und wuchsen wie in Hecken.

Ihr wurde klar, daß der Boden des Tals mit Kudzu und Tangantangan durchsetzt war.

Das würde Josephine neue Kopfschmerzen bereiten. O je.

Josephine ging es gut – inzwischen. Unter dem Einfluß von Cadmington Abbot war sie verantwortungsvoller geworden, und ihre Urteile waren für gewöhnlich wohlbegründet. Die ganze Habu-Episode hatte sie menschlicher gemacht.

Aber Cad. Dieser Mann war besessen. Er hatte sich bei zahlreichen Gelegenheiten ausführlich mit Tique unterhalten und alles wissen wollen, was zwischen ihr und Reubin vorgefallen war. In minutiösen Einzelheiten. Alles. Wie Reubin sich in jeder Situation verhalten hatte. Seine Ähnlichkeit mit Schlangen.

Tique fand die von Habu dominierten Situationen beunruhigend, selbst in der Erinnerung. Reubins Hang zu direktem und tödlichem Vorgehen eingeschlossen.

Sie erzählte Cad nicht viel. Die Beziehung zwischen Tique und Reubin ging Cad nichts an. Sicher, sie steckte ihm einige Dinge, die sowieso auf der Hand lagen. Jedoch nichts über ihre tatsächliche Beziehung. Sie erzählte Cad nicht, daß er ihr Haar gebürstet hatte, auch nichts von ihrer gemeinsamen Zeit im Krankenhaus. Sie erzählte jedoch die Geschichte von Reubins Fluchtversuch, blind und sie tragend, wie er gegen Bäume gerannt und gestolpert war und dennoch weitergemacht hatte, obwohl er unter schwerem Beschuß lag. Das sollte einigen Aufschluß über Reubins Charakter geben.

Und obwohl ihr Cad Löcher in den Bauch gefragt hatte, hatte sie heftig bestritten, daß sie von Reubin schwanger war. Sie hatte Cad mit offenem und ernstem Gesicht angelogen.

Tique war ihren Plan immer wieder durchgegangen. Sie hatte bemerkt, daß sie mehrere Monate mit der Empfängnisverhütung ausgesetzt hatte. Mindestens so lange. Und seine Unfruchtbarkeit mußte zusammengebrochen sein, als die lebensverlängernde Behandlung nachzulassen begann und es seinem Geist ermöglichte, ins Vergessen abzugleiten. Komplizierte Voraussetzungen, doch der Same hatte Wurzeln geschlagen, genau wie die Natur es gewollt hatte.

Tequilla Sovereign würde Reubin Floods Kind zur

Welt bringen. Sie sagte nicht ›Habus Kind‹, obwohl das gut der Fall sein konnte.

Sie hatte sich hauptsächlich aus zwei Gründen dazu entschlossen. Einmal wegen Mutter. Eine letzte Geste. Das hatte Tique überhaupt erst auf den Gedanken gebracht, von Reubin ein Kind zu bekommen. Das war etwas, das sie für Mutter *und* für Reubin tun konnte. Sie hatte es getan, als sie geglaubt hatte, Reubin werde tatsächlich jeden Moment sterben. Beide hatten sie nicht damit gerechnet, daß er dies alles lebend überstehen würde. Darum wollte Tique Reubin ein Vermächtnis hinterlassen, etwas, das über seinen Tod hinaus andauerte. Etwas, das, wie sie überzeugt war, auch ihre Mutter getan hätte. Ihm ein Kind schenken. Oder mehr.

Außerdem hatte sie sich kaltblütig entschlossen, sich von ihm schwängern zu lassen, um herauszufinden, ob Habu eine Psychose in Reubins Geist war – oder etwas, das seine Spuren in Reubins genetischer Struktur hinterlassen hatte.

Wollte sie es wirklich wissen?

War Habu *wirklich* etwas, das aus einer ursprünglichen Quelle an die Oberfläche gestiegen war? Manchmal, wenn sie sich daran erinnerte, wie er sie aus der Siedlung befreit hatte oder in den Wurmholzwäldern blind ausgebildete Gendarmen und Sicherheitsbeamte getötet hatte, fiel es Tique leicht, an diese Möglichkeit zu glauben. In diesen Erinnerungen war er tatsächlich kein menschliches Wesen. Diesen Erinnerungen stellte sie jedoch das Bild gegenüber, wie er in der Wildnis ihr Haar gebürstet hatte. Ein wahrer Gentleman.

Vielleicht würde sein Kind beweisen, daß Habu das Resultat des schweren Traumas war, das er auf Tsuruga erlitten hatte – oder das Kind bewies, daß Habu etwas anderes war, *etwas im Universum Einzigartiges.*

Wie auch immer, es konnte sein, daß sie es nie erfahren würde. Wenn Habu eine fremde Persönlichkeit oder ein fremdes Wesen war, dürfte es keine Auswirkungen auf das Kind haben. Wenn er jedoch ausschließlich Reubin zu eigen war, sollte es sich im Kind zeigen. Und vielleicht auch nicht sofort. Tique fragte sich, wie lange es dauern würde, bis Habus einzigartige Merkmale zum Vorschein kamen.

Sie dachte darüber nach. Ihr blieben vielleicht noch zwanzig Jahre bis zur ersten Umwandlung. Das Kind wäre dann immer noch zu jung, um es sich selbst zu überlassen, darum würde ihr das ILV erlauben, das Kind mitzunehmen. Dann noch hundert Jahre auf einem neuen Planeten draußen an der Grenze, und sie hatte noch etwa hundertzwanzig Jahre Zeit, ein paar Antworten zu bekommen.

Der Arzt hatte ihr gesagt, es sei eine schwierige Schwangerschaft – heutzutage war es jedoch möglich, sie bis zur Niederkunft durchzubringen.

Würde Cad nicht seine nächste Umwandlung dafür hergeben, um zu wissen, was sie wußte? Und vor ihm und der übrigen Menschheit verbarg.

Tique hatte in letzter Zeit den Eindruck, daß Cad unruhig wurde. Sie fragte sich, welche Auswirkungen es auf Josephine haben würde, wenn Cad zu seiner niemals endenden Suche aufbräche. Seine Abreise würde sich positiv auf ihre Bescheidenheit auswirken. Doch einstweilen waren Josephine und Cad ein hingebungsvolles Liebespaar. Irgendwann würde Cad seine Suche jedoch wiederaufnehmen.

Seine Suche nach Habu.

Tique kniete vorsichtig nieder, um die Kudzupflanze zu untersuchen. Sie schüttelte den Kopf. Alles erschien ihr immer noch wie ein Traum. Doch Mutter war verschwunden. Und jetzt Reubin.

Was hatte Reubin über die Kudzu zu ihr gesagt? Erosionseindämmung. Wasserspeicherung. Verhinderung von Überschwemmungen. Soviel zu den Schwemmebenen. Es würde eine Weile dauern, Jahre vielleicht. Doch es war so gut wie vollbracht. Tique betastete eine Ranke, zog sie hoch und stellte fest, daß sie sich auch mittels Wurzelteilung vermehrte – zusätzlich zu den Samen. Sie hätte gewettet, daß sie auch Triebe bildete. Sie zog diesen Teil der Kletterpflanze langsam hoch. Die Wurzeln reichten tiefer, als ihrer Körpergröße entsprach. Mindestens einige Meter. Darum also das Wasserrückhaltevermögen und die Erosionseindämmung.

Vielleicht würden sich die Kudzu und die Tangantangan mit der Welt und speziell den Wurmholzbäumen irgendwie arrangieren. Sie hoffte es. Sie sah Vögel die neuen Samen probieren. Und der Wind würde sie fortwehen und verteilen.

Josephine Neff würde einer im Niedergang begriffenen Wormwood Inc. vorsitzen – vielleicht.

Tique und Josephine Neff hatten erreicht, was Tique einen ›unbewaffneten Waffenstillstand‹ nannte. Tique hatte die meisten Virenprogramme aufgespürt und eliminiert. Die Entscheidung war ihr schwergefallen. Doch im Austausch gegen Josephines Versprechen, keine weiteren Wurmholzbäume mehr anzupflanzen, hatte Tique mitgeholfen, die Verwüstungen in den Computer- und Datensystemen, die sie angerichtet hatte, zu reparieren. Tique dachte an die fremden Tangantangan- und Kudzupflanzen, die sich als Habus Vermächtnis in sämtliche Richtungen ausbreiteten. Oder jedenfalls eine von beiden. Tique glaubte, daß ihr die Ausbreitung dieser von der Erde stammenden Pflanzen gegenüber Josephine ein Druckmittel in die Hand geben würde – falls die Nummer Eins ihr Wort brechen sollte. Tique empfand ein starkes Gefühl gegenüber dieser Welt, so wie die Natur sie gewollt hatte. Es würde ihre natürliche Neugier befriedigen, sollte Josephine sie angelogen haben oder später ihre Meinung ändern. Tatsächlich behandelte sie die neue Premierministerin nicht mehr herablassend. Tique vermutete, daß ihr Triumph und dann ihre Zusammenarbeit Josephine überraschten.

Bei ihren Versöhnungsgesprächen hatte Josephine enthüllt, was sie und Cad über Fels Nodivving herausgefunden hatten.

Nodivving war ein ambitionierter Mann gewesen. In Lauf der Jahrhunderte hatte er jedoch begonnen sich zu langweilen. In seinem gegenwärtigen Leben war er in der Omend Galactic Operations soweit aufgestiegen, wie er nur konnte. Er war Vizepräsident der Firma. Ihm unterstanden die Forschungs- und Entwicklungsabteilungen. Sie waren auf die Endokrinologie und Gehirnforschung gestoßen. Eine Liste von Endokrinologen tauchte auf, und er hatte vermutet, daß es sich dabei um eine Auflistung der ursprünglichen Mitarbeiter am Silas-Swallow-Projekt handelte. Er hatte die Namen verglichen und überprüft und dabei entdeckt, daß Alexandra Sovereign zu ihren Angestellten auf Snister gehörte – bei der Wormwood Inc. Fels hatte sich nach Snister begeben, und der Rest war jetzt Geschichte.

Es erklärte Fels' Versuche, Mutter für sich zu gewinnen. Der auf Fels lastende Druck erreichte einen Höhepunkt und kochte über, als Mutter nach Snister zurückkehrte, um ihre Angelegenheiten zu regeln. Fels konnte nicht mehr länger warten. Grenzenlose Macht und unbeschränktes Vermögen drohten ihm zu entgleiten. Ein Mensch wie Fels Nodivving sah sich wahrscheinlich als den geborenen Anführer der Menschheit. Ein neues Regime, mit ihm an der Spitze.

Zumindest hatten Josephine und Tique dies aufgrund dessen, was sie in Erfahrung bringen konnten, vermutet. Die Muttergesellschaft, die Omend G. O., verhielt sich in der ganzen Angelegenheit ausgesprochen unkooperativ. Vielleicht war es Vorsicht gegenüber Industriespionage; wahrscheinlicher war, daß sie nicht für Nodivvings Handlungen zur Verantwortung gezogen und haftbar gemacht werden wollte. Eine andere Möglichkeit war, daß sie mit Fels Nodivving unter einer Decke steckten und dieser ihr Agent bei der galaktischen Jagd nach den Endokrinologen war, die für Swallow gearbeitet hatten. Man hätte diese Liste bekommen und der Sache nachgehen müssen. Oder man hätte Nachforschungen über Mutters Einstellung und Laufbahn bei der Wormwood Inc. anstellen müssen. Es war ausgeschlossen, daß sie sich jemals würden Gewißheit verschaffen können.

Nun, vielleicht hätte jemand mit dem Talent eines Reubin Flood es geschafft.

Reubin verfügte über das Wissen, soviel war klar. Cad und sie hatten lange darüber geredet. Reubin hatte ihr gesagt, er habe am Rande des ursprünglichen Projekts mitgearbeitet und dabei geholfen, die Computersysteme des Instituts für Lebensverlängerung zu installieren. Als Berater oder etwas in der Art. Wahrscheinlich hatte er ein sich selbständig aktualisierendes, lernfähiges Programm installiert, das ihm Zugang zu den Programmen, Vorgängen und Daten des ILV gewährte. Ebenso wie Tique Virenprogramme in das System der Wormwood Inc. eingeschleust hatte.

Was eine Erklärung dafür war, daß Reubin das ILV-Schiff mit dieser langen, verschlüsselten Nachricht nach Webster's hatte herbeirufen können.

Tique vermutete, daß Reubin jedesmal, wenn er sich der Umwandlung unterzog, seine Spur sorgfältig verwischte.

Nur diesmal nicht.

Er war so... verwundet gewesen. Außerdem war er als ›Reubin Flood‹ an Bord der *de Leon* gegangen und hatte sich unter diesem Namen der lebensverlängernden Behandlung unterzogen, anstatt als jemand anderer.

Eine Spur. Eine, die Cad bemerkt hatte, wie er im Gespräch mit ihr hatte durchblicken lassen. Das hatte sie am Funkeln in seinen Augen erkannt. Reubin war jetzt verwundbar. Durch Cad. Durch die Föderation. Selbst durch die Omend, falls diese auf Rache aus war.

Die Legende von Habu würde jetzt gewiß neue Nahrung finden. In diesem Sektor war er bereits weithin bekannt. Von überall her strömten Nachrichtenleute herbei. Sie hatte vielleicht zweihundert Anfragen um Interviews abgelehnt. Die Legende von Habu war kein Mythos mehr. Sie war eine Realität. Jetzt war sie wirklich, denn die Leute konnten ›Reubin Flood‹ sagen, wenn sie von Habu sprachen. Die Legende personalisierte sich dadurch für sie. Dieser Punkt konnte sein Image vielleicht aufbessern – zumindest in diesem Sektor. Fels Nodivving und die Videoaufzeichnung der letzten Begegnung hatten mit einem Schlag fertiggebracht, was Legionen von Propagandaexperten nicht geschafft hätten; sie hatte dem berüchtigten Habu ein besseres Image verschafft.

Tique richtete sich auf und ließ die Ranke fallen. Hatte Reubin gewußt, daß sie den Schaden, den sie im Computersystem der Wormwood Inc. angerichtet hatte, ›reparieren‹ würde? War das der Grund, weshalb er die Kudzu und Tangantangan ausgesät hatte?

Sie fragte sich, ob er richtig gehandelt hatte. Sie fragte sich *ständig*, ob *sie* richtig gehandelt hatte.

Als sie hier geblieben war.

Anstatt...

Zumindest würde sie ein Kind von ihm bekommen. Sein letztes Vermächtnis.

Sie wischte sich Schmutz von den Händen auf ihre Umstandsjeans. Sie schulterte den Rucksack mit einer geübten Bewegung.

Sie schritt durch das fremdartige Laubwerk und setzte ihre Wanderung fort. Sie wußte, es würde bald regnen.

HEYNE BÜCHER

Michael McCollum

schreibt Hardcore SF-Romane, die jeden Militärstrategen unter den SF-Fans und Battletech-Spieler begeistern.

Antares erlischt
06/5382

Antares Passage
06/5924

06/5382

06/5924

Heyne-Taschenbücher